KB044316

한국산업인력공단 새 출제기준에 따른 최신판!!

2021 YO! 요리달인 시리즈

YouTube '에브리맘 중식'

요리달인의 중식 마스터!

최고의 적중률!! 최고의 합격률!!

크라운출판사

조리 · 제과제빵 · 서비스 서적 사업부

http://www.crownbook.com

머리말

본 교재는 중식조리기능사 자격을 취득하고자 하는 수험생들을 위해 중식조리기능사 "합격"을 위한 필기, 실기 통합본입니다. 조리기능사 시험은 내용이 방대하고 암기할 것도 많기 때문에 효율적으로 공부하는 것이 중요합니다. 조리기능사 시험은 조리사가 반드시 알아야 할 필수지식이 반복적으로 출제되므로 선택과 집중이 중요합니다. 이 책은 짧은 시간에 최적의 학습효과를 얻을 수 있도록 구성되어 있습니다.

본 교재의 특징은 다음과 같습니다.

〈필기〉

첫째, 한국산업인력공단의 2021년 출제기준에 부합되도록 완벽하게 구성하였습니다. 특히 2020년부터 새롭게 추가된 내용을 한 눈에 보기 좋게 정리하였습니다.

둘째. 각 이론에 자주 출제되는 부분과 중요한 부분은 집중공략과 요리달인의 꿀팁으로 표시하여 수험생들이 효율적으로 공부할 수 있도록 하였습니다.

셋째. 각 단원별 적중예상문제를 넣어서 핵심포인트 이론을 다시 한 번 정리하게 하였고, 5회 분량의 실전 모의고사는 출제 가능성이 높은 문제로 구성하였습니다.

〈실기〉

첫째, 저자의 다년간 실기시험 감독을 통해 쌓은 노하우를 바탕으로 수험생들이 직접 실습하는데 있어 더 쉽고, 구체적인 조리프로세스를 설명하였습니다.

둘째, 20가지 메뉴마다 합격에 중요한 Tip을 요리달인의 합격비법으로 수록하여 수험생들이 반드시 알아야 하는 포인트를 다시 한 번 정리하였습니다.

셋째, 핸드북으로 사용 가능한 요리달인의 초스피드 합격노트를 제작하여, 시험 직전에 리뷰할 수 있도록 구성하였습니다.

이 책을 선택한 수험생들이 짧은 시간에 효율적으로 공부하여 합격하길 진심으로 기원합니다.

끝으로 이 책이 출간될 수 있게 많은 격려와 지원을 해주신 크라운 출판사 임직원 여러분의 노고에 감사를 드립니다.

저자 박지영, 전도현

목 차

제 1 장 이 론 편

CONTENTS

목 차

1

이 론 편

PART 1　중식 위생관리

PART 2　중식 안전관리

PART 3　중식 재료관리

PART 4　중식 구매관리

PART 5　중식 기초 조리실무

PART 6　중식 조리

PART 1

중식 위생관리

Chapter 1 개인 위생관리

1. 위생관리기준

위생관리는 개인위생, 식품위생, 시설위생으로 분류

① 개인위생 - 항상 손을 청결하고 복장은 위생복, 위생모, 안전화를 착용하여 조리 시 먼지, 이물, 세균 등이 음식물을 오염시키지 않도록 해야 함
② 식품위생 - 식품의 오염원을 사전에 차단하고 항상 신선한 식재료를 사용
③ 시설위생 - HACCP에 따라 집기, 주방시설을 관리하고, 정기적인 소독을 실시

2. 식품위생에 관련된 질병

식품위생에 관련된 대표적인 질병은 식중독이며, 그에 따른 구분은 다음과 같음

구 분		내 용
세균성 식중독	감염형	살모넬라 식중독
		장염비브리오 식중독
		병원성대장균 식중독
	독소형	황색포도상상구균 식중독
		비브리오 식중독
	중간형	웰치균 식중독
	기타	알러지성 식중독
바이러스성 식중독	감염형	노로바이러스, 아스토로바이러스, 장관이데노바이러스, 로티바이러스

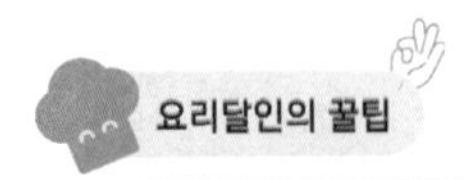

구체적인 내용은 식중독편에서 공부하자!

Chapter 2 식품 위생관리

1. 미생물의 종류와 특성

(1) 종류와 특성

1) 곰팡이
① 진균류로서 인간 생활에서 흔히 볼 수 있는 미생물
② 실모양의 균사체이며 색깔이 있는 포자를 형성
③ 건조 또는 습한 환경에서 번식하며 독을 생성

2) 스피로헤타(Spirochaeta)
① 단세포 식물과 다세포 식물의 중간 단계의 미생물
② 나선형
③ 매독의 병원체

3) 세균(Bacteria)
① 단세포의 미생물
② 공기 중 산소의 필요성에 따라 호기성균과 혐기성균으로 나눔
③ 2분법으로 증식
④ 구균류, 간균류, 나선균류의 3가지가 있음

4) 리케차(Rickettsia)
① 세균과 바이러스의 중간에 속하는 미생물
② 원형, 타원형 등의 형태로 존재
③ 살아있는 세포 속에서만 증식

5) 바이러스(Virus)
① 미생물 중 가장 작은 미생물
② 살아있는 세포에만 증식
③ 경구감염병의 원인이 되기도 함

6) 원충류(Protozoa)
① 원생동물류라고도 하며 단세포로 생활할 수 있는 동물

7) 효모(Yeast)
① 산소의 존재와 상관없이 증식하는 미생물
② 구형, 달걀형, 타원형, 소시지형 등이 존재
③ 25~30℃가 발육의 최적온도이며 40℃ 이상이 되면 죽음

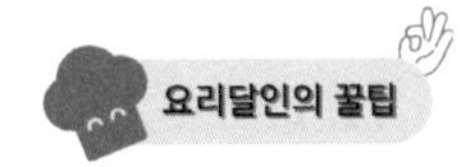

◈ 미생물의 크기

곰팡이 〉 효모 〉 스피로헤타 〉 세균 〉 리케차 〉 바이러스

(2) 미생물 생육에 필요한 조건 집중공략

1) 영양소 : 탄소원(당질), 질소원(아미노산, 무기질소), 무기질, 발육소, 비타민 등이 필요

2) 수분

① 미생물의 발육·증식
- 미생물이 발육, 증식하는 데 필요한 수분량은 일반적으로 40% 이상
- 수분량을 40% 미만으로 유지하면 미생물 증식 억제 가능
- 생육에 필요한 수분량은 세균(0.95) 〉 효모(0.88) 〉 곰팡이(0.80)

② 미생물 발육의 억제
- 수분이 13% 이하일 경우 미생물의 발육이 억제
- 소금물과 당액에서는 수분함량의 부족으로 미생물의 발육이 억제

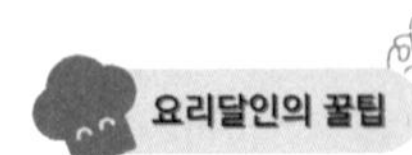

◈ 수분활성도(Aw)

식품의 성분에 포함되어 있는 수분의 강도를 표시한 것, 수분활성도가 높을수록 미생물의 발육이 쉬움

3) 온도

일반적으로 0℃ 이하나 80℃ 이상에서는 잘 발육하지 못함

구 분	특 징	종 류
저온균	증식의 최적 온도가 15~20℃인 균	부패균
중온균	증식의 최적 온도가 25~37℃인 균	병원성 세균
고온균	증식의 최적 온도가 50~60℃인 균	온천균

4) 산소

미생물은 산소의 필요도에 따라 호기성균, 혐기성균으로 나누어짐

① 호기성균 : 산소가 있어야 생육이 가능한 균
- 곰팡이, 효모, 바실러스 등

② 혐기성균 : 산소가 없이도 생육이 가능한 균

㉠ 통성 혐기성균 : 산소의 유무와 관계없이 생육이 가능한 세균
- 효모, 대부분의 세균

㉡ 편성 혐기성균 : 산소를 절대적으로 기피하는 세균
- 보툴리누스균, 웰치균 등

5) 수소이온농도(pH)
① 곰팡이와 효모 : pH 4.0~6.0으로 산성에서 잘 자람
② 세균 및 미생물 : pH 6.5~8.0으로 보통 중성 내지 약알칼리성에서 잘 자람

(3) 위생지표 세균

수많은 병원성 세균을 검사한다는 것은 불가능함으로, 식품의 안정성을 측정하기 위해 간접적으로 지표가 되는 세균을 지정한 것

1) 대장균(Escherichia coli)
식품이나 수질의 분변오염지표이며, 그람음성의 무포자 간균

2) 대장균군의 특징
① 그람 음성의 무포자 간균
② 유당을 분해하여 산과 가스를 생산
③ 병원성을 띠기도 함

(4) 미생물에 의한 식품의 변질

종 류	특 징
부 패	단백질 식품이 혐기성 미생물에 의해 분해되어 악취와 유해한 물질이 생성되는 현상
변 패	탄수화물과 지방이 미생물의 작용에 의해 변질되는 현상
산 패	지방이 공기 중의 산소, 일광, 금속(Fe, Cu)에 의해 산화되어 불쾌한 냄새를 형성하여 변질되는 현상
발 효	탄수화물(당질)식품이 미생물에 의해 분해되어 알코올과 유기산 등의 유용한 물질을 만드는 현상

2. 식품과 기생충병 집중공략

(1) 채소류에 의한 기생충

종 류	특 징
회충	- 분변으로 오염된 채소, 불결한 손, 파리의 매개에 의한 음식물의 오염으로 인해 경구감염됨 - 분변관리, 파리구제 및 환경개선, 정기적인 구충실시, 청정채소 장려, 위생적인 식생활
구충 (십이지장충)	- 유충이 있는 채소 취급, 맨발 또는 흙 묻은 손에 의한 경피감염 또는 경구감염됨 - 오염된 환경에서의 손이나 발 등의 피부노출을 피하고 분뇨를 비료화하지 않음
요충	- 성숙한 충란이 손이나 음식물을 통하여 경구감염됨 - 항문 주위에 산란하며 집단감염이 잘됨 - 구충 실시, 침구 및 내의 등을 정기적으로 세탁, 청결한 몸 유지
편충	- 생 채소 섭취로 인해 경구감염됨 - 분변관리, 정기적인 구충실시, 청정채소 장려, 위생적인 식생활
동양모양 선충	- 구충과의 기생충으로 인해 경구감염 또는 경피감염됨 - 분뇨를 비료화하지 않고 오염된 환경에서의 피부 노출을 피함

(2) 어패류에 의한 기생충

종 류	제1중간숙주	제2중간숙주
간디스토마(간흡충)	쇠우렁이	잉어, 붕어 등 민물고기
폐디스토마(폐흡충)	다슬기	민물 게, 가재
요꼬가와흡충(횡천흡충)	다슬기류	송어, 은어, 민물고기
유극악구충	물벼룩	민물고기
광절열두조충(긴촌충)	물벼룩	민물고기
아니사키스	크릴새우, 바다 갑각류	조기, 오징어, 바닷고기

(3) 육류에 의한 기생충

종 류	감염 경로	예방 방법
무구조충(민촌충)	소 → 사람	원인 육류의 생식을 피하고 위생적인 환경 조성
유구조충(갈고리촌충)	돼지 → 사람	
선모충	돼지, 개 → 사람	

3. 살균 및 소독의 종류와 방법

(1) 소독의 종류

1) 멸균
강한 살균력을 작용시켜 병원균, 비병원균, 아포까지 모든 미생물의 영양세포와 포자를 사멸시키는 것

2) 살균
세균, 효모, 곰팡이 등을 포함한 미생물의 영양세포를 사멸시키는 것

3) 소독
병원미생물을 죽이거나 약화시켜 감염력과 증식력을 없애는 것

4) 방부
미생물의 증식을 억제하여 부패와 발효를 방지하는 것

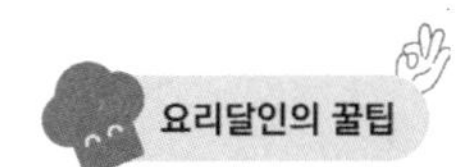

◈ 소독력 크기

멸균 〉 살균 〉 소독 〉 방부

(2) 소독의 방법

1) 물리적 방법

구 분	종 류	특 징
가열 처리법	건열 멸균법	- 화염멸균법 · 불꽃 속에 20초 이상 가열하는 방법 · 금속류, 백금, 도자기류 등을 소독 - 건열멸균법 · 건열멸균기를 이용하여 150℃~160℃에서 30분 이상 가열하는 방법. · 유리기구, 사기그릇, 금속제품 등을 소독
	습열 멸균법	- 자비소독법(열탕소독) · 끓는 물에서 15~20분간 가열하는 방법 · 식기류, 행주 등의 소독에 사용하며 아포형성균은 완전히 사멸되지 않음 - 고압증기멸균법 · 고압증기멸균기를 사용하여 121℃에서 20분간 살균하는 방법 · 통조림, 거즈 등을 소독하며 아포형성균의 멸균에 가장 적합 - 유통증기멸균법 · 100℃의 유통증기를 30~60분 동안 가열하는 방법 · 아포는 사멸시키지 못함

		- 간헐멸균법 · 1일 1회 100℃의 증기를 20~30분 동안 통과시켜서 3회 살균하는 방법 · 아포형성균을 사멸 - 저온장시간살균법 우유를 61~65℃의 온도에서 30분 동안 가열처리 하는 방법 - 고온단시간살균법 우유를 70~75℃의 온도에서 15~30초 동안 가열 처리하는 방법 - 초고온순간살균법 우유를 120~135℃의 온도에서 2~3초 동안 가열 처리하는 방법
무가열 처리법	자외선 멸균법	살균력이 높은 2,500~2,800Å(250~280nm)의 자외선을 이용하여 공기, 물, 식품, 기구, 용기를 소독하는 방법
	방사선 멸균법	^{60}Co (코발트60)에서 발생하는 방사선을 이용하여 물질을 조사하여 소독하는 방법
	세균 여과법	세균 여과기로 걸러서 균을 제거하는 방법

2) 화학적 방법

① 소독약의 구비조건

- 살균력이 강할 것
- 가격이 저렴하고 사용법이 간단할 것
- 부식성과 표백성이 없을 것
- 불쾌한 냄새가 없을 것
- 용해성이 높고 침투력이 강할 것

② 종류 및 특징

종 류	특 징
염소	- 채소, 식기, 과일, 음료수, 식수 등의 소독에 사용 - 수돗물 소독 시 잔류염소 : 0.2ppm - 채소, 식기, 과일 등 소독 시 잔류염소 : 50~100ppm
석탄산(페놀)	- 분뇨, 하수도, 진개 등의 오물 소독에 사용 - 3~5% 수용액을 사용하며, 살균력이 안전 - 냄새와 독성이 강하고 피부점막에 자극을 줌 - 석탄산계수 : 소독약의 소독력을 나타내는 기준 - 석탄산계수가 높을수록 소독력이 좋음 - 석탄산계수 = 소독약의 희석계수 ÷ 석탄산의 희석계수
크레졸(3%)	- 분뇨, 하수도, 진개 등 오물 소독과 손 소독에 사용 - 3~5% 수용액을 사용 - 피부자극은 비교적 약하고 소독력은 석탄산의 2배 강함
역성비누(양성비누)	- 과일, 채소, 식기, 손 소독에 사용 - 0.01~0.1%로 희석하여 사용 - 무색 · 무취 · 무미하고 침투력이 강함

승홍(0.1%)	- 자극성, 금속부식성이 강한 맹독성 - 피부소독에는 0.1% 수용액 사용 - 주로 비금속기구 소독에 사용
과산화수소	- 자극성이 적어서 피부, 상처 소독에 사용 - 3% 수용액 사용
알코올(70%)	- 금속기구, 손 소독에 사용 - 70% 에탄올(에틸알코올) 사용
생석회	하수도, 진개 등의 오물 소독에 가장 우선적으로 사용
포르말린	- 분뇨, 하수도, 진개 등의 오물 소독 - 포름알데히드를 물에 녹여 30~40%의 수용액으로 만들어 사용
포름알데히드(기체)	병원, 도서관, 거실, 영안실 등의 소독에 사용

4. 식품의 위생적 취급기준

① 판매를 목적으로 식품 또는 식품첨가물을 채취, 제조, 가공, 사용, 조리, 저장, 소분, 운반 또는 진열을 할 때에는 깨끗하고 위생적으로 하여야 함

② 영업에 사용하는 기구 및 용기, 포장은 깨끗하고 위생적으로 다루어야 함

③ ①, ②에 따른 식품, 식품첨가물, 기구 또는 용기 포장의 위생적인 취급에 관한 기준은 총리령으로 함

5. 식품첨가물과 유해물질

(1) 식품첨가물의 정의 및 사용목적

1) 식품첨가물의 정의

식품을 제조·가공 또는 보존하는 과정에서 식품에 첨가, 혼합, 침윤 등의 방법으로 사용되는 물질을 말함. 식품의약품안전처장이 지정한 식품첨가물의 종류, 기준, 규격 등이 수록된 식품첨가물 공전에 있는 규격과 기준에 준함

2) 식품첨가물의 사용목적 집중공략

① 식품의 변질과 부패 방지

② 식품의 관능적 기호성 향상

③ 식품의 영양 강화와 상품가치 향상

④ 식품의 제조와 품질 향상

3) 식품첨가물의 구비조건

① 인체에 유해한 영향이 없을 것

② 소량으로 사용목적에 따른 큰 효과가 있을 것

③ 가격이 저렴하고 사용방법이 간단할 것
④ 식품 고유의 영양성분을 유지할 것
⑤ 식품의 유해한 이화학적 변화가 없을 것
⑥ 식품 외관 및 관능적 효과가 있을 것

(2) 식품첨가물의 종류

1) 기호성과 관능을 만족시키는 식품첨가물 집중공략

종 류	특 징
착색료	- 식품에 색을 부여하거나 외관을 보기 좋게 하기 위하여 착색하는데 사용 - 타르계 : 식용색소황색 제4호(단무지, 식빵) - 비 타르계 : 베타카로틴(치즈, 버터)
발색제	- 식품 내에 있는 색소 단백질과 반응하여 색을 보다 선명하게 하거나 안정화시키는데 사용 - 동물성 발색제 : 질산칼륨, 질산나트륨, 아질산나트륨 - 식물성 발색제 : 황산 제1철(과일, 채소 등에 사용)
표백제	- 식품 본래의 색을 제거하거나 퇴색 또는 변색을 방지하는데 사용 - 산화제 : 과산화수소 - 환원제 : 아황산나트륨, 산성아황산나트륨, 차아황산나트륨
착향료	- 식품 특유의 향을 첨가하거나 본래의 향을 유지 및 개선하는데 사용 - 천연 : 레몬류, 에스테르류, 알코올유, 아민계, 지방산 - 합성 : 순수합성향료, 인공향료 - 기타 : 맨톨, 계피알데히드, 바닐린
감미료	- 식품에 감미(단맛)을 주기 위해 사용 - 사카린나트륨, 아스파탐, D-소르비톨, 자일리톨, 글리시리진산나트륨, 만니톨, 스테비오사이드 등
조미료	- 식품 본래의 맛을 돋우거나 풍미를 향상시키는데 사용 - 아미노산계 : 글루타민산나트륨, 글리신, 알라닌 - 핵산계 : 구아닐산나트륨, 이노신산나트륨 - 유기산계 : 구연산나트륨, 사과산나트륨, 주석산나트륨, 호박산, 젖산나트륨
산미료	- 식품에 산미(신맛)를 부여하여 청량감과 상쾌한 맛을 강화하는데 사용 - 주석산, 사과산, 구연산, 젖산

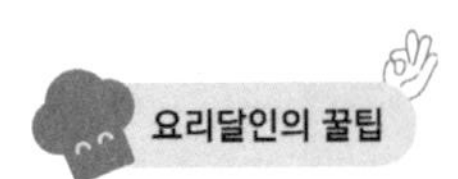

아질산칼륨은 유해발색제이며, 식품첨가물로 지정되어 있지 않음

2) 품질 유지 및 개량을 높이는 식품첨가물 집중공략

종 류	특 징
유화제 (계면활성제)	- 서로 혼합이 잘 되지 않는 2가지 물질을 균일한 혼합물로 만들거나 이를 유지시키기 위해 사용 - 글리세린, 지방산에스테르, 대두인지질(레시틴), 난황(레시틴)
피막제	- 과일, 채소 등의 표면에 피막을 형성시켜서 호흡작용을 억제하고 수분 증발을 막아 저장 중에 신선도를 유지하고 외관을 향상시키는데 사용 - 초산비닐수지, 몰포린지방산염
증점제 (호료, 정제)	- 식품의 점착성, 유화안정성을 좋게 하여 형체보존과 신선도 유지하는데 사용 - 알긴산나트륨, 젤라틴, 카제인, 카제인나트륨, 한천
밀가루 개량제	- 밀가루의 표백과 숙성기간을 단축시키고, 제빵효과 저해물질을 파괴하여 품질을 개량하는데 사용 - 과산화벤조일, 과산화암모늄, 이산화염소, 브롬산칼륨
품질 개량제	- 햄, 소시지 등의 연제품 제조 시 결착력을 향상시키고, 팽창성과 보수성을 향상시키는데 사용 - 인산염류
이형제	- 빵 제조 시 형태를 손상시키지 않고, 쉽게 분리되도록 하는데 사용 - 유동 파라핀만 허용

3) 변질을 방지하는 식품첨가물 집중공략

종 류	특 징
보존제 (방부제)	- 미생물 발육을 억제하여 식품의 변질·부패를 방지하고 영양가와 신선도를 보존하는데 사용 - 데히드로초산 : 치즈, 버터, 마가린 - 안식향산, 안식향산나트륨 : 간장, 청량음료, 과일주, 약주, 탁주 - 소르빈산, 소르빈산칼륨 : 식육·어육 연제품, 된장, 케찹 - 프로피온산 : 빵, 과자, 케이크류
살균제 (소독제)	- 식품의 부패 원인균이나 병원균을 사멸시키기 위해 사용 - 차아염소나트륨, 과산화수소, 고도표백분
산화방지제 (항산화제)	- 유지의 산패 또는 산화로 인한 품질 저하를 방지하는데 사용 - 천연 항산화제 : 비타민 C(아스코르빈산), 비타민 E(토코페놀), 세사몰, 토코페롤 - 인공 항산화제 : BHT(디부틸히드록시톨루엔), BHA(디부틸히드록시아니졸), L-아스코르브산나트륨, 몰식자산프로필

4) 식품제조에 필요한 식품첨가물

종 류	특 징
팽창제	- 빵, 과자 제조 시 가스를 발생시켜 부풀게 함으로써 조직은 연하게 하고, 기호성을 높이는데 사용 - 탄산수소나트륨, 효모, 명반

소포제	- 식품 제조 시 거품 형성을 억제하거나 방지하는데 사용 - 규소수지
추출제	- 식품의 유지를 쉽게 추출하는데 사용 - n-핵산
껌 기초제	- 껌에 적당한 점성과 탄력성을 주기 위해 사용 - 에스테르껌, 초산 비닐수지

(3) 유해물질 (중금속) 집중공략

종 류	특 징
카드뮴 (Cd)	- 중금속에 오염된 어패류 섭취, 식기나 도자기의 도금에 사용된 카드뮴에 의해 중독 - 신장기능장애, 골연화증, 골다공증 - 이타이이타이병 : 칼슘과 인의 대사이상으로 골연화증을 유발
수은 (Hg)	- 유기수은이 함유한 어패류나 농약, 보존료 등이 함유된 식품을 섭취하였을 때 중독 - 미나마타병 : 지각이상, 언어장애, 보행곤란
납 (Pb)	- 통조림, 수도관, 도료, 인쇄 등의 작업에 많이 사용되며 유약을 바른 도자기나 용기에서 중독 - 호흡과 경구침입에 의해 발생 - 피부창백, 빈혈, 구역질, 복통, 사지마비, 피로, 지각상실, 시력장애 등
주석 (Sn)	- 통조림에서 주석이 용출되어 중독 - 구토, 설사, 복통
구리 (Cu)	- 용기에 녹청이 생겨서 중독 - 청동, 놋쇠, 양은 등의 구리합금에 의해 산성에서 쉽게 용출 - 오심, 구토, 현기증, 복통, 호흡곤란
비소 (As)	- 살충제나 방부제에 있는 농약에 의해 중독 - 위장장애, 구토, 설사, 위통, 신경장애, 운동마비

Chapter 3 주방 위생관리

1. 주방위생 위해요소

(1) 식중독을 일으키는 미생물과 화학물질

이질균, 포도상구균, 기생충, 중금속

(2) 조리 · 서비스 종사원들의 불청결

머리카락, 손톱, 분리된 피부, 혈액, 감염된 종사원들의 비말감염 등

(3) 불합리한 주방설계

화장실과의 거리, 주방 내의 온도 및 습도, 환기상태, 조명, 배수시설

(4) 오염된 식재료의 구입

식품위생관리가 저조한 국가의 식재료 수입, 1차 오염된 식재료의 구입

(5) 테이크아웃(Take-Out), 가정 대체 식품의 구입 증가

햄버거, 닭튀김, 각종 패스트푸드, 가정식의 배달과정 중 2차 오염 및 부패

(6) 병원성 미생물 성장을 촉진시키는 기후

이상기온, 습도의 증가, 열대야로 인한 음식의 부패

(7) 빈약한 식품위생관리 시스템

HACCP의 부재 및 식품위생관리부재, 음식점에 동물 사육

2. 식품안전관리인증기준(HACCP)

(1) HACCP의 정의 집중공략

식품의 원재료 생산에서부터 제조, 가공, 보존, 유통 단계를 거쳐 소비자가 섭취하기 전까지의 각 단계에서 발생할 우려가 있는 위해요소를 규명하고, 이를 중점적으로 관리하기 위한 중요관리점을 결정하여 자주적이고 체계적이며 효율적인 관리로 식품의 안전성을 확보하기 위한 과학적 위생관리 체계

(2) HACCP의 대상 식품 집중공략

① 어육가공품 중 어묵, 어육소시지
② 냉동수산식품 중 어류, 연체류, 조미가공품
③ 냉동식품 중 피자류, 만두류, 면류
④ 과자류 중 과자, 캔디류, 빙과류
⑤ 음료류
⑥ 레토르트식품(Retort Food)
⑦ 김치류 중 배추김치
⑧ 빵 또는 떡류 중 빵류, 떡류
⑨ 코코아가공품 또는 초콜릿류 중 초콜릿류
⑩ 면류 중 국수, 유탕면류
⑪ 특수용도식품
⑫ 즉석섭취, 편의식품류 중 즉석섭취식품
⑬ 순대

(3) HACCP 적용 단계 집중공략

구 분		절차
HACCP 12절차	준비단계	① HACCP 팀 구성 ② 최종 제품의 기술 및 유통방법(제품설명서작성) ③ 용도 확인(제품의 소비자) ④ 공정흐름도 작성 ⑤ 공정흐름도 현장 검증
	적용단계 (HACCP 7원칙)	① 위해분석(hazard analysis : HA)(원칙 1) - 원료, 제조공정 등에 대하여 생물학적 · 화학적 · 물리적 위해요소를 분석 ② 중요관리점(critical control points : CCP) 결정(원칙 2) - HACCP를 적용하여 식품의 위해를 방지 · 제거하거나 안정성을 확보할 수 있는 결정 ③ CCP에 대한 목표기준, 한계기준 설정(원칙 3) - 모든 위해요소의 관리가 기준치 설정대로 충분히 이루어지고 있는지 여부를 판단할 수 있는 관리한계를 설정 ④ 각 CCP에 대한 모니터링 방법 설정(원칙 4) - CCP관리가 정해진 관리기준에 따라 이루어지고 있는지 여부를 판단하기 위해 정기적으로 측정 또는 관찰 ⑤ 개선조치방법 설정(원칙 5) - 모니터링 결과 CCP에 대한 관리기준에서 벗어날 경우에 개선 및 조치방법을 강구 ⑥ HACCP시스템의 검증방법 설정(원칙 6) - HACCP시스템이 적정하게 실행되고 있음을 검증하기 위한 절차를 설정 ⑦ 서류기록 유지 및 문서화(원칙 7) - 모든 단계에서 절차에 관한 문서를 빠짐없이 정리하여 이를 매뉴얼로 규정하여 보관하고, CCP 모니터링 결과, 관리기준이탈 및 그에 따른 개선조치 등에 관한 기록을 유지

3. 작업장 교차오염 발생요소

(1) 교차오염 정의

식재료, 기구, 용수 등에 오염되어 있던 미생물이 오염되지 않은 식재료, 기구, 조리종사원과의 접촉 또는 작업과정에 혼입됨으로 인해 오염되지 않아야 할 식품을 오염시키는 것을 말함. 교차오염은 물건(식재료, 운반차량 등), 사람(조리종사원, 관리자, 견학자 등), 환경(공기, 물, 배수, 시설, 바닥) 등에 의해 발생

(2) 교차오염의 방지 집중공략

① 칼, 도마 등의 조리 기구나 용기, 앞치마, 고무장갑 등은 원료나 조리과정에서의 교차오염을 방지하기 위하여 식재료 특성 또는 구역별로 구분하여 사용하여야 함. 작업장 내에서 작업 중인 종업원 등은 위생복, 위생모, 위생화 등을 항시 착용하여야 하며, 개인용 장신구 등을 착용하여서는 안됨
② 식품 취급 등의 작업은 바닥으로부터 60㎝ 이상의 높이에서 실시하여 바닥으로부터의 오염을 방지
③ 해동은 냉장해동(10℃ 이하), 전자레인지 해동 또는 흐르는 물에서 실시
④ 해동된 식품은 즉시 사용하고 즉시 사용하지 못할 경우 조리 시까지 냉장 보관하여야 하며, 사용 후 남은 부분을 재동결해서는 안됨
⑤ 가열 조리 후 냉각이 필요한 식품은 냉각 중 오염이 일어나지 않도록 신속히 냉각하여야 하며, 냉각온도 및 시간기준을 설정, 관리
⑥ 냉장 식품을 절단, 소분 등의 처리를 할 때에는 식품의 온도가 가능한 한 15℃를 넘지 않도록 한 번에 소량씩 취급하고, 처리 후 냉장고에 보관하는 등의 온도 관리가 필요
⑦ 칼, 도마, 각종 조리기구, 장갑 등을 미생물 오염 수준(구역별)이나 식재료 특성에 따라 구분 사용하는 것은 물론 소독고 등에 보관할 때에도 분리 보관
⑧ 식품을 해동할 때 찬물을 이용함. 흐르는 찬물에서는 물과 식품이 직접 닿지 않도록 포장하여 해동. 해동된 식품을 재동결하였다가 다시 해동하여 조리하는 것은 식중독 발생 가능성을 높이는 행위로 금지

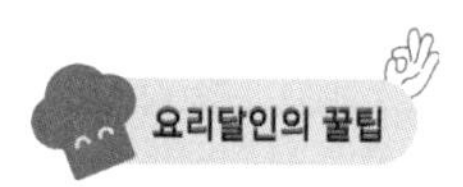

◈ 상기의 선행요건 항목 이외에도 올바른 조리를 위한 준수사항

① 조리용 용기와 기구를 구분하여 사용해 교차오염을 방지
② 조리된 식품은 전용도구를 사용하여 취급하고 절대로 맨손으로 다루지 않음
③ 각 조리법 별로 중심온도를 확인하되 식품의 크기와 두께를 고려하여 측정
④ 동일 작업을 반복하는 경우 각 작업별로 중심온도를 확인
⑤ 맛보기는 위생적 방법으로 덜어서 실시

Chapter 4 식중독 관리

▣ 식중독 개요

(1) 식중독의 정의

식품을 섭취할 때 인체에 유해한 물질이 섭취되어 구토, 발열, 설사 등의 이상현상을 일으키는 것. 원인물질은 곰팡이, 세균, 식물, 동물 등

(2) 식중독의 분류

구 분	특 징	
세균성 식중독	감염형	살모넬라균, 장염 비브리오균, 병원성 대장균, 웰치균 등
	독소형	황색포도상구균(엔테로톡신), 클로스트리디움 보툴리눔(뉴로톡신) 등
자연독 식중독	동물성	복어(테트로도톡신), 섭조개(삭시톡신), 모시조개, 굴(베네루핀) 등
	식물성	버섯독(무스카린), 감자(솔라닌, 셉신) 등
	기타	알레르기성 식중독(히스타민)
곰팡이 식중독	아플라톡신(간장독), 맥각독, 황변미중독 등	
화학적 식중독	유해성금속	수은, 카드뮴, 납, 구리, 비소, 아연 등
	농약	유기인제, 유기염소제, 비소화합물
	유해착색료	아우라민, 로다민 B 등
	유해표백제	롱가릿, 형광표백제 등
	유해감미료	사이클라메이트, 둘신, 니트로아닐린 등
	유해보존료	포름알데히드, 승홍수, 붕산 등

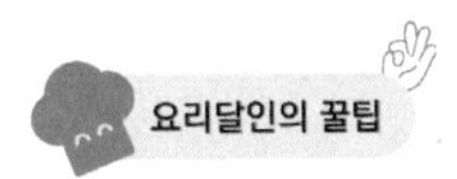

◈ 식중독 발생 시

① 보고체계
: 의심환자 발생 → 의사, 한의사 → 보건소장 → 시장, 군수 → 시 · 도지사 → 보건복지부장관 → 역학조사 실시

② 식중독 담당기관
: 중앙정부(식약처, 질병관리본부), 지방청(식중독 지원반, 원인식품 조사반), 시 · 도(식중독 대책반, 역학조사반), 시 · 군 · 구(식중독 상황처리반), 보건소(시 · 군 · 구 역학조사반)

1. 세균성 식중독 집중공략

(1) 감염형 식중독 집중공략

1) 살모넬라 식중독

원인균	살모넬라균
특징	그람음성간균, 호기성 또는 통성 혐기성균
잠복기	12~24시간(평균 20시간)
증상	구토, 복통, 설사 등의 급성 위장증세와 발열, 오한, 전신권태
원인식품	어패류, 육류, 달걀, 우유 및 유제품, 채소샐러드 등
예방대책	- 65℃에서 30분 가열처리 - 냉장, 냉동보관(10℃ 이하에는 발육하지 않음)

2) 장염비브리오 식중독

원인균	비브리오균
특징	그람음성간균, 호염성 세균(3~4% 식염농도 생존)
잠복기	10~18시간(평균 12시간)
증상	복통, 구토, 설사 등의 급성위장염
원인식품	어패류, 오염된 도마 등을 통한 2차 감염
예방대책	어패류 저온 보관, 가열 섭취, 2차 오염 예방을 위한 조리도구 소독, 살균

3) 병원성 대장균 식중독

원인균	병원성 대장균(O-157:H7 등)
특징	그람음성간균
잠복기	10~30시간(평균 13시간)
증상	발열, 복통, 설사, 구토, 급성위장염
원인식품	우유, 치즈, 소시지, 햄 등
예방대책	분변 오염에 주의, 청결한 위생상태 유지

4) 웰치균(Clostridium perfringens) 식중독

원인균	A, B, C, D, E, F형 식중독 원인균은 A형
특징	내열성균
잠복기	8~20시간(평균 12시간)
증상	설사, 복통, 구토
원인식품	육류 및 가공품, 튀김식품
예방대책	분변의 오염 방지, 조리식품은 냉동보관(재가열 섭취 금지)

(2) 독소형 식중독 집중공략

1) 포도상구균(Staphylococcus) 식중독

원인균	황색포도상구균
특징	장독소 엔테로톡신을 생성, 내열성이 강해 120℃에서 30분 가열해도 파괴되지 않음
잠복기	1~6시간(평균 3시간 정도로 잠복기가 가장 짧음)
증상	복통, 구토, 설사, 급성위장염
원인식품	김밥, 떡, 우유 및 유제품
예방대책	화농성질환자의 식품 취급 금지

2) 클로스트리디움 보툴리늄균(Clostridium botulinum) 식중독

원인균	보툴리누스균
특징	- 신경독소 뉴로톡신(Neurotoxin) 생성 - 독소인 뉴로톡신은 열에 약하나, 형성된 포자(아포)는 열에 강함 - 치명률이 매우 높음
잠복기	12~36시간(잠복기가 가장 길음)
증상	사시, 동공확대, 언어장애 등의 신경마비 증상
원인식품	햄, 소시지, 통조림, 병조림 등 식품
예방대책	음식물의 가열처리 및 살균처리, 위생적 보관

◈ **장독소** : 엔테로톡신 생성. 내열성이 강함. 120℃에서 30분 가열해도 파괴되지 않음

◈ **신경독소** : 독소인 뉴로톡신은 열에 약함. 형성된 포자(아포)는 열에 강함. 치명률이 매우 높음

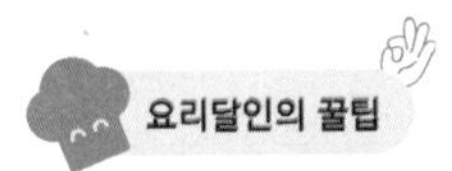

◈ 세균성 식중독

- 증상 : 두통, 구역질, 구토, 복통(급성 위장염), 설사 등
- 종류
  ① 감염형 식중독 : 살모넬라 식중독, 장염 비브리오 식중독, 병원성 대장균, 웰치균 등
  ② 독소형 식중독 : 포도상구균 식중독, 보툴리누스균 식중독 등
- 예방법
  ① 조리한 식품은 빠른 시간 내에 섭취
  ② 냉장·냉동 보관하여 오염균의 발육·증식을 방지
  ③ 식기, 도마 등은 세척과 소독을 철저히 함
  ④ 화농성질환자의 식품 취급을 금지

2. 자연독 식중독

(1) 동물성 집중공략

독 소	특 징
테트로도톡신 (Tetrodotoxine)	- 복어의 난소 〉 간 〉 내장 〉 피부 순으로 함유 - 잠복기 : 30분~5시간 - 치사률이 60% 정도로 가장 높음(치사량 : 2mg) - 끓여도 파괴되지 않음 - 지각이상, 신경마비, 호흡장애 등 - 전문조리사만이 요리, 산란 직전(5~6월)에는 섭취를 주의
삭시톡신 (Saxitoxin)	- 섭조개, 대합 등 - 치사율 10% 정도 - 신경마비 등 신경계통의 마비 - 유독시기 : 2~4월
베네루핀 (Venerupin)	- 모시조개, 굴, 바지락 등 - 내열성이 강하여 100℃에서 1시간 이상 가열해도 파괴되지 않음 - 혈변, 출혈, 혼수증상 - 유독시기 : 5~9월

(2) 식물성 집중공략

식 물	독 소
독버섯	무스카린(Muscarine), 무스카리딘(Muscaridine), 아마니타톡신(Amanitatoxin), 뉴린, 콜린, 팔린 등
감자	- 솔라닌(Solanine) : 감자의 싹과 녹색 부위 - 셉신(Sepsine) : 부패 감자
독미나리	시큐톡신(Cicutoxin)
피마자	리신(Ricin)
청매실, 살구씨	아미그달린(Amygdalin)
목화씨	고시폴(Gossypol)
독보리	테물린(Temuline)

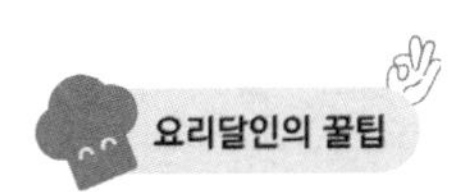

◈ 독버섯의 감별법

- 색이 선명하고 화려함
- 쓴맛, 신맛이 남
- 겉 표면에 점액질이 있음
- 줄기 표면이 거침
- 악취가 남
- 은수저의 색이 검게 변함
- 줄기가 세로로 쪼개지지 않음

3. 화학적 식중독

종 류	오염경로	특 징
카드뮴(Ca)	카드뮴이 함유된 폐수	골연화증, 신장장애, 단백뇨
수은(Hg)	오염된 해산물	언어장애, 지각이상
비소(As)	비소농약 잔류	구토, 설사
메틸알콜	증류주, 과실주	두통, 현기증, 실명
납(P)	도자기, 법랑, 유리가루	피로, 체중감소
구리(Cu)	식기	구토, 설사, 복통
아연(Zn)	용기, 식기	구토, 설사, 복통
PCB(미강유)	PCB	식욕부진, 흑피증

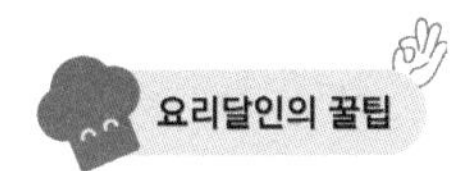

종 류	원 인	증 세
미나마타병	일본 미나마타 지역에서 '수은'에 오염된 어패류를 섭취한 사람에게 발생	언어장애, 지각이상
이타이이타이병	일본의 금속공장에서 유출된 '카드뮴'이 상수와 농지를 오염시켜 발생	골연화증과 통증을 유발

4. 곰팡이 독소

① 곰팡이가 생산하는 유독대사산물
② 곡류, 견과류 등과 같이 곰팡이가 번식하기 쉬운 식품에서 주로 발생
③ 곰팡이의 생육억제 수분량은 13% 이하

원인 곰팡이	독소 및 증상	원인식품
아플라톡신중독 (아스퍼질러스 플라버스)	아플라톡신 (간암 유발)	쌀, 보리, 옥수수, 된장, 곶감
황변미중독 (페니실리움 속 푸른곰팡이)	시트리닌 (신장독, 신경독, 간장독)	저장미 (쌀에 곰팡이가 번식 누렇게 됨)
맥각중독 (맥각균)	에르고톡신 (간장독, 구토, 복통, 설사, 유산, 조산 위험)	호밀, 보리, 밀

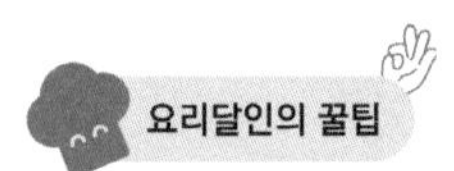

◈ 노로바이러스

오염식수, 물로 재배된 채소, 과일 식품 등의 섭취로 감염되고 24시간~28시간 내에 구토, 설사, 복통 발생. 예방대책으로는 손 씻기, 식품을 충분히 가열하여 섭취(백신 및 치료법 없음)

Chapter 5 식품위생 관계법규

1. 식품위생법 및 관계법규

(1) 식품위생법의 목적 집중공략

① 식품으로 인한 위생상 위해 방지
② 식품영양의 질적 향상 도모
③ 식품에 관한 올바른 정보 제공
④ 국민보건의 증진에 이바지

(2) 식품위생법 용어 집중공략

종 류	특 징
식품	모든 음식물을 말한다.(단, 의약으로 섭취하는 것은 제외)
식품 첨가물	식품을 제조 · 가공 · 조리 또는 보존하는 과정에서 감미, 착색, 표백 또는 산화 방지 등을 목적으로 식품에 사용되는 물질을 말한다. 이 경우 기구 · 용기 · 포장을 살균 · 소독하는 데에 사용되어 간접적으로 식품으로 옮아갈 수 있는 물질을 포함한다.
화학적 합성품	화학적 수단으로 원소 또는 화합물의 분해 반응 외의 화학 반응을 일으켜서 얻은 물질을 말한다.
기구	식품 또는 식품첨가물에 직접 닿는 기계 · 기구나 그 밖의 물건을 말한다.(단, 농업과 수산업에서 식품을 채취하는 데에 쓰는 기계, 기구는 제외)
용기 · 포장	식품 또는 식품첨가물을 넣거나 싸는 것으로 식품 또는 식품첨가물을 주고받을 때 함께 건네는 물품을 말한다.
위해	식품, 식품첨가물, 기구 또는 용기 · 포장에 존재하는 위험요소로서 인체의 건강을 해치거나 해칠 우려가 있는 것을 말한다.
영업	식품 또는 식품첨가물을 채취 · 제조 · 가공 · 조리 · 저장 · 소분 · 운반 또는 판매하거나 기구 또는 용기 · 포장을 제조 · 운반 · 판매하는 업을 말한다.(농업과 수산업에 속하는 식품 채취업은 제외)
식품위생	식품, 식품첨가물, 기구 또는 용기 · 포장을 대상으로 하는 음식에 관한 위생을 말한다.
집단급식소	영리를 목적으로 하지 아니하면서 특정 다수인에게 계속하여 음식물을 공급하는 다음 각 목의 어느 하나에 해당하는 곳의 급식시설로서 대통령령으로 정하는 시설을 말한다. 가. 기숙사 나. 학교 다. 병원 라. 「사회복지사업법」 제2조제4호의 사회복지시설 마. 산업체 바. 국가, 지방자치단체 및 「공공기관의 운영에 관한 법률」 제4조제1항에 따른 공공기관 사. 그 밖의 후생기관 등

식품이력추적 관리	식품을 제조 · 가공단계부터 판매단계까지 각 단계별로 정보를 기록 · 관리하여 그 식품의 안전성 등에 문제가 발생할 경우, 그 식품을 추적하여 원인을 규명하고 필요한 조치를 할 수 있도록 관리하는 것을 말한다.
식중독	식품 섭취로 인하여 인체에 유해한 미생물 또는 유독물질에 의하여 발생하였거나 발생한 것으로 판단되는 감염성 질환 또는 독소형 질환을 말한다.
+집단급식소의 식단	급식대상 집단의 영양섭취기준에 따라 음식명, 식재료, 영양성분, 조리방법, 조리인력 등을 고려하여 작성한 급식계획서를 말한다.

(3) 식품의 취급

① 누구든지 판매를 목적으로 식품 및 식품첨가물을 채취, 제조, 가공, 사용, 조리, 저장, 소분, 운반 및 진열을 할 때에는 위생적으로 처리해야 한다.
② 영업에 사용하는 기구, 용기 및 포장은 깨끗하고 위생적으로 다루어야 한다.
③ 위와 관련된 식품, 첨가물, 기구, 용기, 포장 등의 위생적인 취급은 '총리령'으로 정한다.

(4) 식품과 식품첨가 집중공략

1) 위해식품 등의 판매 등 금지

① 식품이 썩었거나 상했거나 설익어서 인체에 유해한 것
② 유독 · 유해물질이 첨가되었거나 묻어있거나 그럴 염려가 우려되는 것(단, 식품의약품안전처장이 건강에 이상이 없다고 인정하는 것은 제외)
③ 병을 일으키는 미생물에 오염되어 있는 것
④ 불결하거나 다른 물질이 섞이거나 또는 그 밖의 사유로 건강을 해칠 우려가 있는 것
⑤ 농 · 축 · 수산물 가운데 안전성에 대한 평가를 받지 않았거나 평가를 받았다 하더라도 식용으로 부적합하다고 인정된 것
⑥ 수입이 금지된 것이나 수입신고를 하지 아니하고 수입한 것
⑦ 영업자 이외의 자가 제조, 가공 및 소분한 것

2) 병든 동물 고기 등의 판매 등 금지

누구든지 도축이 금지되는 가축 감염병에 걸렸거나 걸릴 염려가 있는 동물 또는 이런 동물의 살, 뼈, 장기, 젖, 혈액을 식품으로 사용하거나 채취, 수입, 제조, 판매, 진열, 소분, 운반 등을 해서는 안 된다.

3) 기구, 용기, 포장 등에 관한 기준 및 규칙 집중공략

식품의약품안전처장은 국민 건강의 위해 필요한 경우에는 식품과 첨가물에 관한 사항을 고시한다.
(단, 식품첨가물 중에 간접적으로 식품에 접촉될 수 있는 물질은 성분만을 고시한다)

(5) 식품 등의 표시사항

제품명, 식품의 유형, 업소명 및 소재지, 제조연월일, 유통기한 또는 품질유지기한, 내용량, 원재료명 및 함량, 성분명 및 함량, 영양성분 및 기타 식품 등의 세부표시기준에서 정하는 사항을 표기해야 한다.

(6) 원산지 표시

종 류	표시 방법
쌀	- 국내산인 경우에는 "국내산"으로 표시하고 수입산인 경우에는 수입국가명을 표시한다. - 쌀(국내산), 쌀(호주산)
배추김치	- 국내에서 배추김치를 조리, 판매 및 제공하는 경우에는 "배추김치"로 표시하고, 그 옆에 괄호로 배추김치의 원료인 배추(절인 배추 포함)의 원산지를 표시한다. 이 경우 고춧가루를 사용한 배추김치의 경우에는 고춧가루의 원산지를 함께 표시해야 한다. - 배추김치(배추 국내산, 고춧가루 중국산)
쇠고기	- 국내산인 경우에는 "국내산"으로 표시하고, 식육의 종류를 한우, 육우, 젖소 등으로 구분하여 표시하고 수입산인 경우에는 수입국가명을 표시한다. - 소갈비(국내산 육우), 꽃등심(국내산 한우), 소갈비(호주산)
돼지고기, 닭고기, 오리고기	- 국내산인 경우에는 "국내산"으로 표시하고 수입산인 경우에는 수입국가명을 표시한다. - 삼겹살(칠레산), 닭고기(국내산), 돼지갈비(덴마크산)

(7) 검사

1) 무상 및 유상 수거 대상 집중공략

구 분	수거 대상
무상 수거 대상	- 검사에 필요한 식품 등을 수거할 경우 - 유통 중인 부정·불량식품 등을 수거할 경우 - 부정·불량식품 등을 압류 또는 수거·폐기할 경우 - 수입 식품 등을 검사할 목적으로 수거할 경우
유상 수거 대상	- 도·소매업소에서 판매하는 식품 등을 시험검사용으로 수거할 경우 - 식품 등의 기준 및 규격 제정·개정을 위한 참고용으로 수거할 경우 - 기타 무상수거대상이 아닌 식품 등을 수거할 경우 (단, 긴급을 요하는 경우에는 무상으로 수거할 수도 있음)

2) 식품위생감시원의 직무 집중공략

① 식품이 위생적 취급에 관한 기준의 이행지도
② 수입, 판매 또는 사용 등이 금지된 식품의 취급 여부 단속
③ 표시기준, 과대광고 금지의 위반 단속
④ 시설 기준의 적합 여부 확인·검사
⑤ 조리사 및 영양사의 법령 준수사항 이행 여부 확인·지도
⑥ 영업자, 종업원의 건강진단 및 위생교육 이행지도
⑦ 행정처분 이행 여부 확인
⑧ 식품의 압류 및 폐기
⑨ 영업소의 폐쇄 목적으로 간판 제거
⑩ 부정·불량식품 등을 수거

(8) 영업

1) 시설기준

① 다음의 영업을 하려는 자는 총리령으로 정하는 시설 기준에 맞는 시설을 갖추어야 한다.
  ㉠ 식품 또는 식품첨가물의 제조업, 가공업, 운반업, 판매업 및 보존업
  ㉡ 기구 또는 용기·포장의 제조업
  ㉢ 식품접객업
② ①에 따른 영업의 세부 종류와 그 범위는 대통령령으로 정한다.

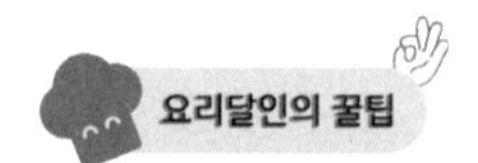

◈ 영업의 종류(영 21조)

1. 식품제조 · 가공업
2. 즉석판매제조 · 가공업
3. 식품첨가물제조업
4. 식품운반업
5. 식품소분 · 판매업
6. 식품보존업
7. 용기 · 포장류제조업
8. 식품접객업
   가. 휴게음식점영업
   나. 일반음식점영업
   다. 단란주점영업
   라. 유흥주점영업
   마. 위탁급식영업
   바. 제과점영업

2) 영업의 허가 등에 대한 제한(2019.4.30. 일부개정, 2019.11.1. 시행)

다음의 경우는 영업의 허가를 해서는 아니 된다.

① 해당 영업 시설이 시설기준에 맞지 아니한 경우
② 영업허가가 취소되거나 영업허가가 취소되고 6개월이 지나기 전에 같은 장소에서 같은 종류의 영업을 하려는 경우. 다만, 영업시설 전부를 철거하여 영업허가가 취소된 경우에는 그러하지 아니하다.
③ 영업허가가 취소되거나 따라 영업허가가 취소되고 2년이 지나기 전에 같은 장소에서 식품접객업을 하려는 경우
④ 영업허가가 취소되거나 영업허가가 취소되고 2년이 지나기 전에 같은 자가 취소된 영업과 같은 종류의 영업을 하려는 경우
⑤ 영업허가가 취소되거나 영업허가가 취소된 후 3년이 지나기 전에 같은 자가 식품접객업을 하려는 경우
⑥ 영업허가가 취소되고 5년이 지나기 전에 같은 자가 취소된 영업과 같은 종류의 영업을 하려는 경우
⑦ 식품접객업 중 국민의 보건위생을 위하여 허가를 제한할 필요가 뚜렷하다고 인정되어 시·도지사가 지정하여 고시하는 영업에 해당하는 경우
⑧ 영업허가를 받으려는 자가 피성년후견인이거나 파산선고를 받고 복권되지 아니한 자인 경우

3) 영업허가를 받아야 하는 업종 집중공략

① 식품의약품안전처장의 허가 : 식품조사처리업

② 특별자치도지사(이하 특도) 또는 시장, 군수 또는 구청장(이하 시군구)의 허가 : 단란주점영업, 유흥주점영업

4) 영업의 신고 집중공략

특별자치도지사 또는 시장, 군수 또는 구청장에게 신고

① 식품운반업

② 즉석판매제조·가공업

③ 식품소분·판매업

④ 식품냉동·냉장업

⑤ 용기·포장류 제조업(단, 자신의 제품을 포장하기 위해 용기·포장류를 제조하는 경우는 제외함)

⑥ 휴게음식점업, 일반음식점업, 위탁급식영업, 제과점영업

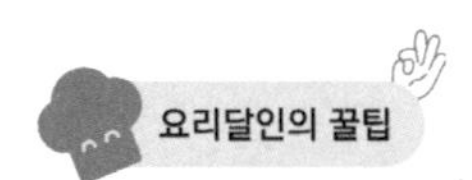

◈ 유흥에 관련된 것과 조사처리는 허가로 외우고 아닌 것은 신고로 기억하자!

허 가	신 고
식품식품조사처리업 → 안전처장의 허가 단란주점영업, 유흥주점영업 → 시군구 및 특도의 허가	식품운반업 즉석판매제조·가공업 식품소분·판매업 식품냉동·냉장업

5) 영업등록을 해야 하는 업종

① 식품제조·가공업, 식품첨가물제조업

② 특별자치도지사 또는 시장, 군수 또는 구청장에게 등록해야 함

6) 식품접객업의 종류

종 류	특 징
휴게음식점 영업	주로 다류, 아이스크림류 등을 조리·판매하거나 패스트푸드점, 분식점 형태의 영업 등 음식류를 조리·판매하는 영업으로 음주행위가 허용되지 아니하는 영업 (다만, 편의점, 수퍼마켓, 휴게소 그 밖에 음식류를 판매하는 장소에서 컵라면, 1회용 다류 그 밖에 음식류에 뜨거운 물을 부어주는 경우는 제외)
일반음식점 영업	음식류를 조리·판매하는 영업으로 식사와 함께 부수적으로 음주행위가 허용되는 영업
단란주점 영업	주로 주류를 조리·판매하는 영업으로서 손님이 노래를 부르는 행위가 허용되는 영업
유흥주점 영업	주로 주류를 조리·판매하는 영업으로서 유흥종사자를 두거나 유흥시설을 설치할 수 있고 손님이 노래를 부르거나 춤을 추는 행위가 허용되는 영업

위탁급식 영업	집단 급식소를 설치·운영하는 자와의 계약에 따라 그 집단급식소 내에서 음식류를 조리하여 제공하는 영업
제과점 영업	주로 빵, 떡, 과자 등을 제조·판매하는 영업으로서 음주행위가 허용되지 아니하는 영업

(9) 조리사와 영양사

1) 조리사를 두어야 할 영업 집중공략

식품접객업 중 복어를 조리·판매하는 영업과 다음의 자가 설립·운영하는 집단급식소의 경우에는 조리사를 두어야 한다.

① 국가·지방자치단체
② 학교·병원·사회복지시설
③ 공공기관의 운영에 관한 법률에 따른 공기업 중 식품의약품안전처장이 지정·고시하는 기관
④ 지방 공기업법에 따른 지방공사 및 지방공단
⑤ 특별법에 따라 설립된 법인

복어를 조리·판매하는 영업자 또는 영양사를 두어야 하는 집단급식소 설치·운영하는 자나 영양사가 조리사의 면허를 받은 자인 경우에는 조리사를 따로 두지 아니할 수 있다.

2) 영양사를 두어야 할 집단급식소 등

영양사를 두어야 하는 집단급식소는 다음 각 호의 자가 설립·운영하는 상시 1회 50인 이상에서 식사를 제공하는 집단급식소로 한다.

① 국가·지방자치단체
② 학교·병원·사회복지시설
③ 공공기관의 운영에 관한 법률에 따른 공기업 중 식품의약품안전처장이 지정·고시하는 기관
④ 지방 공기업법에 따른 지방공사 및 지방공단
⑤ 특별법에 따라 설립된 법인

집단급식소에 조리사가 영양사의 면허를 받은 자인 경우에는 영양사를 따로 두지 아니할 수 있다.

3) 결격사유

아래 어느 하나에 해당하는 자는 조리사 또는 영양사 면허를 받을 수 없다.

① 정신보건법 규정에 따른 정신질환자(단, 전문의가 조리사 또는 영양사로서 적합하다고 인정하는 자는 제외)
② 감염병 예방법 규정에 따른 감염병 환자(단, B형 간염 환자는 제외)
③ 마약류관리에 관한 법률 규정에 따른 마약이나 그 밖의 약물 중독자
④ 조리사 또는 영양사 면허의 취소처분을 받고 그 취소된 날부터 1년이 지나지 아니한 자

4) 조리사의 행정처분 집중공략

위반 사항	행정처분 기준		
	1차 위반	2차 위반	3차 위반
조리사의 결격사유 중 하나에 해당되는 경우	면허취소		
법 규정에 따른 교육을 받지 아니한 경우	시정명령	업무정지 15일	업무정지 1개월
식중독이나 기타 위생상의 중대한 사고 발생에 직무상 책임이 있는 경우	업무정지 1개월	업무정지 2개월	면허취소
면허를 타인에게 대여하여 이를 사용하게 한 경우	업무정지 2개월	업무정지 3개월	면허취소
업무정지 기간 중에 조리사의 업무를 한 경우	면허취소		

2. 제조물 책임법

제조물의 결함으로 발생한 손해에 대한 피해자 보호를 위해 제정된 법률로, 제조물의 결함으로 인한 생명, 신체 또는 재산상의 손해에 대하여 제조업자 등이 무과실책임의 원칙에 따라 손해배상책임을 지도록 하는 규정이다.

(1) 목적

제조물의 결함으로 발생한 손해에 대한 제조업자 등의 손해배상책임을 규정함으로써 피해자 보호를 도모하고 국민생활의 안전 향상과 국민경제의 건전한 발전에 이바지함을 목적으로 한다.

(2) 제조물 책임법상 용어

1) **제조물** : 제조되거나 가공된 동산(다른 동산이나 부동산의 일부를 구성하는 경우를 포함한다)

2) **결함** : 해당 제조물에 다음 중 어느 하나에 해당하는 제조상, 설계상 또는 표시상의 결함이 있거나 그 밖에 통상적으로 기대할 수 있는 안전성이 결여되어 있는 것

① 제조상의 결함 : 제조업자가 제조물에 대하여 제조상·가공상의 주의 의무를 이행하였는지에 관계없이 제조물이 원래 의도한 설계와 다르게 제조·가공됨으로써 안전하지 못하게 된 경우

② 설계상의 결함 : 제조업자가 합리적인 대체설계를 채용했더라면 피해나 위험을 줄이거나 피할 수 있었음에도 대체설계를 채용하지 아니하여 해당 제조물이 안전하지 못하게 된 경우

③ 표시상의 결함 : 제조업자가 합리적인 설명, 지시, 경고 또는 그 밖의 표시를 하였더라면 해당 제조물에 의하여 발생할 수 있는 피해나 위험을 줄이거나 피할 수 있었음에도 이를 하지 아니한 경우

3) 제조업자

① 제조물의 제조·가공 또는 수입을 업으로 하는 자

② 제조물에 성명·상표 또는 그 밖에 식별 가능한 기호들을 사용하는 자신을 위 내용의 자로 표시한 자 또는 위 내용의 자로 오인하게 할 수 있는 표시를 한 자

Chapter 6 공중보건(Public Health)

1. 공중보건의 개념

(1) 공중보건의 개요

1) WHO(세계보건기구)에서 말하는 건강의 정의 집중공략

WHO에서는 건강이란 "단순한 질병이나 허약의 부재상태만이 아니라 육체적, 정신적, 사회적 안녕의 완전한 상태이다."라고 말함

2) 윈슬로우(C.E.A Winslow)가 말하는 공중보건의 정의 집중공략

조직적인 지역사회의 노력을 통하여 질병을 예방하고 생명을 연장시키며 신체적, 정신적 효율을 증진하는 기술이며 과학

3) 공중보건의 목적 집중공략

질병예방, 건강증진, 수명연장

4) 공중보건의 대상 및 범위 집중공략

① 대상 : 개인이 아닌 지역사회의 인간집단
② 범위 : 환경관리, 질병관리, 보건관리, 의료보장제도 등

5) WHO(세계보건기구) 집중공략

창 설	1948년 4월 7일 유엔의 경제사회 산하 보건전문 기관으로 창설
본 부	스위스 제네바
우리나라 가입	1949년 6월 65번째 회원국으로 가입
주요기능	- 국제적인 보건사업의 조정 및 지휘 - 전문가 파견에 의한 기술 자문활동 - 회원국에 대한 기술지원 및 자료 제공

(2) 공중보건의 평가지표

한 나라의 보건 수준을 나타내는 종합 건강지표는 평균수명, 조사망률, 비례사망지수 그 외 영아사망율, 모성사망률, 사인별 사망률 등을 지표로 삼음

1) 국가보건수준지표 집중공략

① 영아사망률
㉠ 생후 1년 미만인 영아의 사망률, 한 국가의 보건수준을 나타내는 대표적인 지표
㉡ 사망원인 : 폐렴 및 기관지염, 장염 및 설사, 신생아 고유질환 및 사고
㉢ 영아사망률 = 연간 영아사망수 ÷ 연간출생아수 × 1,000
㉣ 신생아 : 생후 28일 미만, 영아 : 생후 12개월 미만

② 조사망률(보통사망률) = 연간 사망자수 ÷ 그 해 인구수 × 1,000
③ 질병이환율

2) 건강지표
① 평균수명
② 조사망률(보통사망률) = 연간 사망자수 ÷ 그 해 인구수 × 1,000
③ 비례사망지수 = 50세 이상의 사망자수 ÷ 총 사망자수 × 1,000

3) 그 외
① 모성사망률 : 임신, 분만, 산욕과 연관된 질병 또는 이로 인한 합병증으로 일어나는 사망률 (원인 : 임신중독증, 출혈, 산욕열, 자궁 외 임신과 유산 등)
② 사인별 사망률 : 사망 원인에 따른 사망률

2. 환경위생 및 환경오염 관리

(1) 일광

1) 일광 집중공략

종 류	특 징
자외선	- 파장이 가장 짧음(2,600~3,800Å) - 살균력이 가장 강함(강한 살균력 2,500~2,800Å) - 신진대사촉진, 적혈구 생성 촉진, 혈압강하 효과 - 비타민 D를 형성하여 구루병 예방, 피부결핵, 관절염 치료효과 - 과다 노출 시 피부색소 침착을 일으키며 피부암 유발
가시광선	- 망막을 자극하여 명암과 색채를 구분 파장(3,900~7,800Å) - 불충분한 조명일 경우 시력 저하, 눈의 피로를 일으킴
적외선	- 파장이 가장 길며(7,800Å 이상), 복사열을 운반하여 열선 - 과다 노출 시 열경련, 일사병, 두통, 백내장, 홍반 등을 유발
도르노 선 (Dorno ray, 건강선, 생명선)	2,800~3,200Å의 범위를 말하며 살균력이 매우 강해서 소독에 이용

※ 옴스트롱(Å) : 빛, 전자기 방사선의 파장을 표시하는 길이의 단위이며 국제규격 단위는 아니고 현재는 nm(나노미터)를 더 많이 사용(1nm=10Å)

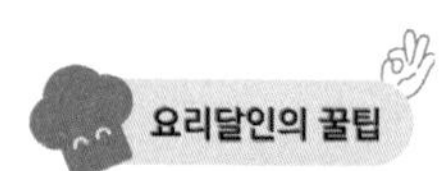

◈ 파장길이 : 자외선 → 가시광선 → 적외선

2) 온열과 건강

① 온열의 요인

종 류	특 징
기온	- 지상 1.5m 에서의 건구온도를 측정 100m - 쾌적 온도는 18±2℃
기습(습도)	- 일정온도에서 공기 중의 수증기량 - 쾌적 습도 40~70%
기류	- 대기 중의 공기의 흐름 - 쾌적기류 : 1m/sec 이동 - 불감기류 : 0.2~0.5m/sec 이동
복사열	- 태양 적외선에 의해 열의 공급, 온도 차이, 물체의 발열에 의해 발생 - 거리의 제곱에 비례하여 온도가 감소

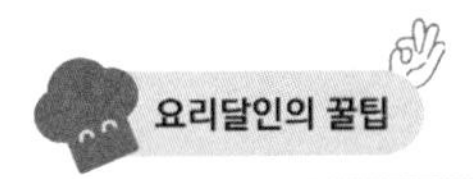

◈ **감각(체감)온도의 3요소** : 기온, 기습(습도), 기류

◈ **온열의 4요소** : 기온, 기습(습도), 기류, 복사열

◈ **기온역전 현상** : 대기오염이 원인이며, 상부기온이 하부기온보다 높은 경우를 말하며 런던스모그, LA스모그 등이 있음

② 불쾌지수(Discomfort Index)

㉠ 날씨에 따라 사람이 불쾌감을 느끼는 정도를 기온과 습도를 이용하여 나타낸 지수

㉡ 불쾌지수가(DI) 70이면 10%, 75이면 50%, 80이면 거의 모든 사람이 불쾌감을 느낌

(2) 공기 및 대기오염

1) 공기의 조성 집중공략

종 류	특 징
질소(N_2)	- 공기 중의 약 78% 존재 - 고압환경에서 감압 시 잠함병 유발, 저압환경 고산병 유발
산소(O_2)	- 공기 중의 약 21% 존재 - 산소양이 10% 이하 : 호흡곤란, 7% 이하 : 질식사
이산화탄소(CO_2)	- 공기 중의 약 0.03% 존재 - 실내 공기오염 판단 기준 - 위생학적 허용한계는 0.1%(=1,000ppm)
일산화탄소(CO)	- 무색, 무미, 무취, 무자극성이며 물체의 불완전 연소 시 발생 - 허용한계는 0.01%(=100ppm) 8시간 기준
아황산가스(SO_2)	- 실외 공기오염(대기오염)의 지표 - 경유의 연소과정에서 많이 발생(자동차 배기가스) - 호흡곤란, 금속부식성, 식물의 고사, 호흡기계 점막의 염증

◈ ppm : 1/1,000,000 (100만분의 1)
◈ 1% = 10,000 ppm, 0.0001% = 1ppm

◈ 군집독

실내에 다수인이 밀집해 있는 경우에 발생하며 공기의 물리적 · 화학적 조성의 변화로 일어나는 현상. 현기증, 불쾌감, 권태, 식욕 저하 등의 증상

◈ 공기의 자정작용

자외선에 의한 살균작용, 공기 자체의 희석작용, 강우 · 강설에 의한 세정작용, 산소와 오존에 의한 산화작용, 식물에 의한 탄소작용 등이 있음

(3) 물

1) 물의 구성과 기능

① 물의 구성
  ㉠ 인체의 약 60~70%가 물로 이루어져 있으며, 사람의 하루 필요량은 2~3ℓ
  ㉡ 10% 상실 시 신체기능에 이상 신호가 발생하고 20% 상실 시 생명에 위험

② 기능
  ㉠ 신체의 체온을 조절
  ㉡ 체내 대사작용에 도움
  ㉢ 음식물 소화작용에 도움
  ㉣ 음식물과 산소 운반 역할
  ㉤ 체외로 노폐물 배출
  ㉥ 신체조직의 세포구조 유지

2) 수인성 감염병

① 물이나 음식물을 통해서 전염되는 질병
② 장티푸스, 파라티푸스, 콜레라, 세균성 이질, 아메바성 이질, 노로바이러스 등
③ 특징
  ㉠ 환자 발생이 폭발적
  ㉡ 계절에 관계없이 발생
  ㉢ 잠복기가 짧음
  ㉣ 유행지역과 음료수 사용지역이 일치
  ㉤ 성별, 나이, 직업, 생활수준에 따른 발생빈도 차이는 없음
  ㉥ 치명률이 낮고 2차 감염이 없음

3) 먹는 물의 수질기준 집중공략

① 미생물에 관한 기준

㉠ 일반세균은 1ml 중 미생물이 100CFU(Colony Forming Unit)를 넘지 아니할 것

㉡ 총 대장균군은 100ml에서 검출되지 아니할 것

② 심미적 영향물질에 관한 기준

㉠ 물의 경도는 300mg/L를 넘지 아니할 것

㉡ 색도는 5도를 넘지 아니할 것

㉢ 잔류염소는 4.0mg/L를 넘지 아니할 것

㉣ 세제(음이온 계면활성제)는 0.5mg/L를 넘지 아니할 것

요리달인의 꿀팁

◈ 불소에 의한 치아 영향

- 불소가 과다한 물 : 반상치
- 불소가 부족한 물 : 우치, 충치
- 불소의 적당 함량 : 0.8~1ppm

(4) 상하수도, 오물처리 및 수질오염

1) 상수도 집중공략

① 상수 처리 과정

취수 → 침사 → 정수(침전 → 여과 → 소독) → 송수 → 배수 → 급수

② 침전

유속을 정지시키거나 느리게 하여 부유물을 침전시키는 것을 말하며 보통침전과 약품침전이 있음

③ 여과

모래, 자갈, 숯 및 약품을 이용하여 세균, 부유물, 불순물 등을 걸러냄으로써 깨끗하게 하는 방법으로 완숙 여과법과 급속 여과법이 있음

구 분	완숙 여과법	급속 여과법
침전법	보통 침전법	약품 침전법
생물막 제거법	사면 대치	역류 세척
여과 속도	3(6~7)m / day	120m / day
필요한 면적	넓은 면적이 필요함	좁은 면적이 필요함
비용	건설비가 높고 운영비는 낮음	건설비가 낮고 운영비가 높음

④ 염소 소독법 집중공략

㉠ 종류 : 치아염소산나트륨, 이산화염소, 표백분

㉡ 잔류 염소량은 0.2ppm을 유지하고 수영장, 수인성 전염병 발생 시 0.4ppm을 유지

㉢ 장점 : 강한 살균력, 높은 잔류효과, 조작의 간편성, 저렴한 비용
㉣ 단점 : 독한 냄새, 트라이할로메테인(THM)이라는 염소독성

2) 하수도

① 하수도의 종류

㉠ 합류식 : 생활용수(가정하수, 공장폐수)와 천수(비, 눈)를 모두 함께 처리하는 방법으로 수리가 편리하고 시설비가 저렴
㉡ 분류식 : 천수(눈, 비)를 별도로 운반하는 방법
㉢ 혼합식 천수와 사용수의 일부를 함께 운반하는 방법

② 하수처리 과정 집중공략

예비 처리		하수 유입구에 제진망을 설치하여 부유물과 토사 등을 침전시키는 과정이며 보통침전과 약품침전이 있음
본 처리	호기성 처리(산소)	활성오니법, 살수여과법, 산화지법, 회전원판법
	혐기성 처리(무산소)	부패조처리법, 임호프탱크법
오니 처리		소각법, 퇴비법, 소화법, 사상건조법

③ 하수의 위생 검사 집중공략

종 류	특 징
생물학적 산소요구량 (BOD)	- 세균이 호기성 상태에서 유기물을 20℃에서 5일간 안정화시키는데 필요한 산소량 - 수치가 높을수록 오염 정도가 큼 - 20ppm 이하
화학적 산소요구량 (COD)	- 물속에 함유된 유기물질을 산화제로 산화시킬 때 소모되는 산화제의 양 - 과망간산칼륨(KMnO4)을 사용 - 수치가 높을수록 오염 정도가 큼 - 5ppm 이하
용존산소량(DO)	- 물에 녹아 있는 산소의 농도 - 수치가 낮으면 하수 오염도가 높다는 의미 - 4~5ppm 이상

요리달인의 꿀팁

- 오염된 물(수질이 낮은 물)은 BOD와 COD가 높고, DO는 낮음
- **부영양화** : 호수, 하천, 연안해역 등의 정체된 수역에 오염된 유기물질이 과도하게 유입되어 발생하는 수질 오염을 말하며 용존산소 결핍현상이 일어남

3) 오물 처리

① 분뇨 처리

완전 부숙 기간은 여름 1개월, 겨울 3개월이 필요

② 진개(쓰레기)처리 집중공략

종 류	특 징
소각법	가장 위생적인 방법이나 비용이 높고 대기오염의 원인
매립법	땅속에 묻는 방법으로 매립 두께는 2m를 넘지 않아야 하고, 복토 두께는 0.6~1m가 적당
비료화법 (퇴비화법)	음식물 처리에 효과적이며 발효시켜 비료로 사용

③ 생활 쓰레기의 분류

㉠ 주개 : 주방에서 배출되는 식품 쓰레기(양돈 사료로 사용)

㉡ 가연성 진개 : 종이, 나무, 고무, 피혁류 등(소각하여 열 에너지로 이용)

㉢ 불연성 진개 : 금속, 도기, 토사류 등(대부분 땅에 매립)

㉣ 재활용성 진개 : 종이류, 플라스틱류, 병류, 초지류(자원 재활용품)

4) 소음 및 진동

① 소음

㉠ 사람이 듣기 불편하거나 불쾌감을 주는 음으로 공장, 교통, 건설현장, 상가 등에서 발생하는 소음

㉡ 피해 : 수면방해, 두통, 작업방해, 식욕감퇴, 정신적 불안감, 불쾌감 등

㉢ 측정 단위 : dB(데시벨)

② 진동 집중공략

공장, 교통, 건설현장 등의 기계나 기구로 인하여 사람이 느끼기 불편하거나 심리적으로 불쾌감을 주는 흔들림을 말하며 지속적으로 노출되었을 경우에는 자율신경, 순환기계, 혈압 상승 등의 증상

5) 구충・구서

① 구충・구서의 일반적인 원칙

㉠ 발생 초기에 발생 원인과 서식처를 제거(가장 근본적인 대책)

㉡ 구제 대상 동물의 생태 및 습성에 맞추어 실시

㉢ 구충・구서는 광범위하게 동시에 실시하면 효과적

② 위생해충과 특징

종 류	특 징
파리	- 서식처 제거(가장 근본적 대책), 방충망 설치, 살충제, 끈끈이 설치 - 소화기계 전염병 : 장티푸스, 파라티푸스, 이질, 콜레라 - 호흡기계 전염병 : 결핵, 디프테리아
모기	- 서식처 제거, 살충제 - 일본뇌염, 말라리아, 사상충증, 황열, 뎅기열
이, 벼룩	- 의복, 침실 등의 일광소독, 청결한 신체 - 페스트, 발진티푸스

바퀴벌레	- 서식처 제거, 청결한 환경 - 콜레라, 이질, 장티푸스, 살모넬라, 소아마비
쥐	- 방충 · 방서 설치, 위생적인 환경 조성 - 세균성 질병 : 페스트, 서교증, 살모넬라, 와일씨병 - 라케차성 질병 : 발진열, 양충병(쯔쯔가무시병) - 바이러스 질병 : 유행성 출혈열

3. 역학 및 감염병 관리

(1) 산업보건의 개념과 직업병 관리

1) 산업보건의 개념

① 모든 근로자의 신체적, 정신적으로 안녕한 상태를 유지 · 증진

② 작업환경으로 인한 질병 예방

③ 쾌적한 작업환경을 조성하여 근로자 보호

④ 심리적이고 생리적으로 적합한 작업환경에 배치

2) 산업재해 지표 집중공략

산업재해 : 산업활동에 수반하여 발생하는 사고로 인적 · 물리적인 손해를 일으키는 재해

강도율	- 노동시간에 대한 재해로 인해 상실된 근로 손실 일수 - 산업재해 경중 정도를 나타내는 지표 - 근로 손실 일수 연간 ÷ 근로 시간 수 × 100
건수율	- 노동자 수에 대한 재해 발생 빈도를 나타내는 지표 - 재해건수 ÷ 평균 실 근로자 수 × 100
도수율	- 노동시간에 대한 재해 발생 빈도를 나타내는 지표 - 재해건수 ÷ 연간 근로 시간 수 × 1,000,000

3) 직업병 종류 집중공략

어떤 특정 직업에 종사하는 동안 근로조건이 원인이 되어 발생하는 질환이며, 그 직업에 종사하고 있으면 누구든지 이환될 가능성이 있음

원인 환경	질 병
고열 환경	일사병, 열경련, 열쇠약
저온 환경	참호족염, 동상, 동창
고압 환경	잠함병, 감압병
저압 환경	고산병, 항공병
불량 조명	안구진탕증, 안정피로, 근시, 백내장
분진	진폐증, 규폐증(유리규산), 석면폐증(석면)
진동	레이노드병

중금속	수은(Hg) 중독 (미나마타병)	언어장애, 지각장애, 보행 곤란
	카드뮴(Cd) 중독 (이타이이타이병)	폐기종, 골연화, 신장기능장애, 단백뇨
	납(Pb) 중독	식욕감소, 권태, 체중감소, 무기력
	크롬(Cr) 중독	기관지염, 비염, 인두염

(2) 역학 일반

1) 역학의 목적과 기능

① 목적 : 인간 및 동물을 대상으로 질병의 발생 원인을 규명하여 건강상의 증진과 질병을 예방하는데 있음

② 기능 : 인간 및 동물의 질병 양상을 파악하고 예방대책을 수립

③ 기본 3가지 요인 : 숙주, 병인, 환경

2) 역학의 4대 특징

지역적	- 지방적 : 특정한 지역에서 계속적으로 발생 - 범발생적 : 여러 지역과 국가 간에 전파되어 발생 - 산발적 : 곳곳에 개별적으로 발생
시간적	- 계절적 : 1년을 주기로 계절적으로 변화 - 추세적 : 장기간 주기적으로 반복 유행 - 순환적 : 추세 변화 사이에 단기간에 반복 유행하는 변화 - 불규칙적 : 돌발적으로 유행
사회적	- 인구가 많은 도시에는 호흡기계 감염병 발생이 높음 - 위생상태가 미흡한 농어촌지역에는 소화기계 감염병 발생이 높음 - 부유한 사람은 당뇨병이 많고 가난한 사람들에게는 결핵이 많음
생물학적	인종, 성, 연령에 따라 발생

(3) 감염병 관리

1) 감염병의 정의

① 감염병 : 세균, 스피로헤타, 리케차, 바이러스, 진균, 기생충 등과 같은 여러 병원체에 감염되어 발병하는 질병

② 감염 경로 : 음식의 섭취, 호흡에 의한 병원체 흡입, 다른 사람과의 접촉 등으로 발생하며 특히, 사람에게 전파되는 감염병을 전염병이라고 함

2) 감염병 발생의 3대 요인 집중공략

감염원 (병원체, 병원소)	- 병원체가 생활과 증식하면서 다른 숙주에 전파될 수 있는 상태로 저장되는 장소 - 환자, 보균자, 매개동물이나 곤충, 오염토양, 오염식품, 생활용구 등 - 질병을 일으키는 원인

감염경로(환경)	- 감염원으로부터 병원체가 전파되는 과정 - 직접적인 영향보다 간접적으로 영향을 미치는 경우가 더 많음 - 직 · 간접 감염, 공기 감염, 동물 감염 등
숙주의 감수성	- 한 생물체가 다른 생물체에 침범을 받아 영양물질 탈취 및 조직손상 등을 당하는 생물체를 '숙주'라 함 - 숙주에 침입한 병원체에 대항하여 감염이나 발병을 저지할 수 없는 상태를 '감수성'이라 함 - 감수성이 높으면 면역성이 낮으므로 질병이 발생하기 쉬움 - 개인마다 병원체에 대한 저항력과 면역성이 다르므로 개개인의 감염에는 차이가 있음

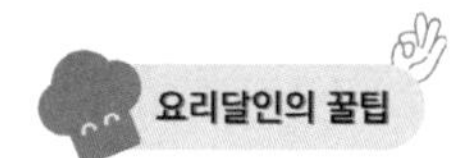

◈ 감수성지수(접촉감염지수)

홍역, 두창(95%) 〉 백일해(60~80%) 〉 성홍열(40%) 〉 디프테리아(10%) 〉 폴리오(0.1%)

3) 면역과 백신

① 면역의 종류 집중공략

분 류	종 류		특 징
선천성면역 (자연면역)	종속면역, 인종면역, 개인면역		개인의 유전적 요인이나 생리적 결과에 의해 자연적으로 발생하는 면역
후천성면역 (획득면역)	능동면역	자연능동면역	질병감염 후에 얻는 면역(홍역, 두창, 백일해, 장티푸스 등)
		인공능동면역	예방접종으로 얻는 면역(B형간염, 일본뇌염, 결핵 등)
	수동면역	자연수동면역	모체로부터 얻어지는 면역
		인공수동면역	치료 목적의 항체를 접종 후 얻어지는 면역

② 백신의 종류

㉠ 생균백신 : 결핵, 홍역, 폴리오, 황달, 탄저병, 회백수염 등

㉡ 사균백신 : 콜레라, 백일해, 장티푸스, 파라티푸스, 일본뇌염, 폴리오 등

㉢ 순화독소 : 파상풍, 디프테리아 등

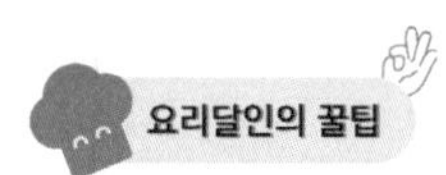

◈ **일시면역** : 인플루엔자, 폐렴, 디프테리아, 세균성이질, 매독 등

◈ **영구면역** : 콜레라, 홍역, 백일해, 폴리오, 장티푸스, 발진티푸스, 페스트 등

4) 감염병의 분류 집중공략

① 병원체에 따른 분류

분 류	종 류
바이러스 (Virus)	일본뇌염, 인플루엔자, 홍역, 천연두, 소아마비, 폴리오, 광견병, 풍진, 유행성 이하선염 등
리케차 (Rickettsia)	발진티푸스, 발진열, 양충병 등
세균(Bacteria)	디프테리아, 콜레라, 장티푸스, 파라티푸스, 세균성이질, 백일해, 결핵, 한센병, 파상풍, 페스트 등
스피로헤타 (Spirochaeta)	매독, 와일씨병, 재귀열, 서교증 등
원충 (Protozoa)	말라리아, 아메바성 이질 등

② 침입 경로에 따른 분류

분 류	종 류
호흡기계 침입	- 기침, 재채기 등에 의해 전파되어 호흡기를 통해 감염 - 결핵, 백일해, 인플루엔자, 홍역, 디프테리아, 풍진, 성홍열 등
소화기계 침입	- 물이나 음식 섭취로 감염 - 장티푸스, 파라티푸스, 세균성이질, 콜레라, 폴리오, 소아마비, 아메바성 이질 등
경피 침입	- 토양에 접촉하거나 신체 접촉으로 감염 - 매독, 파상풍, 탄저병, 한센병, 페스트 등

③ 해충에 의한 감염 집중공략

분 류	종 류
모기	일본뇌염, 말라리아, 황열, 뎅기열, 사상충증 등
벼룩	페스트, 발진열, 재귀열 등
바퀴벌레	콜레라, 장티푸스, 소아마비, 이질 등
파리	장티푸스, 파라티푸스, 이질, 콜레라, 결핵, 양충병, 디프테리아 등
쥐	재귀열, 발진열, 유행성출혈열, 페스트, 서교증, 쯔쯔가무시병, 와일씨병 등
이	발진티푸스, 재귀열 등

④ 잠복기에 따른 분류 집중공략

㉠ 잠복기가 1주일 미만 : 콜레라(잠복기가 가장 짧음), 뇌염, 인플루엔자, 파라티푸스, 디프테리아, 이질, 성홍열 등

㉡ 잠복기가 1~2주일 미만 : 발진티푸스, 장티푸스, 백일해, 홍역, 두창, 수두, 급성회백수염, 유행성 이하선염, 풍진 등

㉢ 잠복기가 긴 것 : 한센병(나병), 결핵(잠복기가 가장 길며 일정하지 않음)

5) 우리나라 법정 감염병의 종류

분 류	특징 및 종류
제1급 감염병	- 치명률이 높거나 집단발생 우려가 커서 발생 또는 유행즉시 신고하고 음압 격리가 필요한 감염병 - 에볼라바이러스병, 마버그열, 남아메리카출혈열, 리프트밸리열, 두창, 페스트, 탄저, 보툴리눔독소증, 야토병, 신종감염병증후군, 중증급성호흡기증후군(SARS), 중동호흡기증후군(MERS), 동물인플루엔자 인체감염증, 신종인플루엔자, 디프테리아 등
제2급 감염병	- 전파가능성을 고려하여 발생 또는 유행 시 24시간 이내에 신고하고, 격리가 필요한 감염병 - 결핵, 수두, 홍역, 콜레라, 장티푸스, 파라티푸스, 세균성이질, A형감염, 백일해, 풍진, 폴리오, 한센병, 성홍열, 성황색포도알균(VRSA)감염증, 카바페넴내성 장내세균속균종(CRE)감염증 등
제3급 감염병	- 발생 또는 유행 시 24시간 이내에 신고하고 발생을 계속 감시할 필요가 있는 감염병 - 파상풍, B형감염, 일본뇌염, C형감염, 말라리아, 레지오넬라증, 비브리오패혈증, 발진티푸스, 발진열, 쯔쯔가무시증, 렙토스피라증, 브루셀라증, 공수병, 후천성 면역결핍증(AIDS), 황열, 뎅기열, 큐열, 지카바이러스 감염증 등
제4급 감염병	- 제1급~3급 감염병 외에 유행 여부를 조사하기 위해 표본감시 활동이 필요한 감염병 - 인플루엔자, 매독, 회충증, 편충증, 요충증, 간흡충증, 폐흡충증, 수족구병, 임질, 성기단순포진, 엔테로바이러스감염증, 반코마이신내성장알균(VRE)감염증, 메티실린내성황색포도알균(MRSA)감염증 등
보건복지부장관 고시 감염병	보건복지부장관이 필요에 따라 지정하는 감염병으로, 기생충 감염병, 세계보건기구 감시대상 감염병, 생물테러 감염병, 성매개 감염병, 인수공통감염병, 의료관련 감염병 등

6) 감염병 예방 방법

① 감염원의 예방 방법

㉠ 환자의 조기발견, 격리 및 치료와 보균자에 대한 조사를 철저히 함

㉡ 주변 환경을 소독, 살균과 해충을 구제함으로서 감염경로를 차단

㉢ 평소 체력저하를 방지하고, 체력을 증진시켜서 저항력과 면역력을 향상시킴

보균자	현재 병원체를 보유하고 있는 사람
건강 보균자	병원균을 가지고 있으나, 발병하지 않고 긴강한 사람이며 감염병 관리기 가장 어려움
잠복기 보균자	잠복기간 중에 병원체를 배출하여 전염성을 가지고 있는 사람
회복기 보균자	감염되었다가 회복기에 있는 사람이며, 병원체를 가지고 있는 사람

② 예방접종(인공 면역)

분 류	연령 시기	종 류
기본 접종	4주 이내	BCG(결핵)
	2, 4, 6개월	경구용 소아마비, DPT
	15개월	홍역, 볼거리, 풍진
추가 접종	18개월, 4~6세, 11~13세	경구용 소아마비, DPT
	매년	일본 뇌염

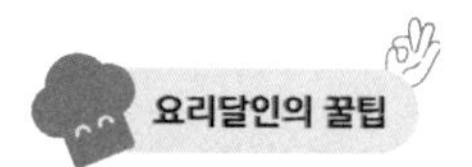

◈ BCG : 아기가 태어나서 제일 먼저 받는 예방접종

◈ DPT : 디프테리아(Diphtheria), 백일해(Pertussis), 파상풍(Tetanus)

(3) 인수공통감염병 집중공략

동물과 사람 간에 서로 전파되는 병원체에 의하여 발생하는 감염병

소	결핵
개	광견병
쥐	페스트
소, 양, 말, 돼지	탄저
원숭이	황열
고양이, 쥐, 돼지	살모넬라
돼지	돈단독, 선모충, 유구조충
쥐	페스트, 양충병, 발진열, 와일씨병, 서교증
토끼	야토병

4. 보건관리

(1) 보건행정

1) 보건행정 목적과 종류

① 목적

지역 주민의 건강을 유지・증진시키고 사회적 효율과 정신적 안녕을 도모하기 위한 일련의 행정활동

② 종류

구 분	주 관	특 징
일반보건행정	보건복지부	- 대상 : 일반 주민 - 기생충 질환, 각종 전염병 예방, 모자보건행정, 위생행정
산업보건행정	고용노동부	- 대상 : 산업체 근로자 - 작업환경개선, 산업재해예방, 근로자의 건강유지 및 증진, 근로자 복지시설 관리, 안전교육
학교보건행정	교육부	- 대상 : 학생 및 교직원 - 학교보건사업, 학교급식, 건강교육, 학교체육

2) 보건 지표 집중공략

건강지표	- 다른 나라와 비교할 수 있는 건강지표를 나타낼 수 있는 지수 - 비례사망자수 = 50세 이상 사망자수 ÷ 총 사망률 × 100 - 조사망률 = 연간 사망자수 ÷ 인구 × 100 - 평균수명
보건의료 서비스지표	의료 인력과 시설, 보건정책지표 등
사회·경제 지표	인구증가율, 주거상태, 국민소득 등

3) 인구 구성 분류 집중공략

구 분	특 징
피라미드형(인구 증가형)	개발도상국형. 출생률은 높고 사망률은 낮음
종형(인구 정체형)	가장 이상적인 형태. 출생률과 사망률이 모두 낮음
항아리형(방추형)	인구 감소형. 평균 수명이 높고 사망률이 낮음
별형(인구 유입형)	도시형태. 생산연령인 청·장년층 비율이 높음
표주박형(농촌형)	노년층 비율이 높고 생산연령인 청·장년층 비율이 낮음

- 생산층 인구가 감소되는 유형

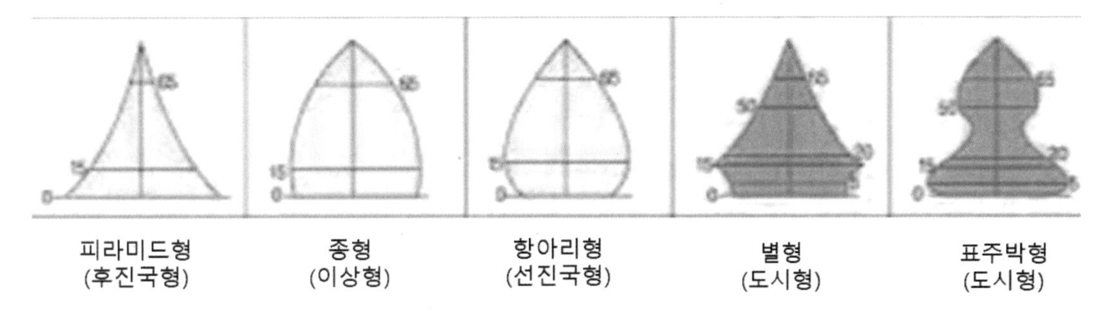

피라미드형 (후진국형) | 종형 (이상형) | 항아리형 (선진국형) | 별형 (도시형) | 표주박형 (도시형)

<인구 연령별 구성 형태>

PART 1 요리달인의 적중 예상문제

01 다음 중 미생물이 잘 번식하는 식품에 해당되지 않는 것은?

① 영양소(영양분)이 많은 식품
② 수분이 많은 식품
③ 0℃ 이하의 건조식품
④ 온도가 적당한 식품

해설
◈ 미생물 생육조건
영양소, 수분, 온도, pH

02 미생물의 크기 중에서 가장 작은 것으로 세균 여과기를 통과할 정도의 미생물은 어떤 것인가?

① 바이러스 ② 곰팡이
③ 리케차 ④ 세균

해설
◈ 미생물 크기
곰팡이 〉 효모 〉 스피로헤타 〉 세균 〉 리케차 〉 바이러스

03 다음 중 채소류의 감염경로가 아닌 기생충은 무엇인가?

① 구충 ② 요충
③ 편충 ④ 요꼬가와 흡충

해설
요꼬가와 흡충은 다슬기가 1중간숙주, 송어, 은어, 민물고기가 2중간숙주인 어패류기생충이다.

04 다음 중 미생물에 작용하는 소독력의 크기가 맞는 것은?

① 소독 〉 방부 〉 멸균 〉 살균
② 멸균 〉 살균 〉 소독 〉 방부
③ 살균 〉 소독 〉 방부 〉 멸균
④ 방부 〉 소독 〉 살균 〉 멸균

해설
소독력의 크기순서는 멸균 〉 살균〉 소독 〉 방부이다.

05 소독제의 소독력을 나타내는 기준이 되는 것은?

① 알코올 ② 표백분
③ 생석회 ④ 석탄산

해설
석탄산계수는 소독약의 소독력을 나타내는 기준으로 석탄산계수가 높을수록 소독력이 좋다.

06 분변소독에 가장 적합한 소독제는?

① 생석회 ② 석탄산
③ 과산화수소 ④ 역성비누

해설
② 석탄산 – 분뇨, 하수도, 진개 등 오물 소독
③ 과산화수소 – 피부, 상처소독
④ 역성비누 – 과일, 채소, 식기, 손 소독

07 다음 중 식품첨가물의 구비조건에 해당되지 않는 것은?

① 인체에 유해한 영향이 없을 것
② 대량으로 사용 목적에 따른 효과가 있을 것
③ 식품 고유의 영양 성분을 유지할 것
④ 식품의 유해한 이화학적 변화가 없을 것

해설
소량으로 사용목적에 큰 효과가 있는 것이다.

08 식품 제조 시 거품 형성을 억제하거나 방지하는 데 사용하는 식품첨가물은?

① 규소수지 ② n핵산
③ 탄산수소 나트륨 ④ 안식향산

해설

② n핵산 – 추출제
③ 탄산수소 나트륨 – 팽창제
④ 안식향산 – 보존제(방부제)

09 다음 세균성 식중독에서 감염형에 속하지 않는 것은?

① 장염비브리오 ② 포도상구균
③ 살모넬라 ④ 웰치균

해설

- 독소형 식중독 : 포도상구균(엔테로톡신), 보툴리늄(뉴로톡신)
- 감염형 식중독 : 살모넬라균, 장염비브리오균, 병원성 대장균, 웰치균

10 식품과 자연독 성분이 잘못 연결된 것은?

① 섭조개, 대합 – 삭시톡신
② 청매실 – 고시폴
③ 독미나리 – 시큐톡신
④ 복어 – 테트로도톡신

해설

청매실의 독은 아미그달린이다.

11 화학적 식중독으로 도자기, 법랑, 유리가루 등이 오염경로이며 피로, 체중감소 등의 증상이 나타나는 것은?

① 구리(Cu) ② 수은(Hg)
③ 메틸알콜 ④ 납

해설

① 구리(Cu) – 식기 – 구토, 설사, 복통
② 수은(Hg) – 오염된 해산물 – 언어장애, 지각이상
③ 메틸알콜 – 증류주, 과실주 – 두통, 현기증, 실명

12 다음 중 식품위생법에 명시된 목적이 아닌 것은?

① 식품으로 인한 위생상의 위해 방지
② 식품에 관한 올바른 정보 제공
③ 기호식품에 관한 질적 향상 도모
④ 국민보건의 증진에 이바지

해설

◈ 식품위생법의 목적
- 식품으로 인한 위생상의 위해 방지
- 식품영양의 질적 향상 도모
- 식품에 관한 올바른 정보 제공
- 국민보건의 증진에 이바지

13 식품위생법상 위해 식품 등의 판매 등 금지 내용이 아닌 것은?

① 식품이 썩었거나 상했거나 설익어서 인체에 유해한 것
② 유독 · 유해물질이 첨가되어 있으나 식품의약품안전처장이 건강에 이상이 없다고 인정하는 것
③ 병(炳)을 일으키는 미생물에 오염되어 있는 것
④ 불결하거나 다른 물질이 섞이거나 또는 그 밖의 사유로 건강을 해칠 우려가 있는 것

해설

유독 · 유해물질이 첨가되었거나 묻어있거나 그럴 염려가 우려되는 것(단, 식품의약품안전처장이 건강에 이상이 없다고 인정하는 것은 판매금지대상에서 제외이다.)

14 식품위생법상 무상수거 대상 식품은?

① 도 · 소매업소에서 판매하는 식품 등을 시험검사용으로 수거할 경우
② 식품 등의 기준 및 규격 제정 · 개정을 위한 참고용으로 수거할 경우
③ 기타 무상수거 대상이 아닌 식품 등을 수거할 경우(단, 긴급을 요하는 경우에는 무상으로 수거할 수도 있음)
④ 수입 식품 등을 검사할 목적으로 수거할 경우

해설

◈ 무상수거 대상
- 검사에 필요한 식품 등을 수거할 경우
- 유통 중인 부정 · 불량식품 등을 수거할 경우
- 부정 · 불량식품 등을 압류 또는 수거 · 폐기할 경우
- 수입 식품 등을 검사할 목적으로 수거할 경우

15 다음 중 식품위생법상 영업신고 사항이 아닌 것은?

① 식품운반업
② 즉석판매제조·가공업
③ 식품소분·판매업
④ 단란주점영업

해설

허가	신고
식품조사처리업 단란주점영업 유흥주점영업	식품운반업 즉석판매제조·가공업 식품소분·판매업 식품냉동·냉장업

16 국가의 보건수준, 생활수준을 나타내는 데 가장 많이 이용되는 지표는 무엇인가?

① 조사망률　② 모성사망률
③ 비례사망률　④ 영아사망률

해설
생후 1년 미만인 영아의 사망률은 국가의 보건수준을 나타내는 대표적인 지표이다.

17 자외선의 작용에 해당되지 않는 것은?

① 살균작용
② 관절염 치료 효과
③ 비타민 D 형성
④ 두통, 현기증

해설
◈ 자외선의 작용
신진대사 촉진, 적혈구 생성 촉진, 혈압 강하 효과, 비타민 D 형성 구루병 예방, 관절염 치료 효과, 과다 노출 시 피부 색소 침착, 피부암 유발

18 다음 중 온열요소가 아닌 것은?

① 기온　② 기습
③ 기류　④ 기압

해설
◈ 온열의 4요소 : 기온, 기습, 기류, 복사열

19 실내공기의 오염판단기준인 이산화탄소(CO_2) 위생학적 허용단계는?

① 1%　② 0.1%
③ 0.01%　④ 0.001%

해설
이산화탄소(CO_2) : 공기 중의 0.03% 존재하며 실내공기 오염지표이다.
위생학적 허용한계는 0.1%(=1,000ppm)이다.

20 다음 중 수인성 감염병의 특징을 설명한 것 중 맞지 않는 것은?

① 계절에 관계없이 발생한다.
② 잠복기가 짧다.
③ 치명률이 높고 2차감염이 있다.
④ 환자 발생이 폭발적이다.

해설
치명률이 낮고 2차 감염이 없다.

21 하수오염도 측정 시 생화학적 산소요구량(BOD)을 결정하는 가장 중요한 것은?

① 수중의 유기물량
② 하수량
③ 물의 경도
④ 수중의 광물질량

해설
- 생화학적 산소요구량(BOD) : 하수의 오염도를 나타내는 방법. 수치가 높을수록 오염정도가 크다.
- 용존산소량(DO) : 수치가 낮을수록 오염정도가 크다.

22 사람과 동물이 같은 병원체에 의해 발생하는 인수공통감염병이 아닌 것은?

① 광견병, 페스트
② 야토병, 결핵
③ 돈단독, 탄저
④ 아프리카돼지열병, 일본뇌염

해설

- 인수공통감염병으로 광견병, 결핵, 탄저, 황열, 돈단독, 야토병 등이 있다.
- 아프리카 돼지열병
  ① 전염이 빠르고 치사율이 높은 돼지전염병. 사람을 포함해 멧돼지과 이외의 동물은 감염되지 않으며 백신이나 치료제가 없다.
  ② 우리나라에서는 2019년 9월 17일 처음 발생하였고, 제1종 법정전염병으로 지정해 관리하고 있다.

23 공중 보건상 감염병 관리 측면에서 가장 관리가 어려운 것은?

① 환자　　② 토양과 물
③ 잠복기 보균자　　④ 건강보균자

해설

증상이 나타나지 않으면서 병원체를 배출하는 자로 감염병 관리가 가장 어렵다.

24 인구 정지형으로 출생률과 사망률이 모두 낮은 인구형은?

① 종형　　② 피라미드형
③ 항아리형　　④ 별형

해설

② 피라미드형 : 인구 증가형(출생률은 높고 사망률은 낮음)
③ 항아리형 : 선진국형(평균 수명이 높고 사망률이 낮음)
④ 별형 : 도시형(청장년층 비율이 높음)

정답

1	2	3	4	5
③	①	④	②	④
6	7	8	9	10
①	②	①	②	②
11	12	13	14	15
④	③	②	④	④
16	17	18	19	20
④	④	④	②	③
21	22	23	24	
①	④	④	①	

PART 2

중식 안전관리

Chapter 1 개인 안전관리

1. 개인 안전사고 예방 및 사후조치

(1) 개인 안전사고 예방

① 안전교육을 수시로 실시하여 안전사고를 사전에 예방
② 각종 기계는 작동방법과 안전수칙을 숙지한 후에만 사용
③ 슬라이서, 반죽기, 믹서 등과 같은 장비는 기기 작동이 완전히 멈춘 상태에서 식재료를 꺼냄
④ 미끄러짐을 피할 수 있도록 바닥의 물기나 위험요소를 제거

(2) 사후 조치(응급처치)

① 출혈 확인 시 지혈법에 의한 응급처치를 실시
② 호흡 정지 시 인공호흡에 의한 응급처치를 실시
③ 환자가 의식이 있으면 가장 편안한 자세로 만들어 줌
④ 환자가 의식이 없으면 손상 부위를 고려하여 적절하게 조치
⑤ 안색이 창백하면 머리를 낮게 다리를 높게 하고, 안색이 홍색이면 머리를 높게 하고, 자색이면 인공호흡이나 기도에 이물질을 제거

2. 작업 안전관리

① 행주를 칼 위에 올려놓지 않음
② 선반의 높은 곳에 액체가 담긴 그릇을 놓아두지 않음
③ 젖은 행주로 뜨거운 것을 들지 않음
④ 칼날을 앞으로 내밀어 들고 다니지 않음
⑤ 음식찌꺼기, 쓰레기를 바닥에 버려서는 안 됨

Chapter 2 장비 · 도구 안전관리

1. 조리장비 · 도구 안전관리 지침

(1) 일반적 지침

① 기계작동 전 안전장치를 확인하고, 기계 이상 유무를 먼저 확인
② 세척 혹은 분해 시에 전원을 끄고 기계가 안전하게 정지한 것을 확인한 후에 실시
③ 장기간 장비 사용은 금함
④ 전기를 사용하는 장비나 도구의 경우 전기 사용량과 일치 여부를 확인한 다음 사용
⑤ 사용 도중에 전기기관에 물이나 이물질이 들어가지 않도록 주의
⑥ 용도에 맞지 않는 도구의 사용을 금함

(2) 장비 · 도구별 안전관리 지침

1) 회전식 국솥

① 국솥 하부에는 솥의 내용물을 붓거나 세척 시 배수가 용이하도록 바닥에 배수로를 설치
② 국솥 상부에는 응결수가 발생하지 않도록 적정 용량의 후드를 설치
③ 식품은 소량씩 넣어 조리하고 폐식용유는 안전온도 이하일 때 처리
④ 스팀식 국솥은 압력계의 지침이 '0'을 가리키더라도 내부에 증기가 남아있으므로 반드시 증기가 배출되었는지 확인하고 솥을 개방

2) 튀김기

① 설정온도, 가열시간, 수위 조절 등이 정상적으로 작동하는지를 확인한 후 가동
② 튀김기 내의 식용유가 과열되는 것을 쉽게 알아보도록 온도계를 설치
③ 식용유로 인한 화재 발생 시 진화를 위하여 전용 소화기(K급)를 튀김기 옆에 비치
④ 감전 예방을 위하여 접지 또는 접지극이 있는 전원 플러그와 콘센트를 사용하고, 전원은 누전 차단기에서 인출하여 사용

3) 가스 그리들

① 점화봉을 사용하지 않고 바로 버너에 불을 붙일 경우 가스 손실과 화상 및 폭발의 우려가 있으므로 반드시 점화봉을 사용
② 철관은 세척 후 기름을 얇게 발라 둠(녹 방지)
③ 가스누출 감지경보기의 가스차단기 작동상태를 수시로 확인

Chapter 3 작업환경 안전관리

1. 작업장 환경관리

(1) 조리장의 기본 요건

위생성, 능률성 및 경제성을 고려해야 하며, 특히 위생을 최우선으로 고려

(2) 주방 시설

1) 작업대
① 작업대의 높이는 85~90cm, 너비는 55~60cm가 적당
② 작업대와 뒤쪽 선반과의 거리는 최소한 150cm 이상이 적당

2) 바닥
① 1m까지의 내벽은 내수성 자재를 사용
② 기름이나 오염물질이 스며들지 않아야 하며 유지비가 경제적이어야 함
③ 미끄럽지 않고 산·염·유기용액에 강한 재질

3) 창문과 벽
① 창문은 직사광선을 막을 수 있게 하고, 방충망을 설치
② 창의 면적은 바닥 면적의 20%가 적당
③ 벽의 마감재로는 모자이크타일, 자기타일, 금속판, 내수합판 등이 적당

4) 환기시설
① 후드(hood)는 조리공간의 냄새, 열, 증기 등을 외부로 방출하는 역할
② 후드(hood)의 경사각은 30도이고 형태는 4방 개방형이 가장 효율적

5) 조명시설
① 작업하기 충분하고 균등한 조명도를 유지
② 조도는 50룩스(lux) 이상 유지하는 것이 매우 중요

(3) 조리장과 식당 면적

1) 조리장의 면적
① 조리장의 면적은 식당 넓이의 1/3이 기준
② 일반급식의 경우 1인당 $0.1m^2$이며 사업체 급식의 경우 1인당 $0.2m^2$

2) 식당의 면적
① 취식인원 1인당 $1m^2$가 기준

② (1인당 필요면적 + 식기회수공간) × 취식자수 = 식당의 면적

작업대 배치순서	준비대 → 개수대 → 조리대 → 가열대 → 배선대
작업의 흐름 순서	식재료 구매 및 검수 → 식재료 전처리 → 식재료 조리 → 음식 담기와 장식 → 서빙 → 식기 세척 및 수납

2. 작업장 안전관리

(1) 안전사고의 유형에 따른 유의사항

1) 주방의 안전관리

① 행주를 칼 위에 올려놓지 않음
② 선반의 높은 곳에 액체가 담긴 그릇을 놓아두지 않음
③ 젖은 행주로 뜨거운 것을 들지 않음

2) 주방의 안전사고 원인과 방지

① 불안전하게 칼을 쓰는 것을 피해야 함
② 항상 도마를 사용

3) 화상사고

① 뜨거운 음식 등을 옮길 때에는 젖은 행주나 앞치마 대신 마른 행주나 헝겊 장갑을 사용
② 튀김을 할 때에는 주변을 깨끗이 정리정돈을 한 후 조리

4) 낙상사고

① 몸에 맞는 청결한 조리복과 작업 활동에 알맞은 안전화를 착용
② 바닥에 식용유와 버터, 동물성 지방, 핏물 등 이물질이 있을 때에는 즉시 제거

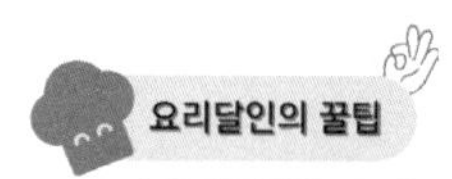

대형 냉동고에 작업을 할 때에는 안전수칙을 꼭 지켜야 하고, −20℃ 이하의 냉장고에서 작업을 할 때는 10분 이상 초과하지 말아야 함

3. 화재예방 및 조치방법

(1) 화재예방

① 화재 위험성이 있는 곳을 근본적으로 파악하고 정기적인 점검
② 소화기는 누구나 알 수 있는 지정된 위치에 둠
③ 정기적인 화재예방교육 실시

(2) 화재의 종류 및 소화기의 적응 표시

화재의 종류			소화기의 적응표시
A급 화재 가연성 물질이 발행하는 화재. 연소 후 재로 남음	일반화재	→	○ 백색
B급 화재 가연성 액체나 기체에 발행하는 화재. 연소 후 재가 남지 않는다.	유류화재	→	○ 황색
C급 화재 전선, 전기기구 등에 발생하는 전기화재	전기화재	→	○ 청색

(3) 소화기의 종류

구 분	사용방법 및 주의 사항
포말 소화기	- 소화기의 노즐을 잡고 거꾸로 뒤집어 흔든 뒤 노즐구멍을 막고 있던 손을 떼고 불꽃방향으로 향하도록 함 - 약품이 얼어붙거나 넘어지지 않게 보관. 반드시 1년에 1회 약제를 교환
분말 소화기	- 손잡이 옆의 안전핀을 빼고 왼손으로 노즐을 잡고 오른손으로 손잡이 레버를 움켜잡아 방출함. 바람을 등지고 사용 - 직사관선과 습기가 없는 곳에 비치 - 한 번 사용한 소화기는 재충전

PART 2

요리달인의 적중 예상문제

01 다음 중 개인 안전사고 사후조치로 적당하지 않은 것은?

① 출혈확인 시 지혈법에 의한 응급처치를 실시
② 호흡 정지 시 인공호흡에 의한 응급처치를 실시
③ 의식이 없으면 머리를 높게 하고 인공호흡을 실시
④ 환자가 의식이 있으면 가장 편안한 자세로 만들어줌

해설
환자가 의식이 없으면 손상 부위를 고려하여 적절하게 조치한다.

02 다음 장비 도구 안전관리에 바르게 연결되지 않은 것은?

① 가스자동밥솥 : 사용 중에는 환기를 절대 시키지 않아야 한다.
② 튀김기 : 설정온도, 가열시간, 수위조적 등이 정상적으로 작동하는지를 확인한다.
③ 가스그리들 : 점화봉을 사용하지 않고 바로 버너에 불을 붙일 경우 가스 손실과 화상 및 폭발의 우려가 있으므로 반드시 점화봉을 사용
④ 채소 절단기 : 칼날 및 날카로운 부품에 손이 상하는 일이 없도록 항상 주의한다.

해설
가스 자동 밥솥 사용 중에는 후드를 작동시키거나 창문을 열어 환기시켜준다.

03 주방의 안전사고 유형에 따른 유의 사항에 해당되지 않는 것은?

① 주방의 안전사고 원인을 알고 방지한다.
② 뜨거운 음식 등을 옮길 때에는 행주나 앞치마 대신 마른 행주나 헝겊 장갑을 사용한다.
③ 몸에 맞는 청결한 조리복과 작업활동에 알맞은 안전화를 착용한다.
④ 뜨거운 것을 들 때는 반드시 젖은 행주를 사용한다.

해설
뜨거운 것을 들 때는 젖은 행주를 사용하지 않는다.

04 분말 소화기 사용법 및 유의사항에 해당되지 않는 것은?

① 손잡이 옆의 안전핀을 빼고 왼손으로 노즐을 잡고 오른손으로 손잡이 레버를 움켜잡아 방출한다.(왼손잡이는 반대로)
② 직사광선과 습기가 있는 곳에 비치해야 한다.
③ 바람을 등지고 사용해야 한다.
④ 한 번 사용한 소화기는 재충전해야 한다.

해설
분말소화기는 직사광선과 습기가 없는 곳에 비치하여야 한다.

정답

1	2	3	4
③	①	④	②

PART 3 중식 재료관리

Chapter 1 식품재료의 성분

▣ 식품의 구성성분

(1) 식품의 성분

<table>
<tr><td rowspan="7">식품성분</td><td rowspan="6">일반성분</td><td colspan="3">수분</td></tr>
<tr><td rowspan="5">고형물</td><td rowspan="4">유기질</td><td>당질(탄수화물)</td></tr>
<tr><td>지질(지방)</td></tr>
<tr><td>단백질</td></tr>
<tr><td>비타민</td></tr>
<tr><td>무기질</td><td>칼슘, 철, 칼륨, 인, 나트륨 등</td></tr>
<tr><td>특수성분</td><td colspan="3">색성분, 향성분, 맛성분, 효소, 유독성분</td></tr>
</table>

(2) 영양소 역할에 따른 분류 집중공략

1) 열량소
① 인체활동에 필요한 열량(에너지)을 공급
② 당질(1g당 4kcal), 단백질(1g당 4kcal), 지질(1g당 9kcal)

2) 구성소
① 인체의 발육과 조직을 구성하는 성분을 공급
② 단백질, 무기질(칼슘)

3) 조절소
① 인체의 각 기관이 순조롭게 활동하게 하고, 생리작용을 조절
② 비타민, 무기질, 물

1. 물(수분)

(1) 물(수분)의 기능

① 인체 내에서 음식물의 소화, 운반 및 체온 조절
① 운동과 열을 운반
② 노폐물을 제거

(2) 유리수와 결합수 집중공략

유리수(자유수)	결합수
- 유리(자유) 상태로 존재 - 수용성 물질을 녹이는 용매재 역할 - 미생물의 생육이 가능 - 0℃ 이하에서 동결 - 4℃에서 비중이 제일 큼 - 건조로 쉽게 제거 가능	- 고분자 물질과 결합해서 존재 - 수용성 물질을 녹이지 못함 - 미생물의 생육이 불가능 - -20℃에서도 잘 얼지 않음 - 유리수보다 밀도가 큼 - 제거 불가능

(3)수분활성도 집중공략

1) 수분활성도의 의미

어떤 임의의 온도에서 그 식품이 나타내는 수증기압(P)을 그 온도에서의 순수한 물의 최대 수증기압(P_0)으로 나눈 것

$$수분\ 활성도(Aw) = \frac{식품의\ 수증기압(P)}{순수한\ 물의\ 최대\ 수증기압(P_0)}$$

2) 수분활성도의 특징

① 물의 활성도는 1(Aw=1)

② 일반식품의 수분활성도는 항상 1보다 작음(Aw 〈 1)

③ 수분활성도가 낮으면 미생물의 생육이 억제

④ 곡류나 건조식품 등은 육류, 과일, 채소류보다 수분 활성도가 낮음

⑤ 미생물 증식에 필요한 수분활성도

세균(0.90~0.95), 효모(0.88), 곰팡이(0.65~0.80) 등

2. 탄수화물(당질)

(1) 탄수화물의 특성 집중공략

① 탄소(C), 수소(H), 산소(O) 등으로 구성

② 많이 섭취하면 근육이나 간에 글리코겐으로 저장

③ 1g당 4kcal의 열량을 제공하는 에너지원이며 소화율은 98%

④ 기능 : 지방의 완전연소, 혈당유지, 간 보호 및 해독작용, 식이섬유로 변비 예방

⑤ 탄수화물의 감미도 집중공략

과당(120~180) 〉 전화당(85~130) 〉 설탕(100) 〉 포도당(70~74) 〉 맥아당(60) 〉 갈락토오스(33) 〉 유당(16~28)

(2) 탄수화물의 분류

단당류는 당류 중에서 가장 간단한 구성 단위, 더 이상 가수분해되지 않는 당이며 이당류는 단당류 2개, 다당류는 3개 이상의 당이 결합

① 당류의 분류 집중공략

구 분	종 류	특 징
단당류	포도당 (glucose)	- 포유동물이 혈액 중에 0.1% 정도 함유 - 전분이 소화되어 가장 작은 형태로 된 것 - 혈액에 있는 당은 주로 포도당이며 혈당이라고도 함
	과당 (fructose)	- 과일과 꿀에 함유 - 당류 중에서 감미도가 가장 높고 물에 쉽게 녹음
	갈락토오스 (galactose)	- 젖당의 구성성분 - 모유와 우유 등의 포유동물의 유즙에 존재
	만노오스 (Mannose)	- 다당류의 구성성분 - 곤약, 감자, 백합뿌리 등에 존재
이당류	자당 (설탕, sucrose)	- 포도당+과당 - 사탕수수나 사탕무에 함유 - 감미도의 측정기준
	젖당 (유당, lactose)	- 포도당+갈락토오스 - 동물의 유즙에 함유되어 있으며, 감미가 거의 없음
	맥아당 (maltose)	- 포도당+포도당 - 엿기름에 많고 물엿의 주성분
다당류	전분 (starch)	- 아밀로오스와 아밀로펙틴 - 곡류, 서류(감자, 고구마 등)에 존재
	글리코겐 (glycogen)	- 동물의 에너지 저장 형태 - 간, 근육에 저장되어 필요할 때 포도당으로 분해되어 에너지로 사용
	섬유소 (cellulose)	- 식물 세포벽의 구성성분 - 영양적 가치는 없으나 변비 예방에 도움
	펙틴 (pectin)	- 세포벽이나 세포 사이의 중층에 존재 - 과실류와 감귤류의 껍질에 다량 함유
	키틴 (chitin)	게, 새우 등의 갑각류에 다량 함유
	이눌린	- 과당의 결합체 - 우엉, 돼지감자에 다량 함유
	한천 (Agar)	- 우뭇가사리 등 홍조류에 존재하며 동결건조한 제품 - 배변을 촉진시켜 변비 예방에 좋음 - 겔화력이 강해 잼, 양갱, 과자 등의 겔화제로 이용
	올리고당	- 라피노스 : 포도당+과당+갈락토오스(삼당류) - 스타키오스 : 라피노스+갈락토오스(사당류)
	알긴산	미역과 같은 갈조류의 세포막 성분

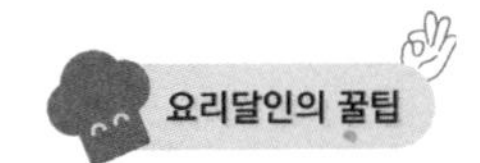

◈ 단당류

- 오탄당 : 리보스(ribose), 아라비노즈(arabinoe), 자일로오스(xylose)
- 육탄당 : 포도당(glucose), 과당(fructose), 갈락토오스(galactose), 만노오스(mannose)

3. 지질(지방)

(1) 지질의 특성

1) 지질의 특성

① 탄소(C), 수소(H), 산소(O) 등으로 이루어진 유기화합물
② 3분자의 지방산과 1분자의 글리세롤(glycerol)이 에스테르(ester) 결합을 이룸
③ 1g당 9kcal의 열량
④ 기능 : 뇌와 신경조직의 구성성분, 체온조절, 주요 장기보호, 지용성 비타민의 흡수와 운반 등

(2) 지질의 종류

화학적 구조에 따라 단순지질(중성지질), 복합지질, 유도지질로 구분

구분	내용
단순지질(중성지질)	- 지방산과 글리세롤의 에스테르 결합 - 중성지방(포화지방산과 불포화지방산), 글리세롤, 왁스
복합지질	- 지방산과 알코올의 에스테르에 질소, 인, 황 등이 결합된 지질 - 인지질, 당지질, 지단백질
유도지질	- 단순지질과 복합지질의 가수분해로 얻어지는 물질 - 콜레스테롤, 에르고스테롤

(3) 포화지방산과 불포화지방산

식품과 인체 내의 지방은 대부분 중성지방이며 분자 내의 이중결합 여부에 따라 포화지방산과 불포화지방산으로 구분

구분	내용
포화지방산	- 이중결합이 없는 지방산 - 동물성 지방에 많이 함유되어 있고 상온에서 고체 - 팔미트산(palmitic acid), 스테아르산(stearic acid) 등
불포화지방산	- 이중결합이 있는 지방산(이중결합이 많을수록 불포화도가 높아짐) - 식물성 지방에 많이 함유되어 있고 상온에서 액체 - 올레산(oleic acid), 리놀레산(linoleic acid), 리놀렌산(linolenic acid), 아라키돈산(arachidonic acid), DHA, EPA 등

DHA, EPA : 생선지방에 주로 함유되어 있으며, 두뇌에 도움이 되고 혈중콜레스테롤을 낮춰줌

(4) 필수지방산 집중공략

① 신체의 정상적인 성장발달을 위해 동물의 체내에서 소량 합성되고 있으나, 필요량에 미치지 못하므로 반드시 음식으로 섭취해야 하는 불포화지방산

② 리놀레산(linoleic acid), 리놀렌산(linolenic acid), 아라키돈산(arachidonic acid) 등

(5) 유지의 기능적 성질 집중공략

1) 유화(에멀전화 : Emulsification) : 유지와 다른 물질이 잘 섞이게 하는 현상

① 수중유적형(O/W) : 물 중에 기름이 분산되어 있는 현상(우유, 생크림, 아이스크림, 마요네즈, 크림스프 등)

② 유중수적형(W/O) : 기름 중에 물이 분산되어 있는 현상(버터, 마가린 등)

2) 수소화(경화유 : Hydrogenation)

액체 상태의 기름에 수소를 첨가하고 니켈과 백금을 넣고 고체의 기름으로 만든 것(마가린, 쇼트닝)

3) 가소성

외부조건에 유지의 상태가 변했다가 원상태로 조건을 바꾸어도 유지의 변형 상태로 유지되는 성질

4) 연화작용

밀가루 반죽에 유지를 첨가하면 반죽 내 지방을 형성, 전분과 글루텐의 결합을 방해하는 것

(6) 지질의 화학적 성질

1) 검화가(saponification value)

① 유지를 알칼리용액으로 가수분해하면 글리세롤과 지방산염이 형성되는 것

② 유지 1g을 검화하는데 소요되는 KOH(수산화칼슘)의 mg수

③ 보통 유지의 검화가는 180~200

2) 산가(acid value)

① 유지 1g 중에 함유한 유리지방산을 중화하는데 소요되는 KOH(수산화칼슘)의 mg수

② 유지의 산패도를 알아보는 방법

③ 신선한 식용유지의 산값은 0.05~0.07(산값이 낮을수록 신선한 유지)

3) 요오드가(iodine value)

① 유지 100g에 첨가되는 요오드의 g수

② 요오드가가 높은 기름은 융점이 낮고, 이중결합이 많으며 산화되기 쉬움

【 요오드가에 따른 분류 】 집중공략

종 류	요오드가	유 지 류
건성유	130이상	- 공기 중에서 쉽게 굳어지는 유지 - 들기름, 아마인유, 호두유 등
반건성유	100~130	콩기름, 참기름, 옥수수유, 면실유 등
불건성유	100이하	- 공기 중에서 굳지 않는 유지 - 올리브유, 땅콩기름, 야자유, 피마자유 등

4) 과산화물가(POV : peroxide value)

① 유지 1kg에 생성된 과산화물의 mg당량으로 표시

② 과산화물가가 10 이하이면 신선한 유지

(7) 지질의 산패에 미치는 요인

① 물, 산, 알칼리, 지방분해요소 등에 의해 산패가 촉진

② 공기 중의 산소나 광선에 의해 산패가 촉진

③ 금속 또는 금속이온은 산패를 촉진

④ 불포화도가 높을수록 산패가 활발히 일어남

4. 단백질

(1) 단백질의 특성과 기능

1) 단백질의 특성 집중공략

① 탄소(C), 수소(H), 산소(O), 질소(N) 등으로 구성. 황(S), 인(P) 함유되어 있으며, 질소는 평균 16% 이상 함유

② 1g당 4kcal의 열량을 제공하는 에너지원

③ 열・산・알칼리 등에 의해 응고하는 성질

④ 아미노산들이 펩티드(peptide) 결합으로 연결되어 있는 고분자 유기화합물

⑤ 급원식품으로 동물성식품(육류, 가금류, 생선류, 달걀, 우유 등)과 식물성식품(두류, 곡류, 견과류 등)

⑥ 기능 : 신체조직 구성성분, 효소・호르몬・항체 합성, 체액의 pH 유지, 삼투압 조절, 나이아신(B_3 : niacin) 합성 등

⑦ 결핍 시 부종, 성장장애, 빈혈, 피로감

(2) 단백질의 분류

1) 구성 성분에 따라

구분	내용
단순단백질	- 아미노산만으로 구성된 단백질 - 알부민, 글로불린, 글루테닌, 프롤라민 등
복합단백질	- 단백질 이외의 물질과 단백질이 결합된 단백질 - 인단백질, 당단백질, 지단백질 등
유도단백질	- 단백질이 물리적 또는 화학적 방법에 의해 변성·분해하여 생성된 단백질 - 1차 유도단백질 : 젤라틴, 2차 유도단백질 : 펩톤, 펩티드

2) 영양학적 성분에 따라

구분	내용
완전단백질	- 동물의 생명유지와 성장에 필요한 모든 필수아미노산이 충분한 단백질 - 달걀(알부민), 우유(카세인), 콩(글리시닌) 등
부분적 불완전단백질	- 동물의 생명유지와 성장에 필요한 필수아미노산을 모두 함유하고 있으나 1개 또는 그 이상의 아미노산 함량이 부족한 단백질 - 밀(글리아딘), 곡류(리신)
불완전단백질	- 필수아미노산이 충분하지 않은 단백질 - 옥수수(제인)

(3) 아미노산의 종류

1) 필수아미노산

① 체내에서 필요한 만큼 충분히 생성할 수 없으므로 반드시 외부 음식으로부터 섭취
② 성인(8가지) : 리신, 류신, 이소류신, 메티오닌, 페닐알라닌, 트레오닌, 트립토판, 발린 등
③ 어린이(10가지) : 성인 8가지+알기닌, 히스티딘 등

2) 불필수아미노산

① 체내에서 합성할 수 있는 아미노산
② 티로신, 글리신, 시스테인 등

5. 비타민

(1) 비타민의 특성

① 대부분 체내에서 합성되지 않으므로 음식을 통해 섭취
② 인체 내에서는 필수 물질이지만 적은 양만 필요
③ 대사작용 조절물질로서 보조효소의 역할
④ 에너지나 신체 구성물질로 사용되지 않음

(2) 비타민의 종류 집중공략

지용성 비타민	수용성 비타민
비타민 A, D, E, K	비타민 B군, C
기름에 용해	물에 용해
기름과 함께 섭취 시 흡수율 증가	필요한 양만큼만 체내에 남고 나머지는 체외로 배출
과잉 섭취 시 체내에 저장	배설되므로 저장되지 않음
결핍증이 천천히 나타남	결핍증이 빠르게 나타남
매일 조금씩 섭취	매일 충분히 섭취
조리 시 손실 적음	열, 알칼리성에서 쉽게 파괴

(3) 지용성 비타민 집중공략

종 류	급원식품	결핍증	특 징
비타민 A (레티놀)	간, 우유, 난황, 당근, 시금치	야맹증, 결막염, 안구 건조증	- 상피세포를 보호하고 눈의 망막세포를 구성 - 전구물질 : 카로틴
비타민 D (칼시페놀)	버섯류, 말린 생선	구루병, 골다공증	- 칼슘과 인이 흡수를 도와 뼈를 튼튼하게 함 - 자외선에 의해 인체 내에서 합성 - 전구물질 : 에르고스테롤
비타민 E (토코페놀)	견과류, 배아, 식물성기름, 달걀	불임증, 노화 촉진	- 항산화제 및 노화 방지 - 활성이 큰 것은 α-토코페놀
비타민 K (필로퀴논)	녹색채소, 콩, 토마토, 당근	혈액응고지연	- 혈액응고에 관여하고 지혈작용 - 장내세균에 의해 인체 내에서 합성

(4) 수용성 비타민 집중공략

종 류	급원식품	결핍증	특 징
비타민 B_1 (티아민)	돼지고기, 배아	각기병	- 당질 대사활동에 필수적인 보조효소 - 알리신(마늘)이 비타민 B_1 흡수 도와줌
비타민 B_2 (리보플라빈)	우유, 생선, 달걀, 시금치	구각염, 설염	- 발육 촉진 - 피부점막 보호작용
비타민 B_6 (피리톡신)	간, 배아, 대두, 땅콩	피부염	- 단백질 대사작용과 지방합성에 관여 - 항피부염 인자
비타민 B_{12} (시아노코발라민)	고기, 선지	악성빈혈	- 성장 촉진과 조혈작용에 관여 - 코발트(Co)를 함유한 비타민
비타민 C (아스코르브산)	과일, 채소	괴혈병	- 체내의 산화·환원 작용에 관여하고 세포질 성장 촉진 - 가열 조리 시 가장 많이 손실되므로 신선한 상태로 섭취하는 것이 좋음 - 콜라겐 합성과 철분 흡수 작용

나이아신 B_3 (니코틴산)	닭고기, 생선, 땅콩	펠라그라	- 당질 대사활동 증진 - 트립토판 60mg으로 나이아신 1mg 만듦 - 제인(옥수수 단백질)에는 트립토판이 없으므로 옥수수를 주식으로 하는 민족에게 '펠라그라'가 많이 나타남

6. 무기질(회분) 집중공략

▶ 당질, 단백질, 지방 등의 유기화합물이 연소되어 공기 중에 제거되고, 재로 남은 것

▶ 연소시켰을 때 남은 무기질에 따라 식품의 산성과 알칼리성이 결정

산성식품	- P(인), S(황), Cl(염소) 등을 함유하고 있고 체액을 산성화시키는 식품 - 곡류, 육류, 어류, 두류(대두 제외) 등
알칼리식품	- K(칼륨), Ca(칼슘), Na(나트륨), Fe(철) 등을 함유하고 있는 식품 - 우유는 동물성 식품이지만, Ca(칼슘)이 다량 함유되어 있어서 알칼리성 식품으로 분류 - 해조류, 과일, 채소, 대두 등

(1) 무기질의 특징 집중공략

① 신경의 자극전달에 필수요소

② 수분의 평형유지에 관여

③ 생리적 반응을 위한 촉매제로 이용

④ 산과 염기의 평형을 유지하는데 관여

⑤ pH 조절과 삼투압 조절

⑥ 인체조직의 구성성분

(2) 무기질의 종류 집중공략

종 류	급원식품	결핍증	특 징
칼슘(Ca)	우유, 유제품, 멸치	골다공증, 치아와 골격 발육 불량	- 골격과 치아를 구성하고 비타민 K와 함께 혈액 응고에 관여 - 비타민 D는 칼슘 흡수 촉진 - 수산은 칼슘 흡수 방해
인(P)	우유, 유제품, 난황, 육류, 곡류	치아와 골격 발육 불량	- 골격과 치아의 구성성분 - 인지질과 핵단백질의 구성성분 - 칼슘과 인의 섭취비율은 성인은 1:1, 어린이는 2:1이 좋음
나트륨(Na)	소금, 피클, 김치	근육경련, 식욕감퇴	- 삼투압 조절과 수분균형 유지 - 신경전달 - 과잉 섭취 시 고혈압과 심장병 유발

칼륨(K)	채소, 과일, 바나나	식욕부진, 근육경련	- 삼투압 조절, 신경전달, 근육 수축 - NaCl과 같은 작용을 하며 세포내액에 존재
철분(Fe)	달걀, 생선, 간, 녹색채소	빈혈	- 헤모글로빈의 주성분 - 혈액 생성 시 필수적인 영양성분
불소(F)	완두콩, 시금치	우치(충치), 과잉치(반상치)	- 골격과 치아를 튼튼하게 함 - 충치 예방
요오드(I)	미역, 다시마, 해조류	갑상선종, 발육저지	- 갑상선호르몬(티록신)의 구성성분 - 유즙분비를 촉진

7. 식품의 색

(1) 식물성 색소 집중공략

성 분		특 징
클로로필 (Chlorophyll, 엽록소)		- 녹색채소로 마그네슘(Mg)을 함유 - 시금치, 오이, 브로콜리 등 - 산에 의해 갈색(페오피틴), 알칼리에 의해 선명한 녹색(클로로필린), 금속에 의해 선명한 녹색
카로티노이드 (Carotinoid)		- 당근, 토마토, 고추, 고구마, 옥수수 등의 황색, 주황색, 적색의 색소 - 비타민 A의 전구물질 - 열, 산, 알칼리에서 안정적 - 광선, 산화효소에는 민감
플라보노이드 (Flavonoid)	안토잔틴 (Anthoxanthine)	- 백색이나 담황색을 띠는 색소 - 식물의 뿌리, 줄기, 잎 등에 분포 - 산에서 선명한 흰색 - 알칼리에서 짙은 갈색 - 철(Fe)과 결합하면 암갈색 - 열에 의해 노란색이 더욱 진해짐
	안토시아닌 (Anthocyanin)	- 홍당무, 비트, 자색 양배추, 가지, 자색 감자 등 - 청색, 적색, 자색의 색소 - pH에 따라 산성(적색), 중성(자색, 보라색), 알칼리성(청색)

(2) 동물성 색소 집중공략

성 분	특 징
미오글로빈 (Myoglobin)	- 동물의 근육조직에 있는 근육색소 - 미오글로빈(적자색) + 산소 → 옥시미오글로빈(선홍색) - 옥시미오글로빈(선홍색) + 산화 → 매트미오글로빈 - 매트미오글로빈(적갈색) + 가열 → 헤미크롬(회갈색)

헤모글로빈 (Hemoglobin)	- 동물의 혈액에 존재하는 혈색소 - 철(Fe)함유
헤모시아닌 (Hemocyanin)	- 문어, 오징어, 낙지 등의 연채류에 존재하는 색소 - 가열에 의해 적자색으로 변함
아스타잔틴 (Astaxanthin)	- 새우, 게, 가재 등의 갑각류에 존재하는 색소 - 가열하면 색소단백질이 분해되어 아스타신(Astacin))의 붉은색으로 변함

8. 식품의 갈변 집중공략

식품을 저장, 가공 및 조리하는 과정에서 갈색 또는 변색되는 현상

구 분	종 류	특 징
효소적 갈변	폴리페놀 옥시다아제	사과, 배, 고구마 등의 갈변 효소
	티로시나아제	껍질을 벗긴 감자의 갈변 효소
	갈변 억제방법	- 열처리 : 데쳐서 효소 불활성화 - pH조절 : pH3 이하로 낮춰 효소작용 억제 - 당 또는 염류 첨가 : 설탕이나 소금물에 담금 - 산소 차단 : 산소를 제거하거나 이산화탄소나 질소가스 주입 - 냉동저장 : 냉동저장으로 효소작용 억제 - 적절한 용기 사용 : 구리나 철로 된 기구 사용을 피함
비효소적 갈변	캐러멜화 반응	- 당류를 180~200℃의 고온에서 가열하였을 때 산화, 분해에 의해 중합·축합에 의해 갈색으로 변함 - 빵, 과자, 약식, 비스킷, 캔디 등에 이용
	마이얄 반응	- 단백질과 당의 결합으로 인해 자연적으로 일어나며 열에 의해 촉진 - 간장, 된장, 누룽지 등
	아스코르브산 반응	- 항산화제 및 항갈변제로서 가공식품에 널리 사용 - 감귤류, 오렌지 주스 등

9. 식품의 맛과 냄새

(1) 기본적인 4원미

단맛, 짠맛, 신맛, 쓴맛

1) 단맛(sweetness)

당류	포도당(과실, 꿀, 엿), 과당(과실, 꿀), 맥아당(물엿, 엿기름), 유당(=젖당, 모유, 우유)
당알코올	자일리톨(75), 솔비톨(50~70), 이노시톨(45), 만니톨(45) 등
인공감미료	- 사카린(200,000~700,000) - 둘신(70,000~350,000) - 아스파탐(150,000~200,000)

※ ( )안의 숫자는 설탕의 감미도 100을 기준으로 감미도를 보여줌

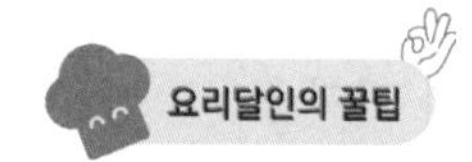

감미도를 측정하는 기준은 설탕(100)이며, 과당(170) 〉 전화당(120) 〉 설탕(100) 〉 포도장(75) 〉 맥아당(60) 〉 갈락토오스(35) 등의 순서대로 감미가 강함

2) 짠맛(saltness)

① 주성분은 무기 및 유기 알카리염이고 음이온에서 짠맛을 느끼고, 양이온에서 쓴맛을 냄

② 신맛이 더해지면, 짠맛이 더 강해지고, 단맛이 더해지면 더 약해짐

3) 신맛(sournes)

① 산이 해리되어 수소이온에 의한 맛으로, pH가 같을 경우 무기산보다 유기산의 신맛이 더 강함

② 유기산은 특유의 감칠맛과 상쾌한 맛을 주어 식욕을 증진시켜 줌

초산	식초, 김치류	주석산	포도
구연산	감귤류, 딸기	아스코르빈산	과일류, 채소류
사과산	사과, 배	젖산	요구르트류, 김치류
호박산	조개, 청주, 김치류		

4) 쓴맛(bitterness)

알카로이드계	– 카페인(Caffeine) : 녹차, 커피, 코코아, 홍차 – 테오브로마인(Theobromine) : 코코아, 초콜릿
배당체	– 퀘세틴(Quercetin) : 양파 껍질 – 쿠퀘비타신(Cucurbitacin) : 오이 꼭지 부분 – 나린진(Naringin) : 감률이나 자몽 껍질
케톤류	후물론(Humulone) : 맥주

5) 기타 맛

① 감칠맛(umami, savory taste)

1908년 다시마의 감칠맛을 내는 물질인 글루탐산나트륨인 것이 발견. 이노신산은 가다랭이포, 구아닐산은 버섯의 맛을 내는 물질

글루탐산(Glutamate)	MSG, 다시마, 김, 된장
호박산(Succinic acid)	조개류
이노신산(Inosinic acid)	육류, 생선류, 가다랭이포
크레아티닌(Creatinine)	어류, 육류
베타인(Betaine)	오징어, 문어, 새우
타우린(Taurine)	조개, 오징어

② 매운맛 집중공략

미각신경을 강하게 자극하여 형성되는 맛으로 미각이라기보다는 통각에 가까움
60℃에서 가장 강하게 느껴지며 식욕을 촉진시키고 살균·살충작용

캡사이신(Capsaicin)	고추
차비신 (Chavicine)	후추
알리신(Allicin)	마늘
쇼가올(Shogaols), 진저론(Zingerone)	생강
시니그린(Sinigrin)	겨자
이소시아네이트(Isothiocyanic)	무

③ 떫은맛 집중공략

혀를 수렴시켜 마비시키는 맛. 보통 덜 익은 감, 차 등에 있는 타닌성분이 내는 맛

④ 아린맛

쓴맛과 떫은맛의 혼합된 맛. 토란, 고사리, 우엉 등에 들어있는 아린맛은 수용성이므로 물에 담궈서 제거 가능

6) 맛의 다양한 현상 집중공략

① 맛의 상승

같은 종류의 맛을 혼합하여 섭취하면 각각 가지고 있는 맛보다 더 강한 맛을 느껴지는 현상
(예 설탕과 포도당을 혼합하면 단맛이 더 강하게 느껴짐)

② 맛의 대비 현상(강화 현상)

서로 다른 2가지 맛이 혼합·작용하여 주된 맛 성분이 더 강하게 느껴지는 현상
(예 설탕물에 소금을 첨가하면 단맛이 상승)

③ 맛의 변조 현상

한 가지 맛성분을 섭취한 직후 다른 맛을 보면 원래의 맛이 다르게 느껴지는 현상
(예 쓴 한약을 먹은 후 물을 마시면 물맛이 달게 느껴짐)

④ 맛의 억제 현상

2가지 맛 성분을 혼합하였을 때 각각의 맛이 약하게 느껴지는 현상
(예 커피에 설탕을 넣으면 커피의 쓴맛이 약해짐)

(2) 식품의 냄새 집중공략

구 분	성분과 특징
식물성 식품의 냄새	- 알코올 및 알데히드류 : 주류, 양파, 감자, 계피 등 - 에스테르류 : 사과, 파인애플 등 - 황화합물류 : 파, 양파, 마늘, 무, 고추, 냉이 등 - 테르펜류 : 녹차, 차류, 레몬, 오렌지 등

동물성 식품의 향	- 암모니아류 : 신선도가 떨어진 육류, 생선류 - 트리메틸아민 : 신선도가 떨어진 해수어(고등어)의 비린내 - 피페리딘 : 신선도가 떨어진 담수어의 비린내 - 카르보닐 화합물 : 신선한 우유 냄새 - 아미노아세토페논 : 신선도가 떨어진 우유 냄새 - 디아세틸 : 버터 냄새

(3) 식품의 특수 성분

구 분	특수 성분
마늘	알리신(Allicin)
생강	진저론(Zingerone)
겨자	시니그린(Sinigrine)
참기름	세사몰(Sesamol)
고추	캡사이신(Capsaicine)
후추	차비신(Chavicine)
고추냉이	아릴이소티오시아네이트(Alylisothiocyanate)

10. 식품의 물성 집중공략

1) **유변성** : 식품의 고체적 특성인 변형과 액체적 특성인 흐름에 관한 학문 분야로 식품의 유변성은 탄성과 가소성, 점성과 점탄성과 같은 물성으로 설명될 수 있음

2) **가소성** : 힘을 가하여 모양을 변화시킨 후에, 힘을 제거해도 원래의 상태로 돌아가지 못하는 성질

3) **점성** : 액체 식품의 흐름성에 대한 저항 정도를 의미하며, 점탄성은 물체에 힘을 가했을 때 액체와 고체의 성질이 모두 있어서 액체와 같은 점성이 있으면서도 힘을 가하면 변형이 일어나고 힘을 제거하면 원상태로 돌아가려는 탄성을 갖는 성질

4) **거품성** : 식품을 부드럽게 매끄럽게 하거나 청량감, 향기 성분의 분산·촉진 등 특유의 물성을 부여

5) **용액** : 용질과 용매가 혼합되어 있는 상태이며, 요질 입자 크기에 따라 진용액, 콜로이드용액, 현탁액으로 구분
   ① 졸(sol) : 콜로이드 용액 중에서 액체 내에 고정 입자가 분산되어 있는 것
   ② 젤(gel) : 졸이 일정한 형태를 띠는 것이며, 수분을 많이 함유

6) **유화** 집중공략
   섞이지 않는 액체를 교반하여 유화액을 형성하는 과정
   ① 수중유적 형(oil in water, O/W) : 물에 기름이 분산되는 유화
   ② 유중유적 형(water in oil, W/O) : 기름에 물이 분산되는 유화

11. 식품의 유독성분 집중공략

(1) 식물

종 류	원인독
독미나리	시큐톡신(Cicutoxin)
청매실, 복숭아씨, 살구씨	아미그달린(Amygdalin)
목화씨	고시풀(Gossypol)
피마자	리신(Ricin)
독보리	테무린(Temuline)
미치광이풀	아트로핀(Atropine)
감자(감자의 싹과 녹색부위)	솔라닌(Solanine)
감자(부패 감자)	셉신(Sepsine)
독버섯	무스카린(Muscarine), 무스카리딘(Muscaridine), 아마니타톡신(Amanitatoxin), 뉴린, 콜린, 팔린 등

(2) 동물

종 류	원인독
복어	테트로도톡신(Tettodotoxin)
모시조개,바지락, 굴	베네루핀(Venerupin)
섭조개(홍합), 대합	삭시톡신(Saxitoxin)

Chapter 2 효 소

1. 식품과 효소

(1) 효소

1) 역할
생체 내에서 화학반응을 효율적으로 일어나게 하는 촉매제

2) 반응에 영향을 미치는 인자
온도, pH, 효소농도, 기질농도, 저해제(중금속이온, 금속이온 등)

3) 효소의 이용
치즈, 된장
① 식품에 함유되어 있는 효소 이용
㉠ 효소작용 억제 : 신선도를 위해 효소작용을 억제
㉡ 효소 첨가 : 육류 연화작용을 위해, 과즙이나 포도즙 혼탁 예방을 위해서 첨가

(2) 소화와 흡수

1) 소화 : 소화기관을 통하여 체내로 흡수되도록 잘게 부수는 과정

구 분	소화 효소	작 용
입에서의 소화작용	프티알린	전분 → 맥아당
위에서의 소화작용	리파아제	지방 → 지방산과 글리세롤
	펩신	단백질 → 펩톤
	레닌	카세인(우유 단백질) → 응고
췌장에서의 소화작용	트립신	단백질 → 아미노산
	스테압신	지방 → 지방산과 글리세롤
장에서의 소화작용	슈크라제	서당 → 포도당+과당
	말타아제	엿당 → 포도당+포도당
	리파아제	지방 → 지방산과 글리세롤
	락타아제	젖당 → 포도당+갈락토오스

2) 흡수 집중공략
① 위에서는 주로 알코올을 주로 흡수
② 소장에서는 영양소의 대부분을 흡수
③ 대장에서는 주로 수분과 전해질을 흡수

Chapter 3 식품과 영양

1. 영양소의 기능 및 영양소 섭취기준

(1) 영양소

인간 생명유지에 필요한 필수적인 성분

(2) 영양소의 기능

열량소	탄수화물(4kal/g), 단백질(4kal/g), 지방(9kal/g)
구성소	단백질, 무기질, 물
조절소	비타민, 무기질, 물

(3) 영양섭취기준 집중공략

평균필요량	건강한 사람들의 절반에 해당하는 사람이 일일 영양소 필요량을 충족시키는 수준
권장섭취량	대부분의 사람들(95%)의 필요량을 충족시키는 수준
충분섭취량	건강한 사람들에게 부족할 수 있는 식이섬유, 나트륨 등 영양소 섭취 수준
상한섭취량	유해 영향이 나타나지 않는 최대 영양소 섭취 수준

(4) 기초 식품군

1) 정의 및 분류

균형 잡힌 식생활을 위해 반드시 먹어야 하는 식품들

곡류 및 전분류	- 탄수화물, 몸과 뇌의 에너지 공급 - 밥, 빵, 과자, 국수, 떡 등
채소 및 과일류	- 비타민 및 무기질의 급원식품 - 몸의 기능 조절, 무기질은 인체의 구성성분 - 채소, 과일
고기, 생선, 계란, 콩류	- 단백질의 급원식품 - 근육, 피 등의 구성성분으로 호르몬, 효소기능 조절 - 식육류, 생선, 계란, 콩, 두부, 조개 등
우유 및 유제품	- 칼슘과 각종 무기질 단백질의 급원식품 - 골격과 치아의 구성 성분 - 우유, 요구르트, 요플레, 두유, 아이스크림
유지 및 당류	- 지방과 당질의 급원식품 - 에너지 공급, 체온 유지, 신체 보호/과잉 섭취 시 비만 유발 - 식용유, 버터, 마요네즈, 콜라, 견과류, 사탕

2) 식품구성 자전거의 특징 집중공략

① 다양한 식품 섭취를 통한 식사와 수분 섭취 중요성, 적당한 운동을 통한 건강유지라는 기본 개념을 나타냄

② 면적비율

곡류 〉 채소류 〉 고기, 생선, 달걀, 콩류 〉 우유, 유제품류 〉 과일류 〉 유지, 당류

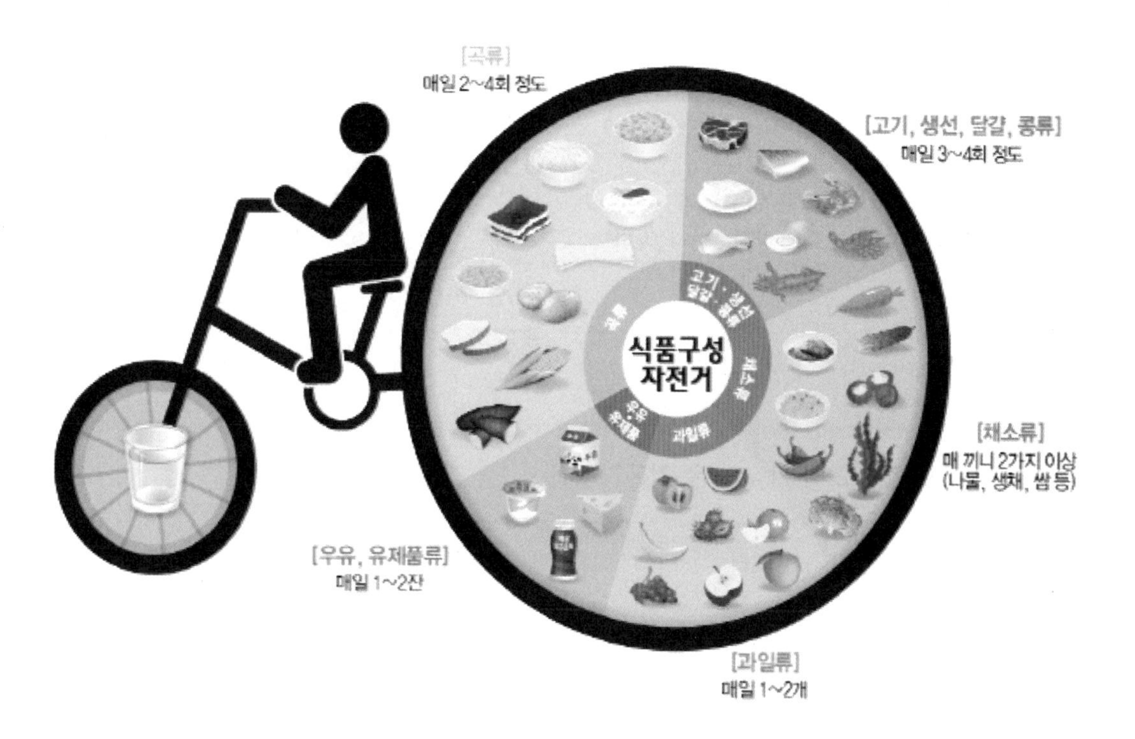

〈자료출처 : 보건복지부. 2015 한국인 영양소 섭취기준, 2015〉

PART 3 요리달인의 적중 예상문제

01 수분활성도에 대한 설명이다. 틀린 것은?

① 식품의 수분활성도란 식품의 수증기압을 그 온도에서의 순수한 물의 수증기압으로 나눈 것
② 곡류나 건조식품은 육류, 과일, 채소류보다 수분활성도가 낮다.
③ 물의 수분활성도는 1보다 작다.
④ 일반 식품의 수분활성도는 항상 1보다 작다. (Aw 〈 1)

해설
순수한 물의 수분활성도는 1이다.(Aw = 1)

02 다음 중 단맛(감미도)이 가장 높은 것은?

① 과당 ② 전화당
③ 맥아당 ④ 유당

해설
◈ 당류의 감미도
과당 〉 전화당 〉 설탕(자당) 〉 포도당 〉 맥아당 〉 갈락토오스 〉 유당

03 다음 중 다당류에 속하지 않는 것은?

① 전분 ② 글리코겐
③ 펙틴 ④ 갈락토오스

해설
다당류 종류 : 전분, 글리코겐, 섬유소, 펙틴, 키틴, 이눌린, 한천, 올리고당, 알긴산 등

04 다음 중 이중결합이 없는 지방산으로 포화지방산에 속하는 지방산은?

① 팔미트산 ② 올레산
③ 리놀레산 ④ 아라키돈산

해설
- 포화지방산(이중결합이 없는 지방산) : 팔미트산, 스테아르산 등
- 불포화지방산(이중결합이 있는 지방산) : 올레산, 리놀레산, 리놀렌산, 아라키돈산, DHA, EPA

05 다음 중 요오드가가 100~130인 반건성유에 속하는 유지류는?

① 들기름 ② 올리브유
③ 콩기름 ④ 땅콩기름

해설
◈ 요오드가 : 유지 100g에 첨가되는 요오드의 g수
- 건성유(130 이상) : 들기름, 아마인유, 호두유
- 반건성유(100~130 이상) : 콩기름, 참기름, 옥수수유, 면실유 등
- 불건성유(100 이하) : 올리브유, 땅콩기름, 야자유, 피마자유 등

06 다음 중 필수 성인이 필요로 하는 필수아미노산으로만 짝지어진 것은?

① 메티오닌, 페닐알라닌
② 글리신, 트레오닌
③ 히스티딘, 시스테인
④ 트립토판, 티로신

해설
- 필수아미노산(성인 8가지) : 리신, 류신, 이소류신, 메티오닌, 페닐알라닌, 트레오닌, 트립토판, 발린 등
- 필수아미노산(어린이) : 성인 8가지 + 알기닌, 히스티딘 등

07 다음 중 물에 녹지 않는 지용성 비타민으로 야맹증과 안구건조증에 도움이 되는 비타민은 무엇인가?

① 티아민(비타민 B_1)
② 리보플라빈(비타민 B_2)
③ 아스코르브산(비타민 C)
④ 레티놀(비타민 A)

해설
티아민, 리보플라빈, 아스코르브산 모두 물에 녹는 수용성 비타민이다.

08 다음 중 비타민에 관련된 설명 중 틀린 것은 무엇인가?

① 토코페롤이라 불리는 비타민 E는 항산화제 및 노화 방지에 관여한다.
② 비타민 E가 부족하면 구루병과 골다공증에 걸린다.
③ 비타민 B_1이 부족하면 각기병에 걸린다.
④ 비타민 C가 부족하면 괴혈병에 걸리며 급원 식품은 과일이나 채소에 많이 함유되어 있다.

해설
비타민 D가 부족하면 구루병과 골다공증에 걸린다.
비타민 E가 부족하면 불임증과, 노화촉진이 되기 쉽다.

09 다음 산성식품의 성분에 해당되는 것은?

① 황(S)
② 칼륨(K)
③ 칼슘(Ca)
④ 나트륨(Na)

해설
- 산성식품 : 황(S), 인(P), 염소(Cl) 등을 함유하고 있는 식품(곡류, 육류, 어류, 두류 등)
- 알칼리성식품 : 칼륨(K), 칼슘(Ca), 나트륨(Na), 철(Fe) 등을 함유하고 있는 식품(해조류, 과일, 채소, 대두 등)

10 다음 무기질의 특성에 해당되지 않는 것은?

① 수분의 평형유지에 관여
② pH 조절과 삼투압 조절
③ 인체조직의 구성성분
④ 열량을 제공하며, 체온 조절에 관여

해설
④ 열량을 내며 체온 조절에 관여하는 것은 지질이다.

11 다음 중 무기질의 종류에 따른 특징이 잘못된 것은 어느 것인가?

① 철분(Fe): 헤모글로빈의 주성분으로 부족 시 빈혈이 생긴다.
② 요오드(I) : 골격과 치아의 구성성분으로 부족 시 치아골격 발육이 불량하다.
③ 칼슘(Ca) : 골격과 치아를 구성하고, 부족하면 골다공증에 걸리기 쉽다.
④ 나트륨(Na): 삼투압 조절과 수분균형 유지에 관여한다. 부족하면 근육경련이나 식욕감퇴가 일어난다.

해설
요오드(I)는 갑상선 호르몬의 구성성분으로 부족 시 갑상선종이 일어나며 미역, 다시마, 해조류 등이 급원식품이다.

12 쓴맛의 약을 먹은 후 물을 마시면 단맛이 느껴지는 맛의 현상은 무엇인가?

① 맛의 대비현상 ② 맛의 상승현상
③ 맛의 억제현상 ④ 맛의 변조현상

해설
① 맛의 대비 – 서로 다른 2가지 맛이 혼합, 작용하여 주된 맛 성분이 더 강하게 느껴지는 현상
② 맛의 상승 – 같은 종류의 맛을 혼합해 섭취하면 각각의 맛보다 더 강한 맛이 느껴지는 현상
③ 맛의 억제 – 2가지 맛 성분을 혼합했을 때 각각의 맛이 약하게 느껴지는 현상

13 식품의 가공 저장 시 나타나는 마이얄 반응은 어떤 성분의 결합에 의해 일어나는가?

① 당류와 단백질 ② 당류와 지방
③ 단백질과 지방 ④ 당류와 수분

해설
마이얄 반응의 비효소적 갈변 식품은 간장, 된장, 누룽지 등이다.

14 식품의 향미성분으로 사과나 파인애플 등에서 나타나는 성분은?

① 디아세틸 ② 테르펜류
③ 에스테르류 ④ 황화합물류

해설

① 디아세틸 – 버터
② 테르펜류 – 녹차, 오렌지, 레몬 등
④ 황화합물류 – 파, 양파, 무, 고추냉이 등

15 식품의 특수성분이 옳게 연결되지 않은 것은?

① 생강 – 진저롤(Zingeron)
② 겨자 – 시니그린(Sinigrine)
③ 고추 – 캡사이신(Capsaicine)
④ 마늘 – 세사몰(Sesamol)

해설

④ 마늘 – 알리신(Allicin)
※ 참기름 – 세사몰(Sesamol)

16 식품의 유독성분이 옳게 연결된 것은?

① 독미나리 – 아미그달린(Amygdalin)
② 복어 – 베네루핀(Venerupin)
③ 목화씨 – 솔라닌(Solanine)
④ 부패감자 – 셉신(Sepsine)

해설

① 독미나리 – 시큐톡신(Cicutoxin)
② 복어 – 테트로도톡신(Tettodotoxin)
③ 목화씨 – 고시풀(Gossypol)
④ 감자(싹과 녹색부위) – 솔라닌(Solanine)

17 다음 중 소화효소와 작용이 바르게 나타난 것은?

① 펩신 : 지방 → 지방산과 글리세롤
② 프티알린 : 전분 → 맥아당
③ 트립신 : 젖당 → 포도당 + 갈락토오스
④ 리파아제 : 엿당 → 포도당 + 포도당

해설

① 펩신 : 단백질 → 펩톤
③ 트립신 : 단백질 → 아미노산
④ 리파아제 : 지방 → 지방산과 글리세롤

18 영양섭취기준에서 대부분의 사람들의 필요량을 충족시키는 수준은?

① 권장섭취량 ② 평균필요량
③ 충분섭취량 ④ 상한섭취량

해설

② 평균필요량 – 건강한 사람들의 절반에 해당하는 사람의 일일 영양소 필요량을 충족시키는 수준
③ 충분섭취량 – 건강한 사람들에게 부족할 수 있는 식이섬유, 나트륨 등 영양소 섭취수준
④ 상한섭취량 – 유해 영향이 나타나지 않는 최대 영양소 섭취수준

정답

1	2	3	4	5
③	①	④	①	③
6	7	8	9	10
①	④	②	①	④
11	12	13	14	15
②	④	①	③	④
16	17	18		
④	②	①		

PART 4

중식 구매관리

Chapter 1 시장조사 및 구매관리

1. 시장조사

식품을 구매하기 위해 필요한 시장조사는 구매목록, 구매품의 단가, 신선도, 배송기간 등을 조사하여 최적의 구매프로세스를 확립하기 위한 사전 활동

2. 식품 구매관리

(1) 식품의 구입방법

① 식품구입 계획 시 식품의 가격과 출회표에 유의
② 육류는 중량과 부위에 유의하고, 냉장시설이 갖추어져 있으면 1주일분을 구입
③ 과채류 및 어패류는 신선도를 확인하여 필요에 따라 수시로 구입
④ 곡류, 건어물, 조미료 등 장기보관 가능 식품은 1개월분을 한 번에 구입
⑤ 비가식부와 폐기율을 고려하여 필요량만 구입

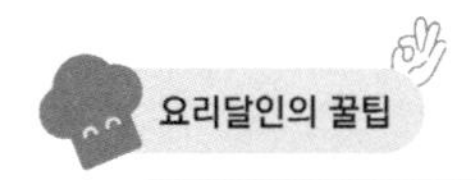

수시로 구입	1주일분 구입	1개월분 구입
과일, 채소류, 어패류	냉장시설 구비 시 육류	곡류, 건어물, 조리료

(2) 식품 구매의 절차 집중공략

품목의 종류 및 수량 결정 → 용도에 맞는 제품 선택 → 식품명세서 작성 → 공급자 선정 & 가격 결정 → 발주 → 납품 → 검수 → 대금 지불 및 물품 입고 → 보관

1) 공급자의 선정
① 소량구매 : 근거리에서 구매
② 대량구매 : 전문 공급업자 선정하여 구매
③ 단일업종을 취급하는 공급업자와 계약하는 것이 가격과 품질 면에서 합리적

2) 발주
재료는 식단표에 따라 1주~10일 단위로 발주

3) 검수

납품 시에는 품질, 양, 형태 등이 발주내역서와 일치하는지 검수

(3) 발주량 산출방법 집중공략

① 총발주량 = $\frac{\text{정미중량} \times 100}{100 - \text{폐기율}} \times \text{인원수}$

② 필요비용 = 필요량 × $\frac{100}{\text{가식부율}}$ ×1kg당 단가

③ 대체식품량 = $\frac{\text{원래 식품의 양} \times \text{원래식품의 해당 성분의 수치}}{\text{대체하고자 하는 식품의 해당 성분의 수치}}$

3. 식품 재고관리

(1) 재고관리의 의의

식재료 원가계산의 필수사항으로 단체급식소는 월 1회는 조사해야 하며, 물품의 수요발생 시 최적의 상태로 재고관리를 해야 함

(2) 재고자산평가방법

구 분	내 용
선입선출	먼저 구입재료 먼저 사용
후입선출법	나중 구입재료 먼저 사용
개별법	구입단가별 재료를 소비가격으로 평가
단순평균법	구입단가를 구입 횟수로 나눈 값을 평균 재료소비단가로 평가
이동평균법	구입단가 다른 재료를 구입할 때마다 재고량과의 가중평균가를 산출하여 이를 소재재료의 가격으로 하는 방법
당기소비량	(전기이월량 + 당기구입량) - 기말재고량
월중소비액	(월초재고액 + 월중매입액) - 월말재고액

Chapter 2 검수관리

1. 식재료의 품질 확인 및 선별 집중공략

(1) 곡류

1) 쌀

① 빛깔이 맑고 윤기가 있어야 함
② 가공한지 오래되지 않으며, 쌀알에 흰 골이 생기지 않아야 함
③ 낱알이 잘 여물고 고르며, 덜 익은 쌀이 거의 없어야 함
④ 수분이 15~16%로 적당히 마른 것

2) 밀가루

① 흰색이며 냄새가 없고 잘 건조된 것
② 손으로 문질렀을 때 부드러운 것
③ 가루가 미세하고 감촉이 좋아야 함

(2) 채소류 및 과채류

① 배추 : 잎이 두껍지 않고 연하며 굵은 섬유질이 없어야 하고, 속에 심이 없고 알차야 하며 누런 떡잎이 없는 것
② 대파 : 줄기가 시들거나 억세지 않아야 하고, 흰 대가 굵고 길어야 하며 부드러워야 함
③ 상추 : 품종에 따른 고유의 선택을 띠며 잎의 크기가 적당해야 하고, 잎이 상하거나 짓무르지 않은 것
④ 깻잎 : 짙은 녹색을 띠고 향기가 나며 흰색 반점이 없어야 하고, 잎이 마르지 않고 벌레 먹지 않은 것
⑤ 시금치 : 잎이 연녹색을 띠고 넓어야 하며, 억센 줄기나 대가 없으며 떡잎 진 부분이 없는 것
⑥ 양배추 : 심이 작고 속이 알찬 것
⑦ 오이 : 가시가 많아야 하며 탄력이 있고, 휘어지지 않으며 굵기가 일정
⑧ 호박 : 품종 고유의 색을 띠고, 윤기가 나야 함. 휘지 않고 굵기가 균일해야 하며 탄력이 있는 것

(3) 구근류

① 감자 : 잘 여물고 단단해야 하며 청색이 나지 않고 홈이나 부패한 부분이 없는 것
② 무 : 속이 꽉 차 있고 육질은 치밀하며 단단하고, 연하고 무거워야 한다. 절단 시 바람이 들지 않고 까만 심이 없는 것
③ 당근 : 둥글고 살찐 것으로 마디가 없고 잘랐을 때 단단한 심이 없는 것
④ 토란 : 토란은 흙이 묻어 있고 수분이 많으며 단단하고 점액질이 있는 것

(4) 육류

1) 쇠고기

고기의 색이 선홍색을 띠며, 윤기가 나야 하고, 결이 곱고 미세하며 탄력이 있는 것

2) 돼지고기

고기의 색이 분홍색을 띠는 붉은색, 고기의 결이 곱도 탄력이 있는 것

(5) 어패류

1) 어류

① 비늘은 윤이 나고 싱싱한 광택이 있어야 하며, 단단하고 촘촘히 붙어있는 것
② 눈은 선명하고 돌출되어 있어야 하며, 아가미는 신선한 선홍색
③ 손가락으로 누르면 탄력이 있어야 하며, 뼈에 육질이 잘 밀착

2) 패류

봄에는 산란시기로 맛이 없어지는 때이므로 겨울철에 맛이 더 좋음

(6) 기타 식품

1) 우유

한 방울 떨어뜨렸을 때 구름같이 퍼지는 것이 신선하고, 끈기, 침전물이 없는 것

2) 달걀

깨뜨렸을 때 노른자가 볼록하고 흰자가 퍼지지 않아야 함. 흔들었을 때 소리가 나지 않는 것

2. 조리기구 및 설비 특성과 품질 확인

(1) 조리기구

① 큰 솥 : 열철로 제조되었으며 대중 연회 시 혹은 튀기거나 삶는 다량의 재료의 조리 시 사용
② 중식팬 : 바닥이 둥근 금속냄비로 중식의 기본팬, 볶음, 튀김, 데치기 등 다양한 조리 시 사용
③ 볶음 튀김국자 : 모양이 둥글고 작은 구멍이 나있으며, 재료를 삶거나 끓일 때 물기를 빼야 할 재료를 건질 때 용이하며 물, 기름 제거할 때 사용
④ 튀김건짐망 : 주로 튀김재료들을 건질 때, 삶아 건질 때 사용
⑤ 중식국자 : 식재료를 볶을 때나 국물을 뜰 때 요리를 덜어 사용할 때 길이가 긴 국자
⑥ 찜기 : 수증기를 이용해 재료를 익히는데 사용
⑦ 제면기 : 면을 뽑을 때 사용

(2) 식기류

제공자, 이용 고객의 측면을 모두 고려하여 선택

① 이용고객 측면 : 위생적이고, 너무 무겁지 않고, 크기가 적당하고, 쉽게 뜨거워지지 않고, 음식이 잘 식지 않고, 식욕을 돋우고 쉽게 싫증이 나지 않는 디자인

② 제공자 측면 : 가볍고 쉽게 깨지지 않아야 하며, 식기용 세제에 강한 재질이어야 하며, 가열소독 할 수 있는 내열성 재질

(3) 설비

1) 조리장

① 조리장의 기본 조건 : 위생성, 능률성, 경제성을 고려하는데 특히 위생을 우선으로 함

② 조리장의 위치

㉠ 환경적인 측면 : 채광, 통풍, 자연환경이 위생적이고 공해, 소음, 악취 등의 유해환경으로부터 배제된 것이어야 함. 화장실, 오물 처리장 등에서 떨어져 있는 곳이 좋음

㉡ 건축구조 측면 : 식당과 조리장 동선이 분리되어야 하고 식재료 반출과 반입이 편리하여야 함. 비상시 출입문과 통로에 방해가 되지 않도록 해야 함

2) 조리장의 설비

검수공간, 저장공간, 전처리 및 조리공간, 배식공간이 한 방향으로 연결되도록 하며, 가능한 이동거리를 짧게 함

① 검수공간 : 검수공간의 면적은 급식시설의 규모, 식재료 배달의 횟수와 형태, 한 번에 배달하는 양에 따라 달라짐

② 저장공간 : 저장공간의 위치는 검수공간과 조리공간 사이에 위치하는 것이 좋음

③ 전처리 및 조리공간

㉠ 전처리 공간은 주조리 공간과 가까운 곳에 위치하는 것이 좋음

㉡ 조리공간은 음식을 안전하고 신속하며 효율적으로 생산할 수 있고, 작업동선이 최소가 되도록 작업대 및 기기들을 배치하는 것이 좋음

④ 배식공간 : 배식공간은 배선공간과 식당으로 나누어짐. 배선공간은 조리된 음식을 그릇이나 식판에 담는 공간이고, 식당은 식사와 함께 휴식을 취하는 장소

⑤ 식기반납 및 세척공간 : 조리공간 및 배식공간과 분리함으로써 음식이 오염되는 것을 막음

3) 조리장과 식당의 면적

① 식당의 면적

㉠ 식당의 면적은 취식자 1인당 1㎡가 기준

㉡ 식당의 면적 = (1인당 필요면적 + 식기회수공간) × 취식자수

② 조리장의 면적

㉠ 조리장의 면적은 식당 넓이의 1/3이 기준

㉡ 일반 급식소의 경우 1인당 0.1㎡가 기준

㉢ 사업소 급식의 경우 1인당 0.2㎡가 기준

4) 작업대

① 작업대의 높이는 85~90㎝, 너비는 55~60㎝ 정도가 적당

② 작업대와 뒤 선반의 간격은 최소한 150㎝ 이상이어야 함

③ 작업대의 종류 집중공략

종류	특징
〈ㄷ 자형〉	동선이 짧으며 넓은 조리장에서 가장 효율적
〈L 자형〉	조리장이 좁은 경우에 사용됨
〈병렬형〉	180°의 회전을 해서 피로가 빨리 옴
〈일렬형〉	작업 동선이 길고 비능률적
〈아일랜드형〉	동선을 단축시킬 수 있고 공간 활용이 자유로움

5) 환기시설 집중공략

환기방식에는 창문을 이용한 자연환기, 송풍기를 이용한 환기, 배기용 환풍기(Hood)를 이용한 환기가 있음

6) 바닥

① 조리장 바닥 재질의 조건

㉠ 물청소를 할 수 있는 내수재를 사용

㉡ 미끄럽지 않고 산, 염, 유기용액에 강해야 함

㉢ 기름, 음식의 오물 등이 스며들지 않아야 함

㉣ 배수를 위한 물매(경사의 각도)는 1/100 이상

㉤ 영구적으로 색상을 유지할 수 있어야 함

㉥ 유지비가 저렴해야 함

7) 벽, 창문

① 내벽은 바닥면으로부터 1.5m 이상 불침투성, 내열성, 내수성, 재료로 설비
② 벽의 마감재로는 자기타일, 모자이크타일, 금속판, 내수합판 등이 좋음
③ 창문은 직사관선을 막을 수 있도록 설계하고, 밀폐할 수 있는 고정식으로 하며, 해충의 침입을 막을 수 있도록 방충망을 설치
④ 창 면적은 바닥 면적의 20% 정도가 바람직함

8) 기타 설비

① 조명시설
㉠ 조리장의 조도가 낮으면 작업능률이 떨어지고 피로감이 증가하며 사고의 위험이 높아짐
㉡ 작업하기 충분한 조명도를 유지
㉢ 균등한 조명도를 유지
㉣ 조명 시 유해가스가 발생하지 않아야 함
㉤ 가급적 간접조명이 되도록 해야 함
㉥ 조도는 50룩스(Lux) 이상을 유지하는 것이 중요 집중공략
② 방충・방서시설
㉠ 조리장에는 방충과 방서를 위한 시설을 갖추어야 함
㉡ 방충망은 30메시(mesh) 이상

3. 검수를 위한 설비 및 장비 활용 방법

① 저장공간의 크기는 배식의 규모, 식품반입 횟수, 저장 식품의 양 등을 고려
② 검수공간은 식품을 감별할 수 있도록 충분한 조도를 확보
③ 계측기나 운반차 등을 이용

Chapter 3 원 가

1. 원가의 의의 및 종류

(1) 원가의 의의

제품의 제조, 판매, 서비스의 제공을 위하여 소비된 경제적 가치

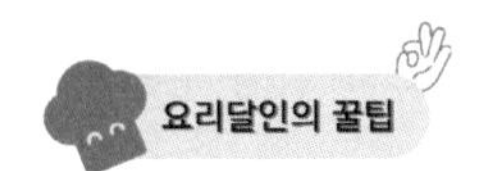

원가의 개념과 비용의 개념을 구분해서 알아둘 것!
※ 비용 : 일정한 기간 내에 기업의 경영활동으로 발생한 경제적 가치의 소비액

(2) 원가계산의 목적 집중공략

기업의 경제적 실체를 수치적으로 파악하여 경영을 효과적으로 하기 위함

① 가격 결정
② 원가관리의 기초자료 제공
③ 예산편성을 위한 기초자료 제공
④ 재무제표 작성을 위한 기초자료 제공

(3) 원가의 종류

1) 원가의 3요소 집중공략

재료비	제품 제조를 위해 소비되는 물품단가(급식재료비, 재료구입비 등)
노무비	제품 제조를 위해 소비되는 노동가치(임금, 파트타임 비용, 직 · 간접노무비)
경비	제품 제조를 위해 소비되는 재료비, 노무비 외의 가치(수도세, 전력비, 보험료, 감가상각비)

2) 원가의 종류

① 직접비와 간접비 : 원가는 제품 생산 관련성에 따라 직접비와 간접비로 나누어짐
㉠ 직접비 : 특정 제품에 직접 부담시킬 수 있는 비용. 직접재료비, 직접노무비, 직접경비 등
㉡ 간접비 : 여러 제품에 공통적으로 또는 간접적으로 소비되는 비용. 제조간접비, 일반관리비, 판매비 등

2. 원가분석 및 계산

(1) 원가계산 프로세스 집중공략

구 분	직접원가	제조원가	총원가	판매원가
직접비	직접경비	직접원가	제조원가	총원가
	직접노무비			
	직접재료비			
간접비		제조간접비		
			판매관리비	
				이익

① 직접원가 = 직접경비 + 직접노무비 + 직접재료비
② 제조원가 = 직접원가 + 제조간접비
③ 총원가 = 제조원가 + 판매관리비
④ 판매가격 = 총원가 + 이익

(2) 원가계산의 원칙 집중공략

① 진실성의 원칙 : 실제로 발생한 원가를 사실대로 정확히 파악
② 발생기준의 원칙 : 모든 비용과 수익의 계산은 그 발생 시점을 기준으로 해야 함
③ 계산경제성(중요성)의 원칙 : 원가계산을 할 때는 경제성을 고려
④ 확실성의 원칙 : 여러 방법이 있을 경우에 가장 확실한 방법을 선택
⑤ 정상성의 원칙 : 정상적으로 발생한 원가만을 계산함
⑥ 비교성의 원칙 : 다른 일정기간이나 부문의 원가와 비교할 수 있어야 함
⑦ 상호관리의 원칙 : 원가계산, 일반회계, 각 요소별, 부문별, 제품별 계산 간에 상호관리가 가능해야 함

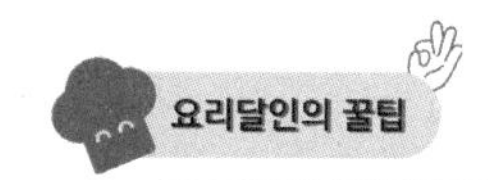

밑줄 친 부분이 키워드이므로 외우기보단 문장을 이해하고 넘어가자!

(3) 원가계산의 구조

1) 1단계 – 요소별 원가계산

제품의 원가는 재료비, 노무비, 경비를 계산

2) 2단계 – 부문별 원가계산

전 단계에서 파악된 원가요소를 원가 부문별로 분류 집계

3) 3단계 – 제품별 원가계산
각 부문별로 집계한 원가를 제품별로 배분하여 각 제품의 제조원가를 계산

(4) 고정비와 변동비

원가는 생산량과 비용의 관계에 따라 고정비, 변동비 등으로 나누어짐

1) 고정비
생산량 증가와 관계없이 고정적으로 발생하는 비용(임대료, 인건비 등)

2) 변동비
생산량에 따라 함께 증가하는 비용(식재료비 등)

(5) 손익분석

1) 식재료비 분석

– 식재료 비율(%) = $\frac{\text{식재료비}}{\text{매출액}} \times 100$

– 메뉴품목별 비율(%) = $\frac{\text{품목별 식재료비}}{\text{품목별 메뉴가격}} \times 100$

2) 재고회전율
① 자금이 재고자산으로 묶여 있는 정도를 평가하는 척도로, 일정기간 동안 재고가 몇 번 '0'에 도달하였다가 보충되었는가를 측정하는 것
② 재고회전율이 표준치보다 낮으면 재고 과잉상태이며, 표준치보다 높으면 재고 부족 상태

3) 손익분기점
① 손익분기점 : 매출액과 총비용(고정비 + 변동비)이 일치하여 이익도 손실도 발생하지 않는 지점
② 매출이 손익분기점 이상으로 늘어나면 이익이 발생하고 이하로 줄어들면 손실이 발생

4) 감가상각
① 시간에 따른 자산의 가치감소를 회계에 반영하는 비용, 고정자산의 가치를 상각하기 전까지 매월 부담해야 하는 고정비에 속함
② 감가상각 계산요소
㉠ 기초가격 : 취득원가(구입가격)
㉡ 내용연수 : 취득 고정자산이 유효하게 사용될 수 있는 추산기간(사용연수)
㉢ 잔존가격 : 고정자산이 내용연수에 도달, 매각하여 얻을 수 있는 추정가격, 기초가격의 10%를 잔존가격으로 계산
③ 계산법
㉠ 정액법 : 감가총액을 내용연수로 균등하게 할당하는 방법
– 매년 감가상각비 = (기초가격 – 잔존가격) ÷ 내용연수
㉡ 정률법 : 기초가격에서 감가상각비 누계를 차감한 미상각액에 대해 매년 일정율을 곱하여 산출하는 방법. 초년도의 상각액이 가장 크고 연수가 경과함에 따라 상각액이 점차 줄어듬

PART 4

요리달인의 적중 예상문제

01 다음 식품의 구입방법이 맞지 않는 것은?

① 육류는 중량과 부위에 유의하고 냉장시설이 있으면 1주일분을 구입한다.
② 과채류 및 어패류는 신선도를 확인하여 필요에 따라 수시로 구입한다.
③ 곡류, 건어물, 조미료 등 장기보관 가능 식품은 3개월분을 한 번에 구입한다.
④ 비가식부와 폐기율을 고려하여 필요량만 구입한다.

해설
곡류, 건어물, 조미료 등은 1개월분을 한번에 구입한다.

02 다음 중 식재료의 신선도가 좋지 않은 것은?

① 밀가루는 손으로 문질렀을 때 부드러운 것이 좋다.
② 토란은 깨끗하고 물렁하며 점액질이 없어야 한다.
③ 어류는 눈이 선명하고 돌출되어 있어야 하며, 아가미는 신선한 선홍색을 띠어야 한다.
④ 우유는 물에 떨어뜨렸을 때 구름같이 퍼지는 것이 신선하다.

해설
토란은 흙이 묻어 있고 수분이 많으며 단단하고 점액질이 있는 것이 신선한 것이다.

03 다음 조리기구와 설명 중 옳게 연결되지 않은 것은?

① 중식국자 : 식재료를 볶거나 국물을 뜰 때, 요리를 덜어 사용할 때 사용
② 튀김건진망 : 튀김재료를 건질 때, 삶아 건질 때 사용
③ 중식팬 : 볶음, 튀김, 데칠 때 주로 사용
④ 제면기 : 면 반죽을 자를 때 사용

해설
제면기 : 면을 뽑을 때 사용

04 다음 중 제조원가에 해당되는 것은 무엇인가?

① 직접원가 + 제조간접비
② 직접재료비 + 판매비
③ 제조원가 + 총원가
④ 판매가격 + 이익

해설
- 직접원가 : 직접경비 + 직접노무비 + 직접재료비
- 총원가 : 제조원가 + 판매관리비
- 판매가격 : 총원가 + 이익

05 다음 자료에 의해 총원가를 산출하면?

- 직접재료비 : 300,000
- 직접경비 : 50,000
- 직접노무비 : 150,000
- 판매관리비 : 80,000
- 제조간접비 : 150,000
- 이익 : 150,000

① 600,000원 ② 730,000원
③ 580,000원 ④ 450,000원

해설
총원가 = 제조원가(직접원가 + 제조간접비) + 판매관리비
※ 300,000 + 50,000 + 150,000 + 150,000 + 80,000 = 730,000

06 1일 매출액 2,400,000원, 식재료비 1,560,000원인 경우의 식재료비 비율은 얼마인가?

① 60% ② 65%
③ 70% ④ 75%

해설
식재료비 비율 = (식재료비 ÷ 매출액) × 100
※ (1,560,000 ÷ 2,400,000) × 100 = 0.65 × 100 = 65

07 다음 중 매월 고정적으로 포함해야 하는 경비는 무엇인가?

① 수당 ② 복지후생비
③ 지급운임비 ④ 감가상각

해설

감가상각 : 시간에 따른 자산의 가치감소를 회계에 반영하는 비용, 고정자산의 가치를 상각하기 전까지 매월 부담해야 하는 고정비에 속한다.

정답

1	2	3	4	5
③	②	④	①	②

6	7
②	④

PART 5

중식 기초 조리실무

Chapter 1 조리 준비

1. 조리의 정의 및 목적

(1) 조리의 정의

① 식재료에 물리적 및 화학적 조작 과정을 가하여 섭취하기에 합리적인 음식물로 만드는 과정
② 식재료의 고유한 특성을 살려서 먹기에 알맞고 식욕이 나며 소화하기 쉽도록 위생적으로 처리하는 과정

(2) 조리 목적 집중공략

① 기호성 : 식품이 외관을 좋게 하고, 풍미를 부여하여 식욕을 돋우어줌
② 영양성 : 영양효율을 높이고 소화가 용이하도록 함
③ 안전성 : 유해성분을 제거하고 위생상 안전한 음식이 되도록 함
④ 저장성 : 식품의 저장성을 높임

2. 기본적인 조리 방법 및 대량조리기술

(1) 기계적 조리

다듬기, 씻기, 담그기, 썰기, 다지기, 갈기, 치대기, 무치기 등

(2) 가열적 조리

1) **습열 조리** : 삶기, 끓이기, 찌기, 데치기 등

2) **건열 조리** : 굽기, 볶기, 튀기기 등

3) **전자렌지에 의한 조리** : 극초단파(전자파) 이용
① 열 전달 속도가 빠르기 때문에 조리시간이 단축
② 플라스틱, 금속용기, 법랑제 등의 용기는 사용 불가

(3) 조리 방법

구 분	종 류	특 징
기름을 이용한 조리법	짼(전)煎	- 팬에 기름을 두르고 미리 조미해 처리된 재료를 넣고 약한 불이나 중간 불로 재료를 익히는 법 - 겉은 바삭하고, 속은 부드럽게 됨 - 수분이 많은 재료는 밀가루나 녹말을 묻혀 지짐
	칭(짜아)	재료에 간을 하지 않은 채로 튀기는 방법
	짜이(작)炸	- 많은 양의 기름에 재료를 넣은 후 적당한 시간이 경과하면 겉은 바삭하고, 속은 익어서 부드러워지는 요리법 - 탕수육, 라조기, 깐풍기 등을 튀길 때 사용하는 방법
기름을 이용한 조리법	깐(짜아)	재료에 간을 조금하여 튀김옷을 입혀 튀기는 방법
	폭(爆)	- 재료를 센 불에서 재빨리 조미하고 볶는 조리법 - 아삭하고 부드러운 맛을 살릴 수 있는 조리법
	초(炒)	- 강한 화력을 이용하여 재료와 조미료를 빠른 속도로 볶아내는 조리법 - 팔보채, 회과육, 공보기정, 라조기, 부추잡채 등
	류(溜)	- 매끈하고 부드럽게 조리하는 법 - 기름에 튀기거나 찐 후 여러 종류의 조미료를 혼합해 삶고 소스가 걸쭉하게 되면 섞거나 주재료 위에 끼얹는 조리법 - 류산슬, 전가복 등
	팽(烹)	- 삶는 법 - 물을 이용하여 조린 것에 주재료를 미리 간하여 튀기거나 지지거나 볶아 다시 부재료와 섞어 센 불에서 탕즙을 졸이는 방법
증기를 이용한 조리법	쯩(증)蒸	- 수증기를 이용하여 재료를 익히는 방법 - 청증 : 재료를 조미료에 재어 중탕하는 방법 - 분증 : 오향초분과 같은 조미료를 고루 넣고 수증기로 찌는 방법 - 포증 : 조미한 재료를 연잎이나 대나무잎으로 싸서 찌는 방법
건식 조리법	고	- 재료를 불에 굽거나 오븐에 굽는 방법 - 건조하고 뜨거운 열과 복사열로 재료를 익히는 방법으로 훈제방법과 비슷 - 천연연료인 나무, 숯, 석탄, 가스 등. 북경오리가 대표적
	염국	- 소금을 열 전달 매체로 활용하는 것으로 요리재료를 면이나 투명종이로 싸서 소금 속에 묻어 놓고 열을 가해 익히는 방법 - 새우구이 등
물을 이용한 조리법	문	- 뚜껑을 닫고 약불에 천천히 삶는 법 - 이미 처리된 재료를 먼저 물에 끓이거나 기름에 튀긴 후 육수와 조미료를 넣어 약불에서 오랜시간 삶아 재료가 푹 고아져 즙이 걸죽해질 때까지 조리는 방법
	뚠(돈)	- 탕에 재료를 넣고 오래 가열하는 방법 - 중탕으로 조리하기도 하고 약한 불에서 오랫동안 끓이는 방법 - 약선요리에 많이 이용
	소	- 조림방법 - 튀김이나 볶음 재료에 조미료나 육수를 넣고 센 불에서 끓여 맛과 색을 낸 후 약불에서 푹 삶아 익히는 방법 - 중간중간 양념장을 끼얹어 가며 중간 불에서 은근히 조리는 방법

	배	- 조림방법 - 방법은 소와 비슷하나 조리시간이 더 긴 것이 특징 - 완성된 요리에 물녹말을 풀어 맛이 부드러우며 즙이 많음
	자	- 삶는 요리 - 신선한 동물성 재료를 잘게 썰어 그릇에 넣고 센 불에서 끓이다가 약불에서 서서히 조리는 방법
	외	- 뭉근한 불에서 오랫동안 끓이는 방법 - 육수를 낼 때 사용
	쇄	채소나 고기를 뜨거운 육수에 살짝 담가 익으면 소스에 찍어먹는 방법

(4) 화학적 조리

효소(분해작용), 알코올(탈취 및 방부작용), 알칼리성(표백 및 연화작용), 금속염(응고작용) 등이 있으며 된장, 빵, 술 등과 같은 식품은 위의 3가지 방법이 병용되어 만들어지는 것

3. 기본 칼 기술 습득

(1) 기본 썰기

칼날은 항상 수직이어야 하고, 사용자가 내려다 보았을 때 칼날 옆면이 보이지 않는 것이 좋음

(2) 바르게 썰기 방법(오른손잡이 기준)

1) 오른손

① 칼을 손에 잘 잡아줌
② 왼손 가운뎃손가락에 기대여 날을 수직으로 세움(기대어 썰기 위해 누름)
③ 썰 재료는 왼손에, 칼은 재료를 자르기 위해 사용
④ 잘 썰어진 재료를 보면서 썰기
⑤ 썰기의 균일성은 위해 동작을 반복하며 연습

2) 왼손

① 도마 위의 재료를 안정되게 잡아야 함
② 재료를 잡을 때 손가락을 펴지 않도록 하고 손가락을 구부려 손톱이 밖으로 보이지 않도록 함(손가락을 펴서 썰면 칼에 손이 베이기 쉬움)

3) 중식칼 종류

① 절도(切刀) : 칼 모양이 장방형으로 가볍고 얇음. 포뜨기, 편 썰기, 채 썰기 등 다양하게 사용
② 참도(斬刀) : 칼등이 두껍고, 칼등의 칼날 부분이 삼각 모양으로 주로 큰 재료를 쳐서 자르거나 연골뼈를 토막 내고 장족발 등을 자르는데 사용
③ 할도(割刀) : 칼 앞날이 얇고, 타원 모양으로 칼이 짧으며 가벼움. 주로 고기 기름 부분을 제거하거나 분리하는데 사용

(3) 기본썰기 종류

① 쓸-사(絲) : 채로 써는 방법
- 보통 길이 5㎝, 두께는 0.2~0.4㎝ 정도로 썰기

② 피엔-편(片) : 재료를 포 뜨듯이 한쪽으로 어슷하게 얇게 뜨는 방법
㉠ 주로 육류나 어류, 표고버섯, 죽순 등을 썰 때 적합한 방법
㉡ 손톱 모양, 버들잎 모양, 직사각형 모양, 초승달 모양, 빗 모양 등으로 썰기

③ 띵-정(丁) : 네모꼴 썰기로 한식의 깍뚝 썰기같이 써는 방법
㉠ 대방정은 1.2㎝ 정육면체, 소방정은 0.8㎝
㉡ 가공 시에는 먼저 여러 갈래로 썰어준 후 정육면체로 썰기

④ 꽐-괴(塊) : 조리원료를 덩어리 형태 모양으로 가공하는 것
㉠ 직도법을 사용하며 자르기, 끊기, 쪼개기 등의 방법을 이용
㉡ 형태에 따라 마름모꼴 썰기(릉형괴), 재료를 돌리면서 도톰하게 썰기(곤도괴), 기와 모양으로 썰기(와괴), 직사각형으로 썰끼(골패괴), 도끼 모양으로 썰기(부두괴), 주사위 형태로 썰기(방형괴)

⑤ 티어우-조(條) : 막대기 모양으로 썰기
㉠ 장방조 : 5㎝ × 0.5㎝
㉡ 상아조 : 원주형 식물의 식물에 사용하는 방법

⑥ 리-입(粒) : 먼저 채로 썰기 한 후 다져 썰기
- 크기에 따라 완두입(0.5㎝), 녹두입(0.3㎝), 미립(0.1㎝)으로 나뉨

⑦ 니(尼)와 용(茸) : 재료의 껍질, 뼈, 힘줄을 제거한 후 곱게 다지는 것

4. 조리기구의 종류와 용도 집중공략

① 큰 솥 : 열철로 제조되었으며 대중 연회 시 혹은 튀기거나 삶는 다량의 재료의 조리 시 사용
② 중식팬 : 바닥이 둥근 금속냄비로 중식의 기본팬, 볶음, 튀김, 데치기 등 다양한 조리 시 사용
③ 볶음튀김국자 : 모양이 둥글고 작은 구멍이 나있으며, 재료를 삶거나 끓일 때와 물기를 빼야 할 재료를 건질 때 사용하며 물, 기름 제거할 때 사용
④ 튀김건짐망 : 주로 튀김재료들을 건질 때, 삶아 건질 때 사용
⑤ 중식국자 : 식재료를 볶을 때나 국물을 뜰 때, 요리를 덜어 사용할 때 사용하는 길이가 긴 국자
⑥ 찜기 : 수증기를 이용해 재료를 익히는데 사용
⑦ 제면기 : 면을 뽑을 때 사용

5. 식재료 계량방법

(1) 계량 단위

① 1ts(tea spoon) = 1 작은술 = 5cc = 5ml
② 1TS(Table Spoon) = 1 큰술 = 15cc
③ 1C(Cup) = 1컵 = 200cc = 200ml
④ 1Pound = 1lb = 1파운드 = 453.6g = 16oz
⑤ 1Quart = 1쿼터 = 960ml = 32oz

(2) 계량 방법

① 액체 : 투명한 계량 용기나 계량컵의 눈금과 눈높이를 같게 함
② 지방 : 버터, 마가린 및 쇼트닝과 같은 고형지방은 전자저울로 계량하는 것이 바람직하나 스푼이나 컵으로 계량할 때는 실온에서 부드럽게 한 후, 스푼이나 컵에 꼭꼭 눌러 담은 후 윗면을 수평이 되도록 하여 계량
③ 백설탕 : 계량기구에 담아 윗부분을 도구 등으로 평평하게 한 후 계량
④ 흑설탕 : 계량기구에 꼭꼭 눌러 담은 후 계량(수분이 있어 덩어리져 있기 때문)
⑤ 밀가루 : 체로 쳐서 누르거나 흔들지 말고 수북하게 담아 위를 도구 등으로 평평하게 한 후 계량(가루 식재료를 정확히 측정하려면 전자저울을 사용하는 것이 더 과학적이고 효율적임)

(3) 폐기량과 정미량 집중공략

① 폐기량 : 식재료 손질 시 버려지는 부위로 껍질, 씨, 꼭지 등의 비가식 비율
② 정미량 : 조리 후 먹을 수 있는 부위로 가식비율
③ 폐기율(%) = (폐기량 ÷ 전체 중량) × 100
④ 발주량 = [정미중량 ÷ (100 - 폐기율)] × 인원수 × 100

6. 조리장의 시설 및 설비관리

(1) 조리장의 시설 요건 집중공략

1) 조리장의 기본 요건

위생성, 능률성 및 경제성을 고려해야 하며 특히 위생을 최우선으로 고려

2) 주방 시설

① 작업대
- ㉠ 작업대의 높이는 85~90㎝, 너비는 55~60㎝가 적당
- ㉡ 작업대와 뒤쪽 선반과의 거리는 최소한 150㎝ 이상이 적당

② 바닥
- ㉠ 1m까지의 내벽은 내수성 자재를 사용
- ㉡ 기름이나 오염물질이 스며들지 않아야 하며, 유지비가 경제적이어야 함
- ㉢ 미끄럽지 않고 산·염·유기용액에 강한 재질이여야 함

③ 창문과 벽
- ㉠ 창문은 직사광선을 막을 수 있어야 하며, 방충망을 설치
- ㉡ 창의 면적은 바닥 면적의 20%가 적당
- ㉢ 벽의 마감재로는 모자이크타일, 자기타일, 금속판, 내수합판 등이 적당

④ 환기시설
- ㉠ 후드(hood)는 조리공간의 냄새, 열, 증기 등을 외부로 방출하는 역할
- ㉡ 후드(hood)의 경사각은 30도이고 형태는 4방 개방형이 가장 효율적

⑤ 조명시설
- ㉠ 작업하기 충분하고 균등한 조명도를 유지
- ㉡ 조도는 50룩스(lux) 이상 유지

(2) 조리장과 식당 면적 집중공략

1) 조리장의 면적

① 조리장의 면적은 식당 넓이의 1/3이 기준이 됨

② 일반급식의 경우 1인당 0.1㎡이며 사업체 급식의 경우 1인당 0.2㎡

2) 식당의 면적

① 취식인원 1인당 1㎡가 기준

② (1인당 필요면적 + 식기회수공간) × 취식자수 = 식당의 면적

작업대 배치 순서	준비대 → 개수대 → 조리대 → 가열대 → 배선대
작업의 흐름 순서	식재료 구매 및 검수 → 식재료 전처리 → 식재료 조리 → 음식 담기와 장식 → 서빙 → 식기 세척 및 수납

PART 5-1 요리달인의 적중 예상문제

01 중식 기본 썰기 방법 중 하나로 재료를 포 뜨듯이 한쪽으로 어슷하게 뜨는 방법은?

① 쓸 - 사(絲) ② 티어우 - 조(條)
③ 피엔 - 편(片) ④ 리 - 입(粒)

해설
① 쓸 - 사(絲) : 채로 써는 방법
② 티어우 - 조(條) : 막대기 모양으로 썰기
④ 리 - 입(粒) : 먼저 채로 썰기 한 후 다져 썰기. 크기에 따라 완두입(0.5㎝), 녹두입(0.3㎝), 미립(0.1㎝)으로 나뉨

02 다음 내용 조리기구의 종류와 용도를 틀리게 설명한 것을 고르시오.

① 중식국자 : 튀김재료를 건질 때 사용
② 찜기 : 수증기를 이용해 재료를 익히는데 사용
③ 제면기 : 면을 뽑을 때 사용
④ 중식팬 : 바닥이 둥근 금속냄비로 중식의 기본팬. 볶음, 튀김, 데치기 등 다양한 조리 시 사용

해설
① 중식국자 : 식재료를 볶을 때나 국물을 뜰 때 요리를 덜어 사용할 때 사용하는 길이가 긴 국자

03 다음 중 기름을 이용한 조리방법이 아닌 것은?

① 짼(전) ② 폭(뻐우)
③ 초채 ④ 뚠(돈)

해설
◈ 뚠(돈)
- 탕에 재료를 넣고 오래 가열하는 방법
- 중탕으로 하기도 하고 약한 불에서 오랫동안 끓이는 방법
- 약선요리에 많이 이용

04 다음 중 조리장 시설 및 설비 관리의 설명 중 옳지 않은 것은?

① 작업대의 높이는 85~90㎝가 적당하다.
② 창의 면적은 바닥 면적의 50%가 적당하다.
③ 후드는 4방 개방형이 가장 효율적이다.
④ 조도는 50룩스(lux) 이상 유지하는 것이 중요하다.

해설
조리장의 창의 면적은 바닥 면적의 20%가 적당하다.

05 중식 조리방법 중 하나로 수증기를 이용하여 재료를 익히는 방법은?

① 류 ② 고
③ 팽 ④ 쯩

해설
① 류 : 매끈하고 부드럽게 조리하는 법. 류산슬, 전가복 등
② 고 : 재료를 불에 굽거나 오븐에 굽는 방법. 건조하고 뜨거운 열과 복사열로 재료를 익히는 방법
③ 팽 : 물을 이용하여 조린 것에 주재료를 미리 간하여 튀기거나 지지거나 볶아 다시 부재료와 섞어 센 불에서 탕즙을 졸이는 방법

정답

1	2	3	4	5
③	①	④	②	④

Chapter 2 식품의 조리원리

1. 농산물의 조리 및 가공 · 저장

(1) 농산물의 조리

1) 전분

전분은 탄수화물의 주된 성분이며, 포도당으로 구성되어 있고 아밀로오스(amylose)와 아밀로펙틴(amylopectin) 두 개의 형태로 이루어짐

곡류명	아밀로오스(%)	아밀로펙틴(%)
멥쌀	20	80
찹쌀	0	100

① 전분의 호화(α화=알파화) 집중공략

전분에 물을 가해서 가열할 때 일어나는 물리적 변화이며 α화 되어 소화가 잘되는 콜로이드 상태

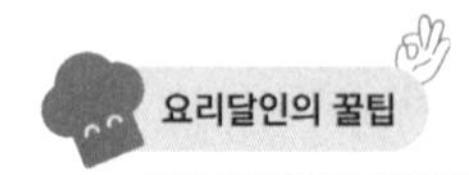

콜로이드(colloid) : 작은 입자가 분산되어 균일하게 퍼져 있는 상태이며 우유, 사골국, 계란물이 해당

② 전분의 호화에 영향을 주는 요인

㉠ 가열온도가 높을수록 호화 촉진
㉡ 아밀로펙틴 함량이 많을수록 호화 촉진
㉢ 전분입자가 클수록 호화 촉진
(예 전분입자가 큰 감자, 고구마 등의 서류가 곡류보다 빨리 호화)
㉣ 알칼리성에서 호화 촉진
㉤ 수분함량이 많을수록 호화 촉진
㉥ 설탕이나 지방을 첨가하면 호화가 지연

③ 전분의 노화(β화=베타화)

호화된 전분(α 전분)을 실온이나 냉장온도에 방치함으로서, 원래의 β전분으로 되돌아가는 현상
(예 밥이나 떡 등이 실온이나 냉장온도에서 마르고 딱딱하게 굳어지는 현상이며 맛과 질감이 저하됨)

㉠ 전분의 노화에 영향을 주는 요인
- 아밀로오스 함량이 많을수록 노화 촉진
- 수분이 30~60%, 온도가 0~5℃의 냉장상태에서 노화 촉진
- 산성 상태에서 노화 촉진

㉡ 전분의 노화 억제 방법
- 수분을 10~15% 이하로 건조
- 설탕이나 유화제를 첨가
- 온도 60℃ 이상이거나 -20℃ 이하에서 보관
- 알칼리성 상태로 유지

④ 전분의 당화

전분이 당화효소나 산에 의해 가수분해되어 단당류, 이당류 또는 올리고당으로 만들어지는 것 (예 식혜, 조청, 물엿, 시럽 등)

⑤ 전분의 호정화 집중공략

전분에 물을 가하지 않고 160~170℃의 고온에서 가열하면 여러 단계의 가용성 전분을 거쳐 덱스트린(dextrin, 호정)으로 분해되는데 이러한 변화를 '호정화'라 함
- 용해성이 높아져 물에 잘 녹고 소화도 용이
- 단맛도 증가하고 갈색으로 변하게 됨
  (예 뻥튀기, 미숫가루, 팝콘, 건빵 등)

2) 쌀과 보리의 조리

- 현미 : 벼에서 왕겨층만을 제거한 것으로 소화율은 90%
- 백미 : 현미에서 호분층, 종피, 과피, 배아 등을 제거한 것으로 소화율은 98%

① 쌀의 조리
- 쌀 씻기 : 쌀을 너무 세게 문지르면 비타민 B_1 등 수용성 비타민 손실이 큼
- 불리기 : 여름 30분, 겨울 60분 정도
- 물 붓기 : 밥물의 양은 쌀 중량의 1.5배, 쌀 부피의 1.2배
- 끓이기 : 강불에서 김이 올라오면 낮은 불로 맞추어 쌀을 충분히 익히고 불을 끈 후 일정 시간 뜸 들이는 시간을 주어 수분이 완전히 쌀알 내부로 스며들도록 함

구 분	중량에 따른 물의 양	용량(부피)에 따른 물의 양
백미	1.5배	1.2배
햅쌀	1.4배	1.1배
불린 쌀	1.2배	1.0배
찹쌀	1.1~1.2배	0.9~1.0배

② 밥맛의 구성요소 집중공략
- 밥물은 pH 7~8일 때 맛이 좋음
- 소금(0.03%)을 넣으면 밥맛이 좋음
- 묵은 쌀은 햅쌀보다 물을 조금 더 첨가
- 산성상태일수록 밥맛이 떨어짐

③ 보리
- 보리의 단백질은 호르데인(hordein)이며 철분과 비타민 B군이 다량 함유
- 조리시간을 단축하고 소화율을 높이기 위해 압맥(납작보리)과 할맥으로 가공

3) 밀가루의 조리 집중공략

① 밀가루의 종류와 용도

종 류	글루텐 양	용 도
강력분	13% 이상	빵, 마카로니, 스파게티
중력분	11~13%	국수류, 만두피
박력분	10% 이하	튀김, 과자, 쿠키, 카스테라

② 글루텐 형성에 영향을 미치는 요인

촉진 요인	억제 요인
· 수분 – 적당량(50~60%)의 수분은 글루텐 형성을 도와줌 · 달걀 – 가열에 의해 달걀 단백질이 응고되면서 글루텐 형성을 도와줌 · 소금 – 적당한 소금은 글루텐 강도를 높여줌	· 설탕 – 수분을 흡수하여 글루텐 형성을 억제하고 열을 가했을 때 캐러멜화 반응으로 표면의 갈색화에 도움 · 지방 – 글루텐 형성을 방해하고 반죽을 부드럽게 만듦

③ 팽창제

- 반죽의 적정온도는 25~30℃이며, 오븐의 적정온도는 200~250℃
- 중조를 팽창제로 사용하면 밀가루의 플라보노이드 색소가 알칼리에 반응하여 황색으로 변함
- 설탕 첨가 시 발효를 촉진시킴(이스트 먹이로 사용됨)

물리적 팽창제	공기, 수증기
화학적 팽창제	베이킹 파우다, 중조(식소다, 중탄산나트륨), 탄산수소암모늄
생물학적 팽창제	효모, 이스트

4) 서류의 조리

서류는 식물의 땅 속 줄기나 뿌리에 영양성분을 저장하며 감자, 고구마, 카사바, 토란, 돼지감자, 산마, 야콘 등

① 감자

㉠ 감자의 갈변

- 효소적 갈변반응으로 티로시나아제, 폴리페놀라아제, 효소 등에 의해 산화되어 흑갈색으로 변하는 것
- 갈변 방지 : 물에 담그기, 공기 차단, 가열처리, 항산화제(아스코르브산)첨가, 환원성 물질(아황산가스, 아황산염) 첨가 등

㉡ 감자의 종류

종 류	특 징
점질감자	- 전분함량이 낮고 잘 부서지지 않으며, 수분이 많음 - 샐러드, 수프, 찜, 조림, 볶음 등
분질감자	- 전분함량이 높고 부서지기 쉬움 - 매시드포테이토, 프렌치후라이, 오븐구이 등

② 고구마

고구마는 전분을 맥아당으로 분해하는 β-아밀라아제가 많아서 가열 시 고구마의 단맛이 증가

③ 토란

껍질을 벗기면 수용성 당단백질인 '갈락탄'이라는 미끈한 점질물이 있음

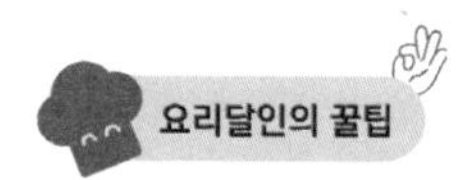

토란의 아린맛은 '호모겐티스산(homogentisic acid)'이며 쌀뜨물이나 소금물로 데치면 없어지고 점질물도 제거

④ 산마

- 마의 점액물질은 '뮤신(mucin)'으로 단백질과 만나 결합한 것으로 위벽을 보호하고 소화를 도와줌
- 마를 갈아 놓으면 티로신의 작용으로 갈변현상이 일어남. 식초에 담가두면 갈변을 방지

5) 두류의 조리 집중공략

① 두류의 특성

양질의 단백질 식품으로 두류의 단백질은 수용성인 '글리시닌(glycinin)'임

- 대두 : 단백질 함량이 높고 식용유지 원료로 이용되고 대두의 단백질 함량이 40% 정도로 두부 제조 시 많이 사용
- 팥, 녹두, 강낭콩, 완두 : 단백질과 당질 함량이 높고 전분을 추출하여 과자나 떡의 소·고물로 이용

② 두류의 조리원리

- 일반적으로 수온은 20℃ 내외에서 5~7시간 불리면, 본래 콩 무게의 90~100%의 물을 흡수
- 날콩에는 안티트립신(antitrypsin)이 들어있어서 소화를 방해하지만, 가열 시 파괴
- 대두와 팥에는 사포닌(saponin)이라는 독성물질이 있으나 가열시 파괴
- 식용소다(중조)를 첨가하여 콩을 삶으면 쉽게 무르지만 비타민 B_1이 손실
- 1% 식염용액이나 연수를 사용하면 콩이 쉽게 물러짐

③ 두부

- 대두단백질인 글리시닌(glycinin)이 응고제와 열에 의해 응고되는 성질을 이용하여 만듦
- 두부 응고제 : 황산칼슘($CaSO_4$), 염화마그네슘($MgCl_2$), 염화칼슘($CaCl_2$) 등

6) 채소의 조리

① 채소의 종류 집중공략

분 류	특징 및 종류
엽채류	- 잎을 식용으로 하는 잎 채소류 - 배추, 상추, 쑥, 시금치, 파슬리 등

경채류	- 줄기를 식용으로 하는 줄기 채소류 - 아스파라거스, 셀러리, 죽순 등
근채류	- 땅속줄기를 식용으로 하는 채소류 - 무, 당근, 감자, 고구마, 연근, 우엉 등
과채류	- 열매를 식용으로 하는 채소류 - 토마토, 가지, 오이, 고추, 호박 등
종실류	- 식물의 씨앗을 식용으로 하는 씨앗 채소류 - 콩, 옥수수, 아몬드 등
화채류	- 꽃을 식용으로 하는 꽃 채소류 - 브로콜리, 컬리플라워, 아티쵸크 등

② 조리 시 채소의 변화

- 데칠 때에는 물을 5배 정도 넣고 뚜껑을 연 채 끓는 물에 단시간 데쳐 빨리 냉수에 헹굼
- 녹황색 채소(당근, 호박, 토마토 등)는 지용성 비타민 A를 많이 함유하고 있으므로 기름을 사용하여 조리하면 영양흡수가 잘 됨
- 우엉, 죽순, 토란, 연근 등은 쌀뜨물이나 식초물에 삶으면 흰색을 유지하며 연하게 됨

③ 채소의 색소 변화 현상 집중공략

㉠ 엽록소(chlorophyll : 클로로필)

- 식초를 사용하면 녹색이 황갈색인 피오피틴(pheophytin)으로 변함
- 알칼리 성분(중탄산소다, 황산동)으로 처리하면 안정된 녹색
- 뚜껑을 열고 단시간에 데침

㉡ 안토시안(anthocyan)

- 산성에서는 적색(생강을 식초에 절이면 적색으로 변함), 중성에서는 보라색, 알칼리에서는 청색
- 가지를 삶을 때 백반을 첨가하면 안정된 청자색
- 철(Fe) 등의 금속이온과 결합하면 청색

㉢ 플라보노이드(flavonoid)

- 쌀, 밀, 콩, 감자, 연근 등의 흰색이나 노란색의 색소
- 산성용액에서는 백색으로 변하고, 물에 삶거나 알칼리용액에서는 황색
- 산에는 안정하나 알칼리와 산화에서는 불안정

㉣ 카로티노이드(carotenoid)

- 녹색, 등황색 채소에 들어있는 오렌지색이나 황색 (고구마, 당근, 호박, 브로콜리, 토마토, 고추 등)
- 산소나 산화효소에 의해 쉽게 산화되어 퇴색하지만 조리과정이나 조리온도에는 크게 영향을 받지 않음
- 기름을 이용하여 조리하면 영양흡수율이 높아짐

7) 과일의 조리

① 과일의 종류

분 류	특징 및 종류
인과류	- 꽃받침이 발달하여 식용 부위가 된 과실 - 사과, 배, 모과, 돌배, 비파 등
준인과류	- 씨방이 발달하여 과육 부위가 된 과실 - 오렌지, 감귤, 감, 자몽 등
핵과류	- 내과피가 단단한 핵을 이루고 그 속에 씨가 들어 있으며, 중과피가 과육을 이루는 과실 - 복숭아, 매실, 살구, 앵두, 자두 등
장과류	- 중과피와 내과피가 쌓여 식용이 되고, 즙이 많은 육질로 되어 있는 과실 - 포도, 무화과, 딸기, 망고, 바나나, 키위 등
견과류	- 외과피가 단단한 껍질에 쌓여져 있는 과실 - 밤, 호도, 땅콩, 아몬드, 잣, 피스타치오 등

② 과일 갈변억제 방법

- 레몬이나 설탕물, 소금물에 담금
- 열처리하여 효소를 불활성화 시킴
- 진공포장 등 산소와의 접촉을 피함

③ 육류의 연육작용에 사용

파인애플의 브로멜린(bromelin), 무화과의 피신(picin), 파파야의 파파인(papain), 키위의 액티니딘(actinidin), 배즙의 프로테아제(protease) 등

(2) 농산물 가공

1) 곡류

① 쌀의 가공

- 벼는 현미 80%, 왕겨 20%로 구성
- 현미는 벼에서 왕겨층을 벗겨낸 것이고 소화율은 90%
- 백미는 겨층과 배아까지 벗겨내어 배유만 남은 것이고 소화율은 98%

② 보리의 가공

구분	내용
맥아	- 겉보리에 싹을 띄워 건조시킨 것 - 고온조건에서 발아한 단맥아는 맥주 양조에 이용 - 저온조건에서 발아한 장맥아는 식혜, 물엿 제조에 이용
압맥	- 고열증기로 조직의 변화를 준 후 롤러 사이로 통과시켜 눌려진 납작보리 - 소화율을 높임
할맥	- 보리의 중심부를 기계적으로 2등분하여 섬유소를 제거한 것 - 조리를 간편하게 하고 소화율을 높임

③ 밀의 가공
- 밀 단백질에는 '글리아딘'과 '글루테닌'이 있으며, 밀가루에 물을 넣고 반죽하면 '글루텐' 이라는 단백질을 형성
- 글리아딘 : 응집성과 신장성을 주어 잘 늘어나도록 점성을 부여
- 글루테닌 : 단단하고 강한 탄력성을 부여

2) 두류

① 두부
- 콩 단백질인 글리시닌이 무기염류(응고제)에 의해 응고되는 성질을 이용하여 제조
- 콩 씻기 → 불리기 → 갈기 → 가열(2~3배의 물 첨가) → 여과(두유와 비지로 구분) → 두유 끓이기 → 간수 첨가 → 착즙 → 두부 완성 등의 순서대로 제조

2. 축산물의 조리 및 가공·저장

(1) 축산물의 조리

1) 육류의 조리

① 육류의 조직

㉠ 근육조직 : 동물조직의 약 30~40%를 차지하며, 그 중 주요 식용 부분은 근육의 수축과 이완에 관여하는 골격근으로 식품으로서 영양학적 가치가 있음

㉡ 결합조직
- 교원섬유(콜라겐, collagen) : 장시간 물로 가열하면 수용성 젤라틴으로 변하고 고기가 연해짐
- 탄성섬유(엘라스틴, elastin) : 인대, 껍질, 힘줄, 근육에 안에 많이 들어 있고 질겨서 가열해도 연해지지 않으므로 제거해야 함

② 가열에 의한 육류 변화 집중공략

㉠ 단백질의 변화 : 가열온도가 높을수록, 가열시간이 길수록 근섬유는 수축하고 수분이 용출되어 고기의 보수성은 떨어지고 연한 정도가 감소

㉡ 콜라겐을 계속 가열하면 젤라틴화 되어 연해지고 소화가 쉬워짐

㉢ 단백질의 아미노산으로 인하여 구수한 풍미를 보임

㉣ 고기의 색은 미오글로빈(myoglobin, 적자색)에서 헤미크롬(hemichrome, 회갈색)으로 변함

㉤ 지방은 융해

③ 육류의 연화법 집중공략

㉠ 기계적인 방법 : 칼집을 넣거나 고기망치로 두들기기

㉡ 숙성 : 일정시간에서 숙성

㉢ 단백질 분해효소를 첨가 : 파인애플의 브로멜린(bromelin), 무화과의 피신(picin), 파파야의 파파인(papain), 키위의 액티니딘(actinidin), 배즙의 프로테아제(protease) 등

㉣ 장시간 습열조리 : 콜라겐이 가수분해되어 젤라틴화

㉤ 설탕 첨가 : 지나치게 많이 넣으면 질겨짐

㉥ pH 조절법 : 와인, 토마토, 식초, 레몬 등을 적절히 사용하면 연해짐

㉦ 소금 첨가 : 소금을 적당히 사용하면 단백질의 소화력을 증가시켜 고기가 연해짐

④ 쇠고기 부위별 조리방법

㉠ 안심 : 스테이크, 구이, 전골 등

㉡ 등심 : 구이, 스테이크, 샤브샤브용 등

㉢ 채끝 : 구이, 국거리, 샤브샤브용 등

㉣ 목심 : 구이, 스테이크, 장조림, 구이 등

㉤ 앞다리 : 불고기, 육회, 스튜, 탕, 장조림 등

㉥ 우둔 : 산적, 장조림, 육포, 불고기 등

㉦ 설도 : 육회, 산적, 장조림, 육포, 편육, 불고기 등

㉧ 양지 : 조림, 편육, 국거리, 장조림, 스튜 등

㉨ 사태 : 국거리, 스튜, 장조림, 탕, 찜 등

㉩ 갈비 : 구이, 찜, 탕 등

⑤ 돼지고기 부위별 조리방법

㉠ 목심 : 구이, 보쌈 등

㉡ 등심 : 구이, 스테이크, 돈가스 등

㉢ 안심 : 구이, 스테이크, 찜 등

㉣ 삼겹살 : 구이, 베이컨, 찌개 등

㉤ 갈비 : 바베큐, 찜, 구이 등

㉥ 안심 : 구이, 스테이크, 찜 등

㉦ 앞다리 : 불고기, 찌개 등

㉧ 뒷다리 : 찌개, 장조림 등

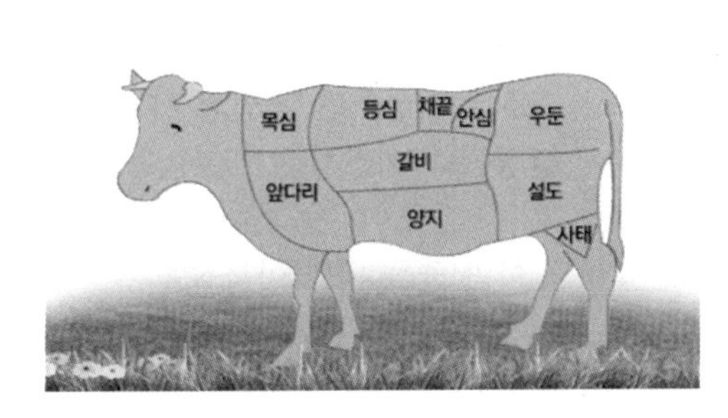

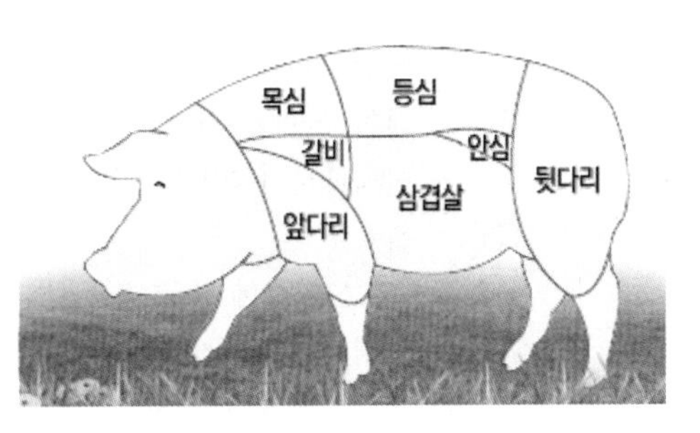

〈출처 – 축산물품질평가원〉

2) 달걀의 조리

① 달걀의 구조

난각(겉껍질 : 큐티클층), 난각막(속껍질 : 내부를 보호하고 미생물 침입 방지), 난백(흰자 : 60% 차지), 난황(노른자 : 30% 차지) 등으로 이루어져 있음

② 달걀의 구성성분

성 분	특 징
단백질	- 약 13%를 함유하고, 단백가 100인 완전단백질 - 난백 단백질 : 오보알부민(ovoalbumine) - 난황 단백질 : 리포비테린(lipovitellin)과 리포비테리닌(lipovitellenin)
지질	- 난황의 30%를 차지 - 지방산 중 올레산 47%, 리놀레산 13% 차지 - 레시틴(Lecithin)과 인지질이 70~80% 차지하고 유화제 역할
비타민	- 난황에는 비타민 A, 비타민 D, 티아민, 리보플라빈 등 풍부 - 난백에는 지용성 비타민은 거의 없으나 티아민, 리보플라빈, 니아신, 판토텐산 등
수분	70~76% 차지
색소	- 난황 : 카로티노이드계인 크산토필(xanthophyll) - 난백 : 리보플라빈(riboflavin)

③ 달걀의 신선도 검사 집중공략

㉠ 껍질이 거칠고 광택이 없으며, 흔들었을 때 소리가 없는 것
㉡ 빛을 통해 볼 때 맑고 기실이 크지 않은 것
㉢ 3% 정도의 소금물에 넣어서 가라앉는 것
㉣ pH가 7.6 정도가 신선한 달걀이며 오래된 계란은 pH가 알칼리성
㉤ 난황계수와 난백계수가 높은 것

난황 계수	- 난황의 높이 ÷ 난황의 직경 - 신선한 난황 계수는 0.36~0.44
난백 계수	- 농후난백의 높이 ÷ 농후난백의 직경 - 신선한 난백 계수는 0.14~0.17

④ 달걀 조리 집중공략

㉠ 열 응고성
- 달걀의 응고온도는 난백이 60~65℃, 난황이 65~70℃
- 설탕 첨가는 응고를 저하시키고, 우유는 응고를 촉진
- 끓는 물에서 반숙은 8분, 완숙은 12분, 15분 이상이면 녹변현상이 일어남
- 반숙(1시간 30분), 완숙(2시간 30분), 달걀 프라이(3시간 15분) 등의 순서대로 소화흡수

㉡ 흡착제 : 콩소메 조리 시 난백거품을 넣어 끓이면 국물 내의 이물질을 흡착, 응고 및 침전시켜서 국물을 맑게 해줌

㉢ 유화제 : 난황에 있는 지단백인 레시틴(lecithin)은 마요네즈, 크림스프, 케이크류 제조 시 유화제 역할

㉣ 팽창제(기포성)
- 기포성은 30℃에서 가장 잘 일어나며 산을 넣으면 거품이 잘 생김
- 난백의 단백질인 오보글로불린은 표면활성이 강해서 저어주면 기포가 생기는데, 음식을 팽창시켜 부풀게 해줌
- 수양난백이 많은 달걀, 즉 오래된 달걀은 거품은 잘 일어나나 안정성은 적음

㉤ 녹변현상
- 달걀을 15분 이상 가열 시 노른자 주위에 암녹색의 색소침착이 생김. 이는 난백의 황화수소(H_2S)가 난황의 철분(Fe)과 결합하여 황화 제1철(FeS)을 생성하는 현상
- 가열시간과 가열온도가 높을수록 잘 일어남
- 오래된 달걀일수록 잘 일어남(알칼리성에서 황이 더 쉽게 분리)

3) 우유의 조리

① 우유의 구성성분

㉠ 우유의 단백질은 80%가 카세인(casein)이고 20%가 유청 단백질(whey protein)

㉡ 카세인은 산이나 레닌(renin)에 의해 응고되어 치즈를 만듦

② 유당불내증
- 유당분해효소인 락타아제(lacrase)가 체내에서 생성되지 않아 우유를 소화시키지 못하거나 설사, 복통을 유발

③ 조리 시 우유의 역할

㉠ 카세인과 산, 레닌의 결합 : 치즈

㉡ 우유 중의 칼슘은 단백질의 겔화를 용이하게 함 : 푸딩, 스크램블에그 등

㉢ 풍미 제공 : 수프, 스튜, 화이트 소스 등

㉣ 비린내 흡착 : 생선 비린내 제거

㉤ 갈색화 : 과자류나 빵류에 첨가 시 메일라드 반응에 의한 갈색화

④ 우유의 응고 요인

㉠ 산에 의한 응고 : 토마토 크림수프 만들 때 처음부터 우유와 토마토를 같이 넣으면 산에 의해 카세인이 응고되어 덩어리가 생김. 토마토를 먼저 끓이고 나중에 우유를 넣으면 방지할 수 있음

㉡ 레닌에 의한 응고 : 레닌은 포유동물의 위 점막에 존재하는 응유효소로 15℃ 이하에서는 응고되지 않으며, 60℃ 이상에서는 불활성화 되므로 40℃ 전후가 적합

㉢ 폴리페놀 물질에 의한 응고 : 폴리페놀 물질은 과일, 채소, 차 및 커피에 함유된 탄닌물질. 페놀물질이 우유와 혼합되면 우유단백질이 탈수되어 응고가 일어남

㉣ 염에 의한 응고 : 우유는 소금과 같은 염에 의해 응고

⑤ 유제품

종 류	특 징
발효유	- 포유동물의 젖산균이나 효모를 배양·발효시켜 제조한 것 - 젖산 발효유 : 젖산만을 발효시킨 것 - 알코올 발효유 : 젖산 발효는 물론 알코올까지 발효시킨 것 - 요구르트, 버터밀크 등
크림	- 우유를 오랫동안 방치하거나 원심분리 시 생기는 지방이 많은 부분으로 유지방이 18% 이상인 것 - 커피크림(20~25%), Light 휘핑크림(30%), Heavy 휘핑크림(37%) 등 - Sour cream : 지방이 21% 들어있고 젖산균으로 발효시킨 것

버터	- 유지방만을 모아 압착시킨 후 남아 있는 수분을 분사시켜 유화상태로 만든 것 - 가염버터, 무염버터, 발효버터, 감성버터(테이블버터) 등
가당연유	탈지우유나 보통우유를 진공농축기에 농축시켜 고농도의 설탕을 첨가하여 만든 것
분유	- 우유, 탈지유를 농축·건조시켜 분말로 만들어 저장과 운송이 편리하게 한 것 - 탈지분유, 조제분유, 전지분유, 분말유청 등

⑥ 치즈의 분류

분 류	수분 함량	종 류
연질치즈	50~80%	브리(brie), 카망베르(camembert), 코티지(cottage), 리코타(ricotta), 모짜렐라(mozzarella) 등
반경질치즈	38~45%	브릭(brick), 고다(gouda), 로크포르(roquefort), 고르곤졸라(gorgonzola), 블루(blue), 스틸톤(stilton) 등
경질치즈	30~40%	에멘탈(emmental), 그루이에르(gruyere), 에담(edam), 체다(cheddar), 골비 등
초경질치즈	25~30%	파마산(parmesan), 로마노(romano) 등
가공치즈		훈제치즈, 과일치즈, 분말치즈 등

(2) 축산물의 가공

1) 육류의 가공

① 햄(Ham) : 돼지의 허벅다리를 이용하여 식염, 아질산염, 향신료 등을 첨가하여 훈제한 가공품

② 베이컨(Bacon) : 돼지고기의 뱃살을 이용하여 식염, 아질산염, 향신료 등을 첨가하여 만듦

③ 소세지(Sausage) : 햄, 베이컨을 제조하고 남은 고기 및 잡고기를 조미하여 동물의 창자 또는 인공 케이싱(Casing)에 넣은 후 가열하여 만듦

2) 달걀의 가공

① 달걀 가공품

건조란	달걀의 껍질을 제거하고 흰자와 노른자의 수분을 제거하고 건조시킨 것
마요네즈	- 난황의 유화성을 이용한 것으로 난황(달걀노른자)에 샐러드유, 식초, 향신료를 혼합하여 유화시켜서 만든 것 - 난황의 지단백질인 레시틴(Lecithin)이 유화제 역할
피단 (송화단)	- 오리알을 껍질째로 찰흙, 소금, 왕겨, 석회를 혼합한 강한 알칼리 반죽 속에 파묻어서 응고·숙성시킨 것 - 중국요리에 사용

② 달걀 저장법

㉠ 냉장법 : 0~5℃

㉡ 냉동법 : 껍질을 제거하여 -40℃에서 급속냉동 후 -18℃에서 저장하는 것으로 운반과 저장이 편리한 장점이 있음

㉢ 가스 저장법 : 미생물 침입과 수분의 증발을 막을 수 있는 것으로 1년 정도까지 저장 가능

3) 우유의 가공

① 우유가공품

버터, 치즈, 크림, 발효유, 아이스크림, 분유, 연유 등

② 우유 살균법

구분	내용
저온장시간 살균법 (LTLT법)	- 61~65℃의 온도에서 30분 동안 가열하여 살균 - 본래의 풍미는 남아있으나 보존성은 떨어짐 - 가장 오래된 살균방법
고온단시간 살균법 (HTST법)	- 70~75℃의 온도에서 15~30초 동안 가열하여 살균 - 대량의 우유를 살균가능하고 내열성 균도 거의 죽음
초고온 순간 살균법 (UHT법)	- 120~135℃의 온도에서 2~3초 동안 가열하여 살균 - 국내에서 가장 보편적으로 많이 사용

3. 수산물의 조리 및 가공 · 저장

(1) 수산물의 조리

구 분	종 류
어류	담수와 해수어
조개류	대합, 모시조개, 소라, 가리비, 우렁, 바지락, 홍합, 굴, 전복 등
갑각류	게, 왕게, 새우, 바닷가재, 쏙 등
연체류	문어, 오징어, 낙지, 해삼, 해파리, 꼴뚜기 등

1) 어류의 분류, 종류 및 특징

분류		특징 및 종류
해수어	붉은살 생선	- 지방 5~10% 함유 - 산패가 빠름 - 바다 표면에 살며 운동량이 많음 - 고등어, 참치, 꽁치
	흰살 생선	- 지방 5% 미만 - 산패가 느림 - 깊은 바다에 살고 운동량이 적어 담백 - 광어, 도미, 민어, 갈치, 조기, 준치
담수어	잉어, 붕어, 메기, 가물치	

2) 어류의 구성성분

① 단백질

단백질은 15~24% 정도 함유하고 있으며 라이신(lysine)이 풍부해 한국인에게 필요한 필수 아미노산을 보완해 줄 수 있음. 어육단백질은 소금에 녹는 성질이 있어 2~3%의 소금을 넣어 어묵의 형성에 이용

② 지질(지방)

어류의 지질은 불포화지방산이 80%를 차지하며 특히 고등어, 참치, 정어리 등 등푸른 생선에는 고도불포화지방산 중 EPA와 DHA가 많음

③ 당질(탄수화물)

당질 함량은 1% 미만이며 사후 젖산으로 분해되어 감칠맛을 냄

④ 비타민과 무기질

어유와 간유에는 비타민 A와 D 함량이 풍부

3) 어류의 신선도 판정법

① 아가미는 선홍색이며 불쾌취가 없는 것

② 살은 탄력이 있고 비늘은 고르게 밀착되어 있는 것

③ 눈은 투명하여 외부로 돌출되어 있는 것

④ 껍질은 살에 잘 밀착되어 있고 광택이 있는 것

4) 어류의 냄새 집중공략

① 해수어는 트리메틸아민 옥시드(TMAD)가 세균에 의해 환원되어 트리메틸아민(TMA–trimethylamin)을 생성해서 불쾌한 냄새가 남

② 민물고기 비린내는 피페리딘(piperidine)과 아세트알데히드(acetaldehyde)가 축합한 것

5) 어취 제거 방법 집중공략

① 물로 씻기 : 트리메틸아민(TMA)은 수용성이므로 흐르는 물에 씻으면 많이 제거

② 마늘, 파, 양파 첨가 : 맵고 냄새가 강하여 비린내 감지 능력을 약화시킴

③ 생강 첨가 : 매운맛 성분인 '진저론(zingerone)'과 '쇼가올(shogaols)'에 의해 미각의 감각을 마비시키거나 비린내 성분과 결합하여 다른 물질로 변화시킴

④ 간장, 된장 : 비린내를 제거하고 단백질을 응고하여 풍미를 향상

⑤ 우유 : 우유 단백질인 카세인이 트리메틸아민을 흡착

⑥ 알코올 첨가 : 숙신산이 있어 어취제거와 맛을 향상

⑦ 레몬, 식초 첨가 : 트리메틸아민(TMA)과 결합하여 어취를 억제

⑧ 무 : 메틸 메르캅탄(methyl mercaptan)과 머스타드 오일이 있어 어취를 억제

6) 수산물 가공 집중공략

① 어패류 가공

㉠ 연제품 : 어육에 소금, 전분, 조미료 등을 섞어서 성형한 후 굽거나 튀긴 것. 생선의 염용성 단백질인 미오신(Myosin)이 소금에 녹아서 가열하면 굳어지는 성질을 이용한 것

㉡ 훈제품 : 어패류를 염지하고 훈제하여 풍미와 저장성을 높인 것

ⓒ 건제품 : 어패류와 해조류를 자연 건조시켜서 미생물이 발생하지 못하도록 저장성을 높인 것으로 수분함량은 11~14% 정도

ⓓ 젓갈 : 어패류의 살, 내장, 난소 등에 소금 20~30%를 첨가하여 발효・숙성시킨 것으로 감칠맛과 풍미를 높인 것

② 해조류 가공

해조류는 녹조류(청태, 청각, 파래, 클로렐라 등), 갈조류(미역, 다시마, 톳 등), 홍조류(김, 우뭇가사리)로 구분하고 무기질, 비타민 A, 칼륨, 요오드가 풍부한 알칼리성 식품으로 칼로리가 거의 없는 다이어트 식품

㉠ 미역 : 칼슘, 요오드 함량이 높고 섬유질(알긴산, 만니톨 등)이 풍부하여 포만감을 주고 배변활동에 도움을 줌. 특히, 혈액순환을 원활히 하고 젖 분비를 촉진하여 산모에게 적합

㉡ 김 : 타우린과 비타민A, 비타민 B_2를 다량 함유하고 있고 감칠맛과 지미성분이 풍부

㉢ 다시마 : 글루탐산, 아스파르트산, 숙신산이 풍부하여 구수한 맛을 내고 표면의 흰가루는 만니톨 성분으로 물로 씻으면 손실되므로 젖은 행주로 닦은 후 사용

㉣ 한천 : 우뭇가사리, 홍조류를 삶아서 그 즙액을 젤리 모양으로 응고·동결시킨 다음 수분을 용출시켜서 건조한 것으로 양갱, 한천묵 등에 사용 집중공략

4. 유지 및 유지가공품

(1) 유지의 분류 및 구성 지방산 집중공략

분 류	종 류		구성 지방산
기름(Oil)	동물성	어유	주로 올레산(oleic acid), 리놀레산(linoleic acid), 리놀렌산(linolenic acid) 등 불포화 지방산 함유
	식물성	콩기름, 옥수수유, 올리브유, 면실유, 참기름, 들기름	
지방(Fat)	동물성	우지, 라드, 버터	주로 팔미트산(palmitic acid), 스테아르산(stearic acid) 등 포화지방산 함유
	식물성	야자유, 팜유, 카카오버터	
	가공유지	쇼트닝, 마가린	

(2) 유지의 이화학적 성질

1) 물리적 성질 집중공략

① 비중

㉠ 식용유지의 비중은 보통 15℃에서 0.91~0.99

㉡ 불포화지방산의 함량이 많을수록 증가하고 지방산의 분자량이 클수록 감소

② 융점(녹는점)

㉠ 유지의 구성 지방산의 탄소수가 많을수록 불포화도가 커지고 녹는점이 낮아짐

㉡ 식물성유지처럼 불포화지방산을 많이 함유한 것은 녹는점이 낮아 실온에서 액체

㉢ 동물성유지처럼 포화지방산을 함유한 것은 녹는점이 높으며 실온에서 고체

③ 점도

㉠ 유지를 고온에서 지속적으로 가열하면 거품이 생기고 열에 의해 산화되며 중합이 생겨 점도가 증가

㉡ 가열시간이 길수록, 가열온도가 높을수록 점도가 증가

④ 가소성

㉠ 고체지방이 외부에서 가해지는 힘에 의하여 변형이 일어나고 힘이 제거된 후에도 본래의 형태로 돌아가지 않는 성질

㉡ 마가린, 쇼트닝, 라드 등이 있으며 페이스트리, 크로와상 제조의 중요한 특성

⑤ 발연점

㉠ 유지를 고온으로 가열시킬 때 표면에 푸른 연기가 발생할 때의 온도

㉡ 가열로 인해 트리글리세리드가 분해・산화되어 아크롤레인이 생성되기 때문

㉢ 튀김할 때에는 발연점이 높을수록 좋음(콩기름 250℃, 옥수수유 230℃, 포도씨유 205℃, 버터 150℃ 등)

2) 화학적 성질

① 검화가(saponification vale)

㉠ 유지를 알칼리용액으로 가수분해하면 글리세롤과 지방산염이 형성되는 것을 '검화' 또는 '비누화'라고 함

㉡ 유지 1g을 검화하는데 소요되는 KOH(수산화칼슘)의 mg수를 의미

㉢ 보통 유지의 검화가는 180~200 정도

② 산가(acid vale)

㉠ 유지 1g 중에 함유한 유리지방산을 중화하는데 소요되는 KOH(수산화칼슘)의 mg수를 '산가'라 함

㉡ 신선한 유지는 유리지방산의 함량이 매우 낮으므로 산값이 낮음

㉢ 신선한 식용유지의 산값은 0.05~0.07

③ 요오드가(Iodine Value)

㉠ 유지 100g 에 첨가되는 요오드의 g수를 '요오드가'라 함

㉡ 요오드가가 높은 기름은 융점이 낮고 이중결합이 많고 산화되기 쉬움

종 류	요오드가	유 지 류
건성유	130 이상	- 공기 중에서 쉽게 굳어지는 유지 - 들기름, 아마인유, 호두유 등
반건성유	100~130	콩기름, 참기름, 옥수수유, 면실유 등
불건성유	100 이하	- 공기 중에서 굳지 않는 유지 - 올리브유, 땅콩기름, 피마자유 등

④ 과산화물가(POV : peroxide value)

㉠ 유지 1kg에 생성된 과산화물의 mg당량으로 표시

㉡ 과산화물가가 10 이하이면 신선한 유지

3) 유화액

① 수중유적형(O/W : oil-in-water type)

㉠ 물 속에 기름 입자가 분산되어 있는 것

㉡ 우유, 마요네즈, 아이스크림 등

② 유중수적형(W/O : water-in-oil type)
   ㉠ 기름 속에 물 입자가 분산되어 있는 것
   ㉡ 버터, 마가린, 쇼트닝 등

4) 유지의 산패에 미치는 요인 집중공략

① 물, 산, 알칼리, 지방분해요소 등에 의해 산패가 촉진
② 공기 중의 산소나 광선에 의해 산패가 촉진
③ 금속 또는 금속이온은 산패를 촉진
④ 불포화도가 높을수록 산패가 활발히 일어남

(3) 유지가공품

식용유지가공품이라 함은 식물성유지 또는 동물성유지를 주원료로 하여 식품 또는 식품첨가물을 가하여 제조·가공한 것(혼합식용유, 쇼트닝, 마가린, 향미유, 식물성크림 등)

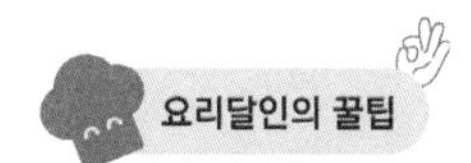

◈ 저장방법에 따른 분류

물리적 처리	건조탈수법, 냉각법, 가열살균법, 자외선 살균법
화학적 처리	염장법, 당장법, 산저장법, 가스저장법, 보존제 이용 등
발효 처리	세균·효모 이용, 곰팡이 이용, 발효 및 절임
종합적 처리	훈연처리

1) 건조법

구 분	종 류	작 용
자연 건조법	소건법	햇빛에 그대로 건조시키는 방법(예 미역, 다시마, 오징어 등)
	자건법	끓는 물에 한 번 데쳐서 건조시키는 방법(예 멸치 등)
	동건법	겨울철이 낮과 밤의 온도차를 이용하여 동결과 해동을 번갈아 가면서 건조시키는 방법(예 황태, 북어 등)
	염건법	소금을 뿌린 후 건조시키는 방법(예 굴비, 조기 등)
인공 건조법	배건법	기구를 이용하여 불에 볶아서 건조시키는 방법(예 거피원두, 보리차, 녹차 등)
	열풍건조법	가열한 공기를 이용하여 식품의 수분을 증발시키는 방법(예 육류, 난류 등)
	냉풍건조법	제습한 냉풍으로 식품의 수분을 증발시키는 방법
	고온건조법	90℃ 이상의 고온에서 건조시키는 방법(예 건조쌀, 건조떡 등)
	감압건조법	저온(-10~10℃)에서 감압하여 건조시키는 방법(예 건조 채소)
	증발건조법	액체식품을 농축하여 부피와 무게를 감소시켜 저장성을 높임(예 연유, 농축된 과즙)
	냉동건조법	냉동시켜 저온에서 건조시키는 방법(예 당면, 한천, 건조두부 등)
	분무건조법	액체를 무상(霧狀)으로 분무하여 열풍 건조시키는 방법(예 분유)

2) 가열 살균법

식품에 있는 미생물을 사멸시키고 효소도 파괴하여 저장성을 높이는 방법

구분	내용
저온장시간 살균법 (LTLT법)	- 61~65℃의 온도에서 30분 동안 가열하여 살균 - 본래의 풍미는 남아있으나 보존성은 떨어짐 - 가장 오래된 살균방법 - 우유, 주스, 과일주, 간장, 식초 등 - Low Temperature Long Time
고온단시간 살균법 (HTST법)	- 70~75℃의 온도에서 15~30초 동안 가열하여 살균 - 대량의 우유 살균 가능, 내열성 균도 거의 살균 - 우유 - High Temperature Short Time
초고온 순간 살균법 (UHT법)	- 120~135℃의 온도에서 2~3초 동안 가열하여 살균 - 우유 영양소 파괴와 화학적 변화를 최소화 - 국내에서 가장 보편적으로 많이 사용 - Ultra High Temperature
고온장시간 살균법 (HTLT법)	- 90~120℃의 온도에서 60분 동안 가열하여 살균 - 통조림 살균에 이용 - High Temperature Long Time

3) 냉장 · 냉동법

① 냉장법

식품을 0~10℃의 온도에서 저장하는 방법. 단기간 신선도를 유지할 수 있으나 효소작용과 미생물 증식으로 오랫동안 저장할 수 없음

② 냉동법

18℃ 이하에서 얼려서 저장하는 방법. 수분이 얼기 때문에 미생물의 생육이 억제되어 장기간 저장 가능

구분	내용
급속 동결	- -40℃ 이하의 온도에서 급속 냉동 - 얼음 결정의 수가 많고, 크기는 작음 - 단백질 변성과 드립(Drip)발생이 적음 - 식품 조직의 변화가 적게 일어남
완만 동결	- -18℃ 이하의 온도에서 냉동함 - 얼음 결정의 수가 적고, 크기는 큼 - 단백질 변성과 드립(Drip)발생이 많음 - 식품 조직이 거칠고 식감이 저하되며 부패가 촉진

③ 움저방법

온도 10℃ 정도의 움 속에 고구마, 감자, 배추, 무, 양파 등을 저장하는 방법

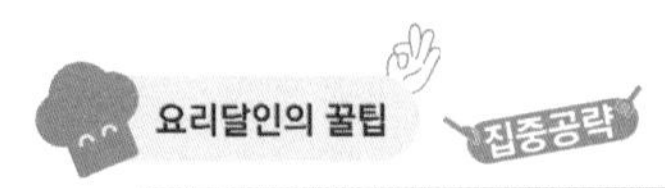

드립(Drip)현상 : 식품을 천천히 동결시켰을 경우, 세포벽이 파괴되어 수분이 흘러나오고 해동할 때 육즙성분이 많이 흘러나오는 현상

4) 기타 저장법

구 분	특 징
당장법	- 50% 이상의 설탕농도에 절여서 미생물의 발육을 억제하는 방법 - 잼, 젤리, 가당연유 등에 이용하고 잼의 설탕농도는 60~65%
염장법	- 10% 이상의 소금농도에서 미생물의 발육이 억제되는 원리를 이용하여 저장하는 방법 - 일반적인 염장법의 소금농도는 10% 내외, 젓갈류의 소금농도는 20~25% 정도
산저장법 (pH저장법)	- pH4.5 이하의 산성에서는 미생물이 억제되는 원리를 이용하여 저장 - 오이피클, 김치류, 마늘 저장
훈연법	- 수지가 적은 나무(참나무, 벚나무, 떡갈나무 등)를 불완전 연소시켜 연기에 그을리는 방법으로 저장성을 높임 - 독특한 향기와 맛을 부여 - 소시지, 햄, 베이컨, 훈제연어 등
가스저장법 (CA저장법)	- 과일은 수확 후에도 호흡작용으로 후숙되므로 가스를 주입하여 호흡을 억제함으로서 저장기간을 연장하는 방법 - 과일, 채소, 난류, 어육제품에 이용

5. 냉동식품의 조리

(1) 냉동식품의 해동 및 조리

① 채소류 : 끓는 물에 2~3분 끓여 해동과 조리를 동시에 함

② 육류나 어류 : 냉장고나 흐르는 냉수에서 필름을 싸서 외부 이물질이 들어가지 않게 한 후 해동 후 조리

③ 튀김류 : 해동시키지 않고 동결상태로 튀김

④ 과일류 : 먹기 직전 냉장고나 밀봉시킨 후 흐르는 냉수에 해동

⑤ 빵, 과자, 떡 : 자연해동이나 오븐, 전자레인지를 이용하여 해동한 후 조리

6. 조미료와 향신료

(1) 냉동식품의 해동 및 조리

파	- 풍미를 내는데 주로 사용 - 비린내를 제거하며 중국의 많은 요리에 다양하게 사용
마늘	살균효과가 있으며, 요리의 향을 살리고 재료 특유의 냄새를 감소시키는데 사용
생강	육류나 해산물 잡내를 감소시키고 몸을 따뜻하게 해주는 역할
건고추	말린 고추로 매운맛을 내는데 사용

후추	흑후추와 흰후추로 나뉘고 향과 맛이 맵고, 비린내를 없애주며 살균효과가 있음
계피	계수나무의 껍질, 향이 강하고 청량하면서 단맛과 매운맛
팔각	- 여덟 개의 씨방으로 이루어짐 - 음식의 향미 증진 - 고기를 삶거나 조림할 때 사용하고 잡냄새 제거
산초	- 사천요리에 많이 사용 - 고기의 잡냄새를 없애주고 절임요리, 향을 내는데 사용 - 식욕 촉진에 도움을 줌
정향	꽃망울이 질 때 따서 말린 것으로 잡냄새를 없애고, 향이 강하므로 소량 사용
회향	음식에 향을 더하고, 불쾌한 맛을 없애주므로 소고기나 돼지고기 요리, 양고기 요리에 주로 사용
고수	- 특유의 향을 가지고 있어 음식조리에 넣기도 하고 음식이 완성된 후의 고명으로 얹기도 함 - 음식에 풍미를 줌 - 식욕증진에 도움을 줌
진피	- 귤과 과일의 껍질을 말린 것 - 성질은 따뜻하고 맛을 쓰고 매운맛이 있음 - 진피를 이용해 역한 냄새를 제거함
참깨	주로 참기름을 만들어서 사용하며 조리 시 마지막에 넣어 향을 살려줌

(2) 냉동식품의 해동 및 조리

소금	음식의 간을 맞추는 기본양념
간장	음식의 간을 맞추는 기본양념이며 맛을 조절하고 향과 착색 작용
굴소스	- 굴을 으깨 끓여서 조려 농축시킨 것 - 진한 갈색이며 볶음, 튀김, 조림 등의 요리에 사용
노두유	- 관동일대에서 쓰는 색이 진한 간장 - 노추라고도 하며 맛은 달고 짠맛이 덜함
고추기름	식용유를 끓여 향채를 넣고 으깬 다음 건고추나 고춧가루를 넣어 매운맛과 향을 낸 것
두반장	- 콩으로 만든 된장에 고추나 향신료를 넣은 것 - 독특한 매운맛과 향이 남 - 사천요리에 뺄 수 없는 조미료로 무침, 볶음, 조림 등에 사용되며 대표적으로 마파두부에 사용
해선장	- 북경요리에 사용되는 싱거운 된장 - 다른 조미료와 함께 섞어서 사용
춘장	된장류에 속하고 북경요리 장폭 조리법에 사용되는 대표적 요리이며 짜장면에 사용

PART 5-2

요리달인의 적중 예상문제

01 다음 중 전분의 노화에 관한 설명 중 맞지 않는 것은?

① 호화된 전분(α전분)을 실온이나 냉장온도에 방치함으로서 원래 β전분으로 되돌아가는 현상을 말한다.
② 아밀로오스 함량이 많을수록 노화가 잘된다.
③ 설탕이나 유화제를 첨가하면 노화를 억제할 수 있다.
④ 수분을 50% 이상이면 노화를 억제할 수 있다.

해설
◈ 전분의 노화 억제 방법
- 수분을 10~15% 이하로 건조
- 설탕이나 유화제 첨가
- 온도 60℃ 이상이거나 -20℃ 이하에서 보관

02 다음 채소의 종류 중 꽃을 식용으로 하는 채소류가 아닌 것은?

① 브로콜리　　② 컬리플라워
③ 옥수수　　④ 아티초크

해설
옥수수는 씨앗을 식용으로 하는 씨앗채소류이다.

03 다음 채소의 조리 중 색소변화인 안토시안(anthocyan)에 관한 설명으로 옳은 것은?

① 산성에서는 적색, 중성에서는 보라색, 알칼리에서는 청색을 띤다.
② 산성에서는 백색으로 변하고 알칼리에서는 황색으로 변한다.
③ 산에는 안정하나 알칼리와 산화에는 불안정하다.
④ 녹색, 등황색 채소에 들어있는 오렌지색이나 황색을 말한다.

해설
②③ 플라보노이드 색소, ④ 카로티노이드 색소

04 다음 중 소고기 부위별 조리방법이 옳지 않은 것은?

① 안심 : 스테이크, 구이, 전골 등
② 양지 : 구이, 스테이크, 샤브샤브 등
③ 우둔 : 산적, 장조림, 육포, 불고기 등
④ 사태 : 국거리, 장조림, 탕, 찜 등

해설
양지는 조림, 편육, 국거리, 스튜 등에 적합하다.

05 가열에 의한 육류변화에 관한 설명 중 옳지 않은 것은?

① 콜라겐을 계속 가열하면 젤라틴화 되어 더 질겨진다.
② 단백질의 아미노산으로 인해 구수하고 풍미를 보인다.
③ 연해지고 소화되기 쉬워진다.
④ 미오글로빈색(myoglobin : 적자색)에서 헤미크롬(hemichrome : 회갈색)으로 변한다.

해설
콜라겐을 계속 가열하면 젤라틴화 되어 연해지고 소화가 더 용이해진다.

06 다음 중 우유의 조리에 관한 설명 중 옳지 않은 것을 고르시오.

① 우유의 단백질은 20%가 카제인(casein)이고, 80%가 유청 단백질이다.
② 비린내를 흡착하여 생선 비린내 제거에 쓰이기도 한다.
③ 과자류나 빵류에 첨가 시 메일라드 반응에 의한 갈색화가 일어난다.
④ 토마토 크림스프를 만들 때 우유와 토마토를 같이 넣으면 산에 의해 카제인이 응고되어 덩어리가 생긴다.

해설
① 우유의 단백질은 80%가 카제인이고 20%가 유청단백질이다.
④ 토마토를 먼저 끓이고 나중에 우유를 넣으면 응고되어 덩어리지는 것을 방지할 수 있다.

07 중식요리에 사용되는 조미료로 콩으로 만든 된장에 고추나 향신료를 넣은 것으로 사천요리에 뺄 수 없는 조미료이며, 대표적으로 마파두부에 사용되는 것은?

① 굴소스 ② 춘장
③ 두반장 ④ 노두유

해설
① 굴소스 : 굴을 으깨 끓여 조려 농축시킨 것
② 춘장 : 된장류에 속하고 북경요리에 많이 사용되며 짜장면에 이용
④ 노두유 : 관동일대에서 많이 쓰는 색이 진한 간장. 노추라고도 함

08 다음 냉동법 중 급속동결의 특징이 아닌 것은?

① 식품조직의 변화가 적게 일어난다.
② 단백질 변성과 드립(drip) 발생이 많다.
③ -40℃ 이하의 온도에서 냉동한다.
④ 얼음 결정의 수가 많고 크기는 작다.

해설
드립(Drip) 이란 식품을 천천히 동결시켰을 경우, 세포벽이 파괴되어 수분이 흘러나오고 해동할 때 육즙성분이 많이 흘러나오는 현상을 말한다.

09 다음 중 유지의 이화학적 성질에 대한 설명이 옳게 된 것은?

① 유지를 고온으로 가열시킬 때 표면에 푸른 연기가 발생할 때의 온도를 발연점이라 한다.
② 튀김기름에는 발연점이 낮은 기름이 좋다.
③ 동물성 기름은 불포화지방상을 많이 함유하고 있어 실온에서는 액체상태이다.
④ 유지의 점도는 가열시간이 적을수록 온도가 낮을수록 증가한다.

해설
② 튀김기름은 발연점이 높을수록 좋다.
③ 동물성 기름은 포화지방산을 많이 함유하고 있어 실온에서는 고체상태이다.
④ 유지의 점도는 가열시간이 길수록, 가열온도가 높을수록 증가한다.

10 다음 중 특유의 향을 가지고 있으며 음식 조리에 넣기도 하고 음식이 완성된 후에 고명으로 얹어 먹기도 하는 향신료는?

① 진피 ② 고수
③ 계피 ④ 팔각

해설
① 진피 : 귤과 과일껍질을 말린 것
③ 계피 : 계수나무의 껍질. 향이 강하고 청량하며 단맛과 매운맛을 냄
④ 팔각 : 여덟 개의 씨방으로 이루어져 있으며 음식의 향미를 증진시키고 고기의 잡냄새를 제거

정답

1	2	3	4	5
④	③	①	②	①
6	7	8	9	10
①	③	②	①	②

PART 6

중식 조리

Chapter 1 중식 개요

1. 중국요리의 특징

① 재료의 다양성
② 기름의 사용
③ 숙식주의 식습관
④ 세련되고 다양한 조미료와 향신료 사용
⑤ 용이하고 간단한 조리기구의 사용
⑥ 풍요롭고 화려한 외양
⑦ 음식과 보신
⑧ 화력조절과 적절한 타이밍이 요구되는 감각요리

2. 중국 4대 지역음식

구 분	특 징
북경요리 (산동요리)	- 육류를 중심으로 짧은 시간에 조리하는 튀김요리, 볶음요리가 발달 - 맛은 중후한 편, 면류, 만두류 등 밀가루 음식이 발달 - 대표적 요리 : 카오야(오리통구이), 딘타이펑(만두), 튀김요리
광동요리	- 중국 남방계 대표 음식 - 타 지역의 요리에 비해 담백한 양념을 넣어 부드럽고 느끼하지 않음 - 대표적 요리 : 구운 돼지고기(차사오), 광동식탕수육(꿔바로우), 상어지느러미찜(샥스핀), 딤섬 등
상해요리 (강소요리)	- 양쯔강 하류지방에서 발달한 요리. 해산물요리가 발달 - 농산물이 풍부하여 해산물의 집산지로 다양한 요리가 발달 - 장유나 설탕으로 달콤하게 맛을 내는 찜이나 조림요리가 발달 - 대표적 요리 : 삶은 돼지고기인 동파육, 바닷게요리, 꽃빵, 만두 등
사천요리	- 양쯔강 상류지역에서 발달한 요리로 기름지지 않고 매운맛이 특징 - 내륙지방이므로 식품저장법이 잘 연구되어 소금절임 등의 보존식품 발달 - 대표적 요리 : 마파두부, 짜사이, 양고기, 새우칠리소스, 궁보계정 등

PART 6-1 요리달인의 적중 예상문제

01 다음 중 중국요리의 특징에 해당되지 않는 것은?

① 재료의 다양성
② 세련되고 다양한 조미료와 향신료 사용
③ 조리기구가 다양하고 복잡
④ 풍요롭고 화려한 외양

해설
용이하고 간단한 조리기구를 사용한다.

02 중국 4대 지역 음식 중 하나로 타 지역의 요리에 비해 담백한 양념이 특징이며, 부드럽고 느끼하지 않은 음식은?

① 광동요리 ② 북경요리
③ 사천요리 ④ 상해요리

해설
② 북경요리 : 짧은 시간에 조리하는 튀김요리, 볶음요리가 발달
③ 사천요리 : 기름지지 않고 매운맛이 특징
④ 상해요리 : 달콤하게 맛을 내는 찜이나 조림요리가 발달

03 다음 중 내륙지방의 사천요리가 아닌 것은?

① 동파육 ② 마파두부
③ 짜사이 ④ 궁보계정

해설
동파육 : 상해의 대표적 요리로 장유로 조려낸 삶은 돼지고기 요리이다.

04 북경요리(산동요리) 특징에 해당되지 않는 것은?

① 튀김요리, 볶음요리가 발달
② 맛은 중후한 편
③ 대표적요리는 꿔바로우이다.
④ 비교적 짧은 시간에 조리하는 요리가 많다.

해설
꿔바로우는 광동요리에 해당한다.

정답

1	2	3	4
③	①	①	③

Chapter 2 절임, 무침 조리

1. 절임, 무침 준비하기

(1) 절임

채소류, 과일류, 향신료, 수산물 등을 주원료로 하여 식염, 식초, 당류 또는 장류에 절인 후 그대로 가공하거나 다른 식품을 첨가해 가공한 초절임, 염절임, 당절임류 등을 말함

(2) 절임, 무침에 많이 사용되는 채소

구 분	종류 및 특징
자차이	- 장아찌 종류로 무처럼 생긴 뿌리를 가늘게 썰어 소금과 양념에 절여 만듦 - 가늘게 채 썬 후 양파, 대파, 오이를 곁들이고 설탕, 식초, 고추기름, 참기름으로 버무리기 - 짭짤한 맛이 특징이며 식감이 좋음
향차이	- 중국, 인도, 베트남 등 동남아시아의 여러 나라에서 향채로 사용되고 있음 - 줄기와 잎에서 독특한 향이 나는데 사람에 따라 악취로 느껴질 수 있음 - 과자, 쿠키, 빵 등의 향신료로도 이용
무	- 껍질 부분에 비타민 C가 다량 함유 - 단무지나 피클 등 다양하게 이용
청경채	- 십자화과 채소로 고기요리에 많이 곁들여짐 - 생선이나 채소를 삶아내기 위한 매개체로 사용 - 절임과 무침에 주로 데쳐서 사용 - 생으로는 식초, 간장, 고춧가루 등을 넣고 무침
양파	- 양파는 여러 가지 요리에 향신료와 조미료로 이용 - 양파는 항균효과, 콜레스테롤 감소, 동맥경화 예방에 도움을 줌 - 다지거나 썰어 양념으로 조리해 이용하거나 생식으로도 이용
고추	- 캡사이신 함유 - 혈액순환을 도와주며 생식, 조림, 절임, 장아찌 등으로 이용
배추	- 김치를 만드는데 필수재료 - 중식에서는 배추를 절여 백김치를 만들어 사용
양배추	- 주로 피클, 김치, 생식, 쌈, 샐러드 등으로 사용 - 중식에서는 주로 소금에 절여 피클로 사용
당근	- 카로틴 함유량이 높음 - 생식으로 섭취하는 것보다 기름에 조리하면 카로틴 흡수율이 더 높아짐
마늘	- 항균, 면역력 증강, 고지혈증 예방에 도움을 줌 - 중식에서는 다지거나 저며서 각종요리의 양념으로 이용
땅콩	- 지방과 단백질을 많이 함유하고 있음 - 중식에서는 땅콩을 물에 불려 소금을 넣고 삶아 반찬으로 곁들여 사용하거나 소금을 넣고 볶아서 사용 - 튀김, 볶음요리에도 함께 곁들여 사용하기도 함

2. 절임류 만들기

(1) 절임 재료

구 분	종류 및 특징
천일염	염전에서 바닷물을 자연 증발시켜 제조하여 만든 소금
정제염	천일염에서 염화나트륨 성분을 추출해 건조기에 말린 소금
식초	3~5%의 초산과 유기산, 아미노산, 당, 알코올, 에스테르 등 함유된 산성식품
설탕	사탕수수 또는 사탕무를 재료로 하여 만든 감미료

(2) 절임음식

① 김치절임 : 소금에 절인 채소에 소금물을 붓거나 소금을 뿌려 절여 담그는 음식
② 피클 : 오이, 양파, 무, 양배추, 당근, 올리브 등 다양하게 이용
③ 장아찌 : 소금에 절인 뒤 식초, 설탕, 향신료를 섞은 액체에 담가 절인 음식

3. 전채요리 완성

(1) 무침 개요

① 채소나 말린 생선, 해초 따위에 갖은 양념을 해서 국물 없이 무치거나 볶아서 식초, 설탕 등의 양념을 넣고 버무리는 음식
② 신선한 나물류나 말린 해산물을 많이 사용
③ 양념으로는 고추기름, 파기름, 향신료, 소금, 후추, 식초, 마늘, 설탕을 많이 사용

(2) 무치기

① 채소로는 오이, 당근, 콜리플라워, 양배추 등을 다양하게 사용
② 채소는 소금으로 숨을 죽여서 사용
③ 자차이는 오이, 양파, 대파를 함께 사용
④ 다양한 봄 채소, 해산물, 육류 등을 무침의 재료로 사용

4. 절임 보관

(1) 저장, 보관원리

기호적 가치, 위생적 가치, 양적 가치 등을 포함한 식품의 품질을 변하지 않게 보전하는 것

(2) 식품 변질을 방지하는 원리

수분활성조절	탈수, 건조, 농축, 염장, 당장법
온도조절	냉장, 냉동 보존법
pH조절	산저장 법
가열살균	통조림, 병조림, 레토르트 식품
광선조사	자외선조사, 방사선조사
산소 제거	가스치환(CA 저장), 진공포장, 탈 산소제 사용

요리달인의 적중 예상문제

01 절임 채소 중 장아찌 종류로 무처럼 생긴 뿌리를 소금에 양념에 절여 만드는 채소는?

① 향차이 ② 청경채
③ 자차이 ④ 마늘

해설
① 향차이 : 지중해 연안이 원산지, 파슬리과의 일년초, 동남아시아의 여러 나라에서 향채로 사용되는 채소
② 청경채 : 십자화과 채소로 고기요리에 많이 곁들여짐, 절임과 무침에 주로 데쳐서 사용
④ 마늘 : 다지거나 저며 각종 요리의 양념으로 사용

02 다음 중 절임, 무침에 주로 사용되는 채소가 아닌 것은?

① 두부 ② 무
③ 양파 ④ 자차이

해설
두부는 주로 지짐, 튀김, 조림에 주로 사용되는 콩단백질 식품이다.

03 다음 중 절임 음식에 해당되지 않는 것은?

① 대하무침 ② 장아찌
③ 피클 ④ 김치절임

해설
대하무침 : 대하를 쪄서 먹기 좋은 크기로 자른 후 각종 양념으로 버무려 무친 음식

04 다음 중 식품 변질을 방지하는 원리가 아닌 것은 ?

① 수분활성조절 ② 산저장
③ 상온 밀봉 ④ 가열살균

해설
식품 변질 방지에는 수분활성조절, 온도조절, pH, 가열살균, 광선조사, 산소 제거법이 있다.

05 절임 재료 중에서 염전에서 바닷물을 자연증발시켜 제조하여 만든 소금은?

① 천일염 ② 정제염
③ 함초소금 ④ 설탕

해설
② 정제염 : 천일염에서 염화나트륨 성분을 추출하여 건조기에 말린 소금
③ 함초소금 : 해조류 함초를 가미해 만든 소금

정답

1	2	3	4	5
③	①	①	③	①

Chapter 3 육수, 소스 조리

1. 육수, 소스 준비하기

(1) 육수

① 육류나 가금류, 뼈, 채소, 건어물, 향신채 등을 넣고 충분히 끓여 우려낸 국물
② 소스를 만들 때나 음식 맛을 결정하는 중요한 재료

(2) 소스

① 음식의 맛과 색을 더 좋게 하기 위해 끼얹거나 곁들여지는 액체 상태의 조미료
② 육수에 여러 가지 향신료를 넣고 농도를 조절해서 만듦
③ 소스 농도를 내는 재료는 주로 옥수수, 감자, 고구마 전분 등을 사용

(3) 육수 재료

구 분	특 징
소뼈	소와 송아지뼈에 연골, 콜라겐 등이 조리과정에서 용출되어 이 중 콜라겐은 젤라틴으로 변하게 되며, 육수는 단백질과 각종 무기질이 풍부
닭뼈	가격이 저렴하며 중국요리에서 가장 많이 이용되는 육수
돼지뼈	다른 뼈에 비해 특유의 냄새가 강하므로 강한 향신료나 향신채를 사용하여 우려냄
갑각류	갑각류(게, 랍스타, 가재) 등을 이용하여 육수를 우려냄

(4) 가공소스 종류

구 분	특 징
두시(豆豉)	중국의 강서, 강동, 호남등지에서 많이 생산되는 것으로 검정콩을 발효시켜 말린 중국식 된장
해선장	북경요리에 사용되는 싱거운 된장으로 다른 조미료와 섞어 사용하거나 그대로 사용
두반장	- 누에콩으로 만든 된장에 고추나 향신료를 넣은 것으로 매운맛과 향기가 남 - 사천요리의 대표적인 마파두부에 사용되는 소스
노추(노두유)	- 관동일대에서 쓰는 색깔이 진한 간장 - 약간 달고 짠맛이 덜함
첨면장	- 소량의 콩에 밀가루와 소금을 이용해 발효시켜 만든 된장류 - 볶아서 찍어먹는 장이나 북경의 오리요리에 사용
검은콩소스	- 검은콩으로 만든 식초 - 독특한 향기와 맛

생선소스	- 멸치나 작은 갈치 등을 소금에 절여 장시간 발효시켜 추출한 조미액 - 절임이나 볶음, 조림, 고기나 닭을 구울 때 많이 사용
지마장	- 흰깨를 빻아서 기름에 탄 것 - 무침요리에 이용
매실소스	- 매실로 만든 소스 - 다른 소스들과 섞어서 사용 - 달콤한 맛을 내는 탕수육 등에도 넣어주기도 함
차소장	- 중국의 전통 간장이라 할 수 있는 바비큐소스 - 두부나 생선요리, 닭고기나 오리고기 등에 사용 - 달콤한 맛을 냄
XO소스	- 중국식 햄과 마른 패주, 마른 새우들을 갈아서 다진파, 다진마늘, 굴소스, 소금, 향신료 등을 넣고 만든 매운맛의 소스 - 고기, 두부, 해산물요리에 사용되는 소스

2. 육수, 소스 만들기

(1) 육수 만들기

① 물과 재료를 넣고 끓이기
② 센 불에서 끓이다 끓기 시작하면 약불에서 끓이기
③ 불순물, 거품 제거하기
④ 육수 걸러내기
⑤ 냉각시키기
⑥ 냉장보관(3~4일), 냉동보관은 6개월까지 장기보관 가능

(2) 소스 만들기

구 분	재 료
마늘소스	마늘, 식초, 설탕, 소금, 육수
겨자소스	발효겨자, 식초, 설탕, 소금, 육수, 참기름
깐풍소스	간장, 설탕, 식초, 육수
탕수소스	소금, 설탕, 식초, 육수, 물전분.
칠리소스	고추기름, 소금, 식초, 설탕, 두반장, 토마토케첩, 육수
자장소스	볶은 춘장, 설탕, 청주, 간장, 물녹말, 육수
어향소스	고추기름, 간장, 굴소스, 두반장, 설탕, 식초, 후추, 물녹말, 육수

(3) 소스 완성

① 주재료의 맛을 해치지 않도록 만들어야 함
② 주재료와 담는 그릇, 소스의 색이 조화를 이루어야 함
③ 소스의 농도, 색, 윤기 등 모든 요소가 조화를 이루어야 함
④ 식욕을 돋우는 색과 향이 나도록 하는 것이 좋음

PART 6-3

요리달인의 적중 예상문제

01 가공소스 종류 중 누에콩으로 만든 된장에 고추나 향신료를 넣은 것으로 매운맛과 향기가 나며, 마파두부에 사용되는 소스는?

① 해선장 ② 노추(노두유)
③ 지마장 ④ 두반장

해설
① 해선장 : 북경요리에 사용되는 싱거운 된장으로 다른 조미료와 섞어 사용하거나 그대로 사용.
② 노추(노두유) : 관동일대에서 쓰는 색깔이 진한 간장. 약간 달고 짠맛이 덜함
③ 지마장 : 흰깨를 빻아서 기름에 탄 것. 무침요리에 이용

02 다음 중 깐풍소스를 만들 때 사용되지 않는 재료는?

① 물전분 ② 간장
③ 설탕 ④ 식초

해설
깐풍소스에 물전분은 사용되지 않는다.

03 다음 중 중식요리 소스 조리 시 유의사항에 해당되지 않는 것은?

① 주재료의 맛을 해치지 않도록 해야 한다.
② 중식의 모든 소스에는 물전분이 꼭 첨가되어야 한다.
③ 주재료와 담는 그릇, 소스의 색이 조화를 이루어야 한다
④ 소스의 농도, 색, 윤기 등 모든 요소가 잘 어우러져야 한다.

해설
중식요리에 들어가는 소스 중 물전분이 들어가지 않는 요리도 있다

04 다음 중 중식 소스의 농도를 내는 재료에 해당되지 않는 것은?

① 찹쌀가루 ② 고구마전분
③ 감자전분 ④ 옥수수전분

해설
중식요리 소스 농도를 낼 때는 찹쌀가루를 사용하지 않는다.

05 다음 중 중식 조리에 육수 주재료로 사용되지 않는 것은?

① 닭뼈 ② 갑각류
③ 소뼈 ④ 월계수잎

해설
월계수잎은 고기뼈나 생선의 잡내와 비린내를 잡아주는 부재료로 사용된다.

정답

1	2	3	4	5
④	①	②	①	④

Chapter 4 튀김 조리

1. 튀김 준비

(1) 튀김기름

① 발연점이 높은 식물성 유지가 적당
② 발연점이 낮은 버터, 마가린 등은 튀김에 적합하지 않음

(2) 식용유지의 종류

구 분	특 징
콩기름	콩으로부터 채취한 원유를 식용에 적합하도록 처리한 것
옥수수유	옥수수의 배아로부터 채취한 원유를 식용에 적합하도록 처리한 것
채종유	유채로부터 채취한 원유를 식용에 적합하도록 처리한 것
미강유	미강으로부터 채취한 원유를 식용에 적합하도록 처리한 것
해바라기유	해바라기씨로부터 채취한 원유를 식용에 적합하도록 처리한 것
참기름	참깨를 압착하여 얻은 참기름, 이산화탄소로 추출한 초임계 추출 참기름, 참깨로부터 추출한 원유를 정제한 추출 참깨유가 있음
들기름	들깨를 압착하여 얻은 들기름, 이산화탄소로 추출한 초임계 추출 들기름, 들깨로부터 추출한 원유를 정제한 추출 들깨유가 있음
면실류	목화씨로부터 채취한 원유를 식용에 적합하도록 처리한 것
올리브유	- 올리브과육을 물리적, 기계적 방법으로 압착 및 여과한 것 - 압착올리브유, 정제올리브유, 혼합올리브유가 있음
야자유	야자과육으로부터 채취한 원유를 식용에 적합하도록 처리한 것
낙화생유	땅콩으로부터 채취한 원유를 식용에 적합하도록 처리한 것
혼합식용유	2종 이상의 식용유지를 혼합한 것

(3) 가공유지의 종류

식용유지에 수소첨가, 분별 에스테르 교환에 의해 유지의 물리적, 화학적 성질을 변화시켜 식용에 적합하도록 정제한 것

구 분	특 징
쇼트닝	- 식용유지에 식품첨가물을 가해 가소성, 유화성 등 가공성을 부여한 반고체상태 유지 - 라드의 대용품
마가린	- 식용유지에 식품첨가물 등을 혼합 유화시켜 만든 반고체 상태 유지 - 버터의 대용품

(4) 튀김옷 재료

구 분	특 징
전분	- 튀길 때 사용되는 전분은 주로 옥수수, 감자, 고구마 전분 - 한 종류의 전분을 사용하기도 하며 두 종류의 전분을 혼합사용하기도 함 - 소스의 농도를 맞출 때 사용되는 전분은 주로 감자전분을 사용
밀가루	튀김용 밀가루는 주로 글루텐 함량이 적은 박력분을 사용
달걀	튀김옷의 맛을 증가시켜주며 경도도 상승시켜줌
식소다	- 튀김옷에 소량의 식소다를 첨가하면 탄산가스를 방출시켜 수분을 증발시켜 튀김옷이 바삭해짐 - 소량은 괜찮으나 많은 양을 사용 시 쓴맛을 유발할 수 있음
설탕	튀김옷에 소량을 첨가하면 글루텐 형성이 저해되므로 부드럽고 바삭해짐
물	찬물이나 얼음물이 글루텐 향성을 저해시켜주므로 바삭하게 튀기는데 도움을 줌

2. 튀김 조리 및 완성

(1) 튀김 조리법의 종류

구 분	특 징
작(炸)	- 전처리 과정을 거친 재료를 기름을 넉넉히 두른 팬에 넣고 장시간과 짧은 시간에 걸쳐서 기름온도를 고저로 조절하여 튀기는 방법 - 요리 재료 안에 적당한 수분과 신선한 맛을 유지 - 겉면은 바삭하면서 향을 돋게 하며 속은 부드러움 - 한 번의 동작으로 완성하는 조리법
팽(烹)	- 센 불에서 재료를 빨리 볶는 조리법 - 전처리 과정을 거친 재료에 다시 간을 하고, 바로 튀김옷을 입혀 튀긴 후 다른 팬을 사용하여 센 불에서 소소와 튀긴 재료를 넣어 빠른 속도로 볶아내는 법
류(瑠)	전처리 과정을 완료한 재료를 센 불에서 볶다가 기름에 살짝 익힌 재료를 넣고 혼합하여 짧은 시간에 배합해 걸쭉한 소스를 만드는 조리법
초(炒)	- 전처리 과정을 거쳐 작은 형태로 썰은 재료를 센 불에 소량의 기름을 넣어 순간적으로 가열함(짧은 시간에 조리) - 동시에 재료와 조미료를 넣고 충분히 볶으면서 기름과 조미료, 재료가 하나가 되도록 완성하는 조리법
폭(爆)	- 조리법 중에 강한 화력으로 최단시간 내에 조리하는 법 - 기름과 물을 뜨겁게 끓여 작은 크기로 썬 재료를 순간 가열한 후, 다시 달궈진 팬에 뜨거운 기름을 넣고 조미료와 함께 볶는 조리법
전(煎)	- 재료가 잠기지 않도록 팬에 기름을 넣고 천천히 익히는 조리법 - 중불과 약불을 사용하여 비교적 긴 조리시간이 필요 - 재료를 평평하게 썰어 튀김가루나 녹말을 묻혀 넓적하게 달군 팬에 넣고 소량의 기름을 넣어 황금색이 나도록 노릇하게 지지는 법

첩(貼)	- 두 가지 이상의 평평한 재료를 같이 쌓아 올리고 여기에 녹말이나 밀가루 풀과 같이 붙는 재료를 입힘 - 팬에 먼저 담고 약간의 기름을 넣어 중불, 약불로 가열하여 재료의 밑바닥이 노릇하게 황금색이 나게 만드는 조리법
탑(塌)	처리 과정을 거친 재료를 펴서 녹말을 묻힌 후 팬에 넣고 약간의 기름과 부재료를 넣고 중불, 약불로 조절하여 표면을 노릇하게 지지며 간이 스며들게 하는 조리법

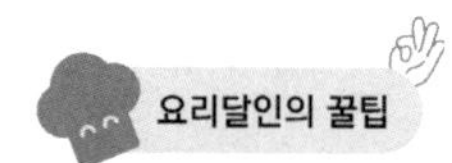

◈ 튀김 시 유의사항

- 튀김 재료의 수분을 제거한 후 튀기기
- 기름온도를 체크한 후 튀기기
- 바삭하게 튀기기 위해서 같은 온도에서 2번 튀기기(재료에 남아있는 수분 제거)
- 발연점이 높은 온도의 기름 사용하기(콩기름, 옥수수유 등)
- 깨끗한 기름을 사용하기
- 튀긴 후에는 바로 먹을 수 있도록 하기(오래 방치 시 튀김 재료가 눅눅해짐)
- 튀길 때 너무 많은 재료를 한 번에 넣지 않도록 하기(너무 많은 재료가 들어가면 튀김온도가 떨어져 재료에 기름이 흡수되어 좋지 않음)

PART 6-4

요리달인의 적중 예상문제

01 튀김 옷 재료로도 사용되며 소스의 농도를 맞출 때 사용되는 것은?

① 식소다 ② 달걀
③ 설탕 ④ 전분

해설
① 식소다 : 탄산가스를 방출시켜 수분을 증발시켜 튀김옷이 바삭해짐
② 달걀 : 튀김옷의 맛을 증가시켜주며 경도도 상승시켜줌
③ 설탕 : 튀김옷에 소량을 첨가하면 글루텐 형성이 저해돼서 부드럽고 바삭해짐

02 다음이 설명하는 조리법으로 알맞은 것은?

- 재료가 잠기지 않도록 팬에 기름을 넣고 천천히 익히는 조리법 - 중불과 약불을 사용하여 비교적 긴 조리시간이 필요 - 재료를 평평하게 썰어 튀김가루나 녹말을 묻혀 넓적하게 달군 팬에 넣고 소량의 기름을 넣어 황금색이 나도록 노릇하게 지지는 법

① 전(煎) ② 폭(爆)
③ 류(瑠) ④ 팽(烹)

해설
② 폭(爆) : 조리법 중에 강한 화력으로 최단시간 내에 조리하는 법
- 기름과 물을 뜨겁게 끓이거나 데쳐서 작은 크기로 썬 재료를 순간 가열한 후 다시 달궈진 팬에 뜨거운 기름을 넣고 조미료와 함께 볶는 방법
③ 류(瑠) : 전처리 과정을 완료한 재료를 센 불에서 볶다가 기름에 살짝 익힌 재료를 넣고 혼합하여 짧은 시간에 배합해 걸쭉한 소스를 만드는 조리법
④ 팽(烹) : 센 불에서 재료를 빨리 볶는 조리법
- 전처리 과정을 거친 재료에 다시 간을 하고 바로 튀김옷을 입혀 튀긴 후 다른 팬을 사용하여 센 불에서 소스와 튀긴재료를 넣어 빠른 속도로 볶아내는 법

03 다음 중 발연점이 낮아서 튀김에 적합하지 않은 기름은?

① 콩기름 ② 버터
③ 카놀라유 ④ 옥수수유

해설
발연점이 낮은 버터나 마가린은 튀김에 적합하지 않다.

04 다음 중 튀김 조리법에 해당되지 않는 것은?

① 작(炸) ② 쓸(絲)
③ 팽(烹) ④ 초(炒)

해설
쓸(絲) : 중식의 채 썰기 방법이다

05 튀김 조리 시 유의사항에 해당되지 않는 것은?

① 기름온도를 체크한 후 튀긴다.
② 튀길 때는 먹을 만큼 많은 재료를 한 번에 넣어 튀긴다.
③ 튀김재료의 수분은 반드시 제거한 후 튀긴다.
④ 발연점이 높은 기름을 사용한다.

해설
튀길 때 너무 많은 재료가 한 번에 들어가면 튀김온도가 떨어져 재료에 기름이 많이 흡수되어 좋지 않다

정답

1	2	3	4	5
④	①	②	②	②

Chapter 5 조림 조리

1. 조림 준비하기

(1) 조림

정선된 식재료(육류, 생선류, 가금류, 두부, 채소류)를 팬에 담아 양념을 하면서 국물이 거의 없을 때까지 자박하게 끓여내는 것

① 홍소(紅燒)=홍샤오 : 생선류, 육류, 가금류, 갑각류, 해삼류를 뜨거운 기름이나 끓는 물에 데친 후 부재료와 함께 볶아 간장에 조림

② 민(燜)=먼 : '뜸을 들이다'는 의미로 뚜껑을 덮고 약한 불에 익히는 것

(2) 조림의 종류

구 분	요 리
육류	사자완자, 동파육, 홍소육, 오향장육
해산물	홍소우럭, 건전복 조림
두부	홍소두부, 홍소양두부(동강두부)
채소	오향땅콩조림

2. 조림 조리 및 완성

(1) 조림 만드는 과정

① 식재료 손질

② 재료를 알맞은 크기로 썰어 데치거나 기름에 튀겨 익히기

③ 재료를 넣고 양념과 향신료를 넣고 조리기

④ 거의 조려지면 물전분으로 농도를 조절한 후 담아내기

(2) 완성하기

① 주재료와 부재료가 적절히 조화를 이루도록 담아내기

② 완성된 재료를 따뜻한 상태로 제공하기

③ 조림 국물이 너무 많지 않도록 담아내기

④ 파채나 고수, 고추 등의 재료를 이용하여 고명으로 담아내기도 함

⑤ 조려진 주재료가 부스러지지 않도록 담아내기

요리달인의 적중 예상문제

01 생선류나 육류를 뜨거운 기름이나 기름이나 끓는 물에 데친 후 부재료와 볶아 간장에 조리는 조리방법은?

① 민(燜) ② 향차이
③ 홍소(紅燒) ④ 류(溜)

해설
① 민(燜) : 뚜껑을 덮고 약한 불에 익히는 방법
② 향차이 : 고수(채소)
④ 류(溜) : 재료를 튀기거나 데친 후 소스를 끼얹거나 혼합하는 방법c

02 다음 중 중식 조리의 조림 방법에 해당되지 않는 것은?

① 동파육
② 홍소양두부(동강두부)
③ 사자완자
④ 깐풍기

해설
◈ 조림의 종류
- 육류 : 사자완자, 동파육, 홍소육, 오향장육
- 해산물 : 홍소우럭, 건전복조림
- 두부 : 홍소두부, 홍소양두부(동강두부)
- 채소 : 오향땅콩조림

03 '뜸을 들이다'는 의미로 뚜껑을 덮고 약한 불에 익히는 방법은?

① 초(炒) ② 류(溜)
③ 민(燜) ④ 작(炸)

해설
① 초(炒) : 전분을 사용하지 않는 볶음류
② 류(溜) : 재료를 튀기거나 데친 후 소스를 끼얹거나 혼합하는 방법
④ 작(炸) : 넉넉한 기름을 넣고 재료를 튀기는 방법으로 겉표면은 바삭하고 속은 촉촉함

04 다음 중 조림을 완성할 때 주의할 사항이 아닌 것은?

① 국물은 건더기 재료의 1/2이 되도록 담아내기
② 완성된 재료가 따뜻한 상태로 담아내기
③ 조려진 주재료가 부스러지지 않도록 담아내기
④ 주재료와 부재료가 적절히 조화를 이루도록 담아내기

해설
조림국물은 너무 많지 않도록 담아낸다.

정답

1	2	3	4
③	④	③	①

Chapter 6 밥 조리

1. 밥 준비

쌀의 종류, 수분량, 메뉴에 따라 물의 양을 다르게 계량

2. 밥 짓기

① 쌀과 물을 계량 후 센 불에서 끓이기
② 끓기 시작하면 중약불로 줄이기
③ 다 익으면 뜸들이기

3. 요리별 조리하여 완성

구 분	조리 방법
새우볶음밥	- 채소 썰기 → 새우살 데치기 → 스크램블 만들기 - 팬에 기름 두른 후 채소와 새우를 넣고 볶다 밥을 넣고 함께 볶아 간하기
마파두부덮밥	- 향채 썰기→ 고추기름 만들기 → 두부 썰어 데치기 - 팬에 고추기름 두른 후 향채 넣고 볶다 양념을 넣고 볶기 - 육수 넣고 끓이다가 두부 넣고 물전분으로 농도 맞추기
잡채밥	- 향채 썰기 → 당면 불리기 → 고기 채 썰기(익히기) - 팬에 기름 두른 후 향채 넣고 볶다가 양념 넣고 채소와 당면을 넣고 익히기 - 고기 넣고 섞어주기
게살볶음밥	- 향채 썰기 → 스크램블 만들기 - 팬에 기름 두른 후 향채를 볶다가 밥과 게살을 넣고 스크램블을 넣고 소금, 후추간하여 볶기
잡탕밥	- 향채와 채소 썰기 → 해산물 데치기 - 팬에 기름 두른 후 향채를 넣고 볶다가 채소, 해산물, 육수 넣고 끓이다가 물전분을 넣고 농도 맞추기

요리달인의 적중 예상문제

01 밥 종류 중 해산물과 채소를 넣고 물전분을 넣고 걸쭉하게 만든 밥은?

① 잡탕밥
② 새우볶음밥
③ 잡채밥
④ 마파두부덮밥

해설

② 새우볶음밥 : 새우와 채소가 주재료인 볶음밥
③ 잡채밥 : 당면과 채소, 고기로 만들어진 소스로 덮여진 밥
④ 마파두부덮밥 : 마파두부 소스로 덮여진 밥

02 다음 밥짓기 과정 중 올바르지 않은 것은?

① 밥과 물의 비율은 쌀의 종류에 따라 메뉴에 따라 다를 수 있다.
② 밥이 거의 다 지어지면 뜸을 들여주는 것이 좋다.
③ 처음 밥을 짓기 시작할 때는 약불에서 지어야 타지 않는다.
④ 밥을 지을 때는 센 불에서 끓이다 끓기 시작하면 중약불로 줄여준다.

해설

◈ 밥짓기
① 쌀과 물을 계량 후 센 불에서 끓이기
② 끓기 시작하면 중약불로 줄이기
③ 다 익으면 뜸들이기

정답

1	2
①	③

Chapter 7 면 조리

1. 면 준비

(1) 면의 정의

① 곡분 또는 전분류를 주원료로 하여 성형, 열처리, 건조 등을 해서 만든 것
② 국수류는 주원료에 물과 기타 재료를 넣은 반죽으로 면대를 형성, 자르거나 압출하여 만든 것
③ 면의 주원료는 밀가루, 전분(감자, 고구마, 옥수수), 녹두가루, 쌀가루 등

(2) 면의 종류

구 분	특 징
밀가루국수	- 밀가루 등의 곡분을 주원료로 제조 - 수분함량과 익힘 공정에 따라 분류
전분국수	- 대표적인 면이 당면 - 전분함량이 80% 이상인 면 - 주로 녹두, 옥수수, 고구마, 감자전분 등이 이용
파스타	- 듀럼 밀 세몰리나, 듀럼가루를 주원료로 하여 파스타 성형기로 제조 - 생면과 건면으로 나뉨
냉면	- 메밀, 곡분 또는 전분을 주원료로 압출, 압연 방법으로 성형해서 제조
쌀국수	- 쌀을 주원료로 만들어짐 - 주로 동남아시아에서 많이 이용
유탕면	- 면발을 익힌 후 유탕처리한 것 - 대표적인 면은 라면

(3) 면의 분류

① 압출면 : 파스타, 냉면, 당면(압출시켜 익혀낸 면)
② 일반면 : 중국식 면, 한국식 면(면대를 형성해서 자른 면)

(4) 면 재료

구 분	특 징
주재료	- 가장 많이 사용되는 기본 원료는 밀가루 - 전분도 사용되는 데 주로 고구마, 감자, 옥수수전분 등이 이용됨
소금	- 밀가루 기준 사용되는 양은 2~6% - 반죽의 점탄성을 증가시키고, 맛과 풍미 향상 - 보존성을 향상 - 삶는 시간을 단축
물	- 반죽 시 첨가해야 되는 양은 원료분 100에 대해 물 35% 이상을 사용 - 면을 삶은 후 헹궈 세척

2. 반죽하여 면 뽑기

(1) 생면

① 면대 : 반죽을 얇게 밀어 편 것
② 면발 : 면대를 썰어서 만든 가닥가닥의 면이며, 절출기 또는 칼날을 이용해 만듦

(2) 면의 분류

구 분	특 징
세면	- 면발 중에서 가장 가는 면 - 면발이 가늘어 국수 중 양념이 빨리 베임
소면	- 세면보다 조금 굵은 면발 - 일반 국수 종류(잔치, 비빔국수 등)에 이용 - 우리나라에서 가장 많이 이용되는 면
중면	- 소면보다 조금 굵은 면발 - 메밀국수 종류나 비빔국수에도 이용
중화면	- 중면 정도의 굵기이거나 좀 더 굵은 면발 - 자장면 ,짬뽕, 울면 등에 이용
칼국수면	- 중화면보다 조금 굵거나 비슷한 굵기의 면발 - 종류에 따라 면발의 형태가 달라지기도 함
우동면	- 면 중에서 가장 굵은 면발 - 메뉴에 따라서 굵기의 차이가 있음

3. 면 삶아 담기

① 면 삶을 물 끓이기
② 면 넣어 끓이기
- 면의 종류에 따라 끓이는 시간이 달라짐
③ 찬물에 헹구기
④ 따뜻하게 담아내거나 차게 해서 담아내기

4. 요리별 조리완성

구 분	특 징
유니짜장	- 향신채 다지기 → 채소 썰기 → 춘장 볶기 → 면 삶아내기 - 팬에 기름 둘러 향신채, 고기를 넣고 볶다 채소를 넣고 볶기 - 춘장 넣고 육수를 넣고 끓이다가 물전분으로 농도 맞추기 - 오이채를 고명으로 얹기
울면	- 모든 채소 채썰기 → 해산물 썰기→ 고기 채 썰기→ 면 삶아내기 - 냄비에 육수를 붓고 간장, 청주, 파를 넣고 끓이다가 모든 재료 넣고 끓이기 - 끓으면 물전분으로 농도 맞춘 후 달걀을 풀고 참기름 넣기
짬뽕	- 해산물 손질 → 향채 썰기 → 채소 썰기 → 면 삶아내기 - 팬에 파기름을 두른 후 고운 고춧가루를 넣고 볶다 향채, 청주를 넣고 볶다 해물을 넣고 볶기 - 육수를 넣고 끓이기. 소금 간하기

PART 6-7 요리달인의 적중 예상문제

01 국수원료 중 전분함량이 80% 이상인 면으로 녹두, 고구마, 감자전분 등이 이용되는 것은 무엇인가?

① 쌀국수　　② 파스타
③ 당면　　④ 우동

해설
① 쌀국수 : 쌀이 주원료
② 파스타 : 듀럼 밀 세몰리나, 듀럼가루가 주원료
④ 우동 : 밀가루가 주원료

02 면 종류 중에서 가장 가는 면은 무엇인가?

① 소면　　② 중화면
③ 우동　　④ 세면

해설
◈ 굵기 순서
세면 〈 소면 〈 중화면 〈 우동

03 다음 중 압출식 면에 해당되지 않는 것은?

① 파스타　　② 칼국수
③ 냉면　　④ 당면

해설
칼국수는 면대를 형성해서 자르는 면에 해당된다.

04 울면에 들어가는 채소 썰기 방법 중 올바른 것은?

① 어슷 썰기　　② 채 썰기
③ 편 썰기　　④ 저며 썰기

해설
울면에 들어가는 채소와 해물은 모두 채 썰기 한다.

05 면을 반죽할 때 사용되는 소금의 역할에 대해 설명한 것 중 옳지 않은 것은?

① 반죽의 점탄성을 증가시키고, 맛과 풍미 향상
② 삶는 시간을 단축
③ 보존성을 향상
④ 밀가루 기준 사용되는 양은 6~10%

해설
밀가루 기준 소금이 사용되는 양은 주로 2~6%이다.

정답

1	2	3	4	5
③	④	②	②	④

Chapter 8 냉채 조리

1. 냉채 준비

(1) 냉채의 정의

요리 코스 중 가장 먼저 나오는 요리로 입맛을 돋우어 주는 요리

(2) 특징

① 색, 맛, 향이 어우러져 앞으로 먹을 음식에 호감을 갖게 함
② 식초의 신맛으로 입맛을 자극하여 먹고 싶게 하는 충동을 일게 함
③ 냉채 재료는 반드시 신선해야 하고 국물은 없게 함
④ 담아내는 형태에 따라 한 종류만 제공하는 냉훈(冷燻), 접시에 두 가지 이상 담아내는 냉반(冷盤)이 있음
⑤ 냉채요리는 4℃일 때가 가장 적당함

(3) 냉채요리 준비 시 유의사항

① 주요리의 종류와 요리 형태를 고려하여 선정
② 재료와 부재료가 균형을 이루어야 함
③ 주요리와 조리 방법이 겹쳐지지 않도록 함
④ 신선한 재료를 사용하여야 함

2. 냉채 조리

(1) 냉채 재료

종 류	재 료
육류	소고기, 돼지고기 등의 부위
가금류	닭고기, 오리고기, 달걀, 오리알 등
해산물	새우, 전복, 해삼, 조개, 생선류 등
채소류	당근, 오이, 배추, 당근 등
조미료류	간장, 소금, 설탕, 식초, 겨자분, 고추기름, 참기름, 토마토케찹 등
향신료류	산초, 후추, 팔각, 계피, 감초, 월계수잎, 생강 등

(2) 냉채 조리법

<table>
<tr><th>종 류</th><th colspan="2">조 리</th></tr>
<tr><td>무치기</td><td colspan="2">- 재료에 따라 생으로 무치기도 하고 익혀서 무치기도 함
- 상큼하고 깔끔한 맛
- 양념 : 소금, 후추, 참기름, 고추기름, 파기름, 생강즙, 겨자분, 간장, 설탕, 식초 등
- 종류 : 해파리무침, 미역냉채, 자차이무침, 피단냉채, 오징어무침 등</td></tr>
<tr><td>장국물에 끓이기</td><td colspan="2">- 양념과 향료 등을 넣어 만든 국물에 넣어 약한 불로 끓이는 조리법
- 깊은 맛이 나고 부드러움
- 불을 약하게 조절하여 장시간 가열
- 종류 : 오향장육, 오향땅콩, 마늘소스 삼겹살</td></tr>
<tr><td rowspan="5">양념에 담그기</td><td>소금물</td><td>- 소금물에 절였다가 수분을 제거하고 냉채로 사용
- 여름 : 3~5일
- 겨울 : 6일 이상 숙성</td></tr>
<tr><td>간장</td><td>- 신선한 채소를 절여서 사용
- 살아있는 재료를 사용할 경우 담근 후 10일 이상 숙성</td></tr>
<tr><td>술</td><td>- 소홍주에 소금을 넣어 절이는 방법
- 담근 후 1일 이상 숙성</td></tr>
<tr><td>설탕, 식초</td><td>- 설탕, 식초에 담그기 전 소금에 절이는 과정
- 오이는 8시간 이상
- 당근, 샐러리 등 3일 이상</td></tr>
<tr><td colspan="2">종류 : 오이, 당근, 무, 새우, 배추 등</td></tr>
<tr><td>수정처럼 만들기</td><td colspan="2">- 돼지껍질 등 아교질 성분이 많은 것을 끓여서 차갑게 만들어 응고되는 원리
- 돼지다리, 새우살, 닭고기, 게살 등을 이용
- 종류 : 수정 돼지고기, 수정 닭고기</td></tr>
<tr><td>훈제하기</td><td colspan="2">- 가공하거나 재웠던 재료를 삶거나 찌는 방법, 장국물에 삶거나 튀기는 방법을 이용하여 익힌 후 찻잎이나 쌀 등을 솥에 넣고 재료에서 훈제향이 나도록 만드는 방법
- 이용되는 재료는 돼지고기, 닭고기, 오리, 달걀, 생선 등
- 종류 : 훈제오리, 훈제닭고기, 훈제달걀 등</td></tr>
</table>

(3) 냉채소스

종 류	특 징
겨자소스	겨자분과 물은 2:1 정도의 비율로 넣어 갠 다음 10분 정도 찌기
케찹소스	토마토케찹, 간장, 술, 소금, 설탕, 물 등을 혼합
레몬소스	레몬, 설탕, 소금, 녹말가루, 참기름을 혼합
춘장소스	두반장, 춘장, 간장, 설탕, 술을 혼합
콩장소스	콩장, 술, 소금, 설탕, 간장을 혼합
마늘소스	다진 마늘, 식초, 설탕, 소금, 참기름을 혼합

(4) 냉채 조리

종 류	특 징
해파리냉채	- 해파리는 따뜻한 물에 살짝 데쳐 찬물에 담가두기 → 오이는 채 썰기 → 마늘 소스 만들기 - 물기 제거한 해파리와 오이채를 섞어 접시에 담아준 후 마늘소스 끼얹기
오징어냉채	- 오징어는 내장 쪽에 종횡으로 칼집 낸 후 썰어준 후 데치기 → 오이는 세로로 반으로 썰어준 후 어슷 썰기 → 겨자소스 만들기 - 오이와 오징어를 섞어 접시에 담은 후 겨자소스를 끼얹기

3. 냉채 완성

(1) 기초장식 재료 : 무, 오이, 당근, 가지, 양파, 고추 등

(2) 냉채에 어울리는 기초장식

① 해물 : 흰색이나 미색에는 주로 무. 오이, 당근, 고추 등의 거의 모든 색의 장식 사용이 가능하고, 새우처럼 색깔 있는 냉채는 흰색이나 붉은 계통의 장식 사용

② 육류 : 무, 오이, 대파, 양파 등의 장식을 사용

PART 6-8

요리달인의 적중 예상문제

01 냉채요리 준비 시 유의사항에 해당되지 않는 것은?

① 주요리의 종류와 요리 형태를 고려하여 선정한다.
② 주재료와 부재료의 균형을 이루어야 한다.
③ 냉채 조리 방법은 주요리와 조리 방법이 동일하도록 한다.
④ 신선한 재료를 사용하여야 한다.

해설
되도록이면 주요리와 조리 방법이 겹쳐지지 않도록 한다.

02 냉채 조리법 중 장국물에 끓이는 방법으로 만드는 냉채에 해당되지 않는 것은?

① 해파리무침
② 오향장육
③ 오향땅콩
④ 마늘소스 삼겹살

해설
해파리냉채는 무치는 냉채로 해파리와 오이를 마늘소스에 무쳐내는 요리이다.

03 요리코스 중 가장 먼저 나오는 요리로 입맛을 돋우어주는 요리가 아닌 것은?

① 해파리냉채 ② 오향장육
③ 동파육 ④ 삼품냉채

해설
동파육 : 삼겹살을 튀겨 간장소스와 향신료를 넣고 쪄서 조려낸 주요리에 해당되는 요리이다.

04 오징어냉채와 해파리냉채에 공통으로 들어가며, 기초장식으로 얇게 썰어 접시 가장자리를 두르는 식재료는?

① 당근 ② 양파
③ 무 ④ 오이

해설
오이는 냉채에 함께 무쳐지기도 하고 장식용으로도 사용되는 식재료이다.

05 다음 중 냉채소스에 해당되지 않는 것은?

① 겨자소스 ② 깐풍소스
③ 마늘소스 ④ 케찹소스

해설
깐풍소스는 깐풍기, 깐풍새우 등에 사용되는 소스이다.

정답

1	2	3	4	5
③	①	③	④	②

Chapter 9 볶음 조리

1. 볶음 준비

(1) 볶음 재료

① 주재료
- 육류, 해물류, 채소류, 두부 등

② 부재료
- 향신료, 채소류 등

(2) 기름의 역할

① 조리 열 매개체 : 기름이나 물을 이용해 전 처리한 재료를 기름에 볶음
② 영양 공급 : 음식에 영양을 공급하고 지용성 비타민의 흡수를 도와줌
③ 음식의 풍미 향상 : 음식에 향미와 풍미를 향상시킴

2. 볶음 조리 및 완성

(1) 볶음 조리법 종류

종 류	특 징
초(炒)	- 조리 시 전분을 사용하지 않는 볶음 조리법 - 종류 : 고추잡채, 부추잡채, 토마토 달걀볶음 등
류(溜)	- 전분을 사용하는 볶음 조리법 - 재료를 튀기거나 데친 후 소스를 끼얹거나 혼합해주는 법 - 종류 : 류산슬, 라조기, 전가복, 마라우육, 란화우육, 새우케찹볶음 등
폭(爆)	- 조리법 중에 강한 화력으로 최단시간 내에 만드는 조리법 - 끓이거나 튀긴 재료를 순간 가열한 뒤 기름을 넣고 조미료와 함께 볶는 조리법 - 종류 : 궁보계정, 폭쌍취

(2) 볶음 조리

고추잡채	- 돼지고기 채 썰기 → 채소 채 썰기 - 돼지고기 밑간(간장, 청주, 달걀, 녹말)한 후 기름에 익혀내기 - 팬에 기름 두른 후 향채, 간장, 청주를 넣고 채소를 넣고 볶다가 익혀낸 고기를 넣고 볶기
새우케찹볶음	- 새우 내장 제거 → 채소 썰기 - 새우에 달걀, 녹말 넣어 반죽 후 튀겨내기 - 예열된 팬에 기름 두른 후 향채를 넣고 볶다 청주, 육수, 토마토케찹, 설탕 넣고 끓이기 → 물녹말 넣고 튀겨낸 새우를 넣고 버무리기

라조기	- 닭다리는 뼈를 제거해 5㎝로 썰기 → 채소는 편 썰기 → 홍고추 어슷 썰기 - 닭고기에 밑간(달걀, 녹말) 후 튀기기 - 팬에 고추기름을 두르고 건고추와 향채 넣고 간장, 청주, 채소 넣고 볶기 - 육수 붓고 끓인 후 물녹말을 넣고 튀긴 닭을 넣고 섞어주기

(3) 볶음 조리 특징

개 요	특 징
불 조절의 중요성	- 고온에서 짧은 시간에 음식을 만듦 - 높은 화력으로 영양소 손실을 최소화
향신료와 조미료의 다양한 사용	- 파, 마늘, 생강 등의 향채와 간장, 청주로 먼저 향채의 향을 냄 - 완성 후에는 참기름이나 후추로 음식의 풍미를 냄
다양한 식재료 이용	다양한 육류, 해산물, 채소 등을 이용한 조리법을 이용하여 요리의 맛을 더욱 증가시킴
재료 고유의 맛, 색, 향을 살리기	- 오색(황 : 노란색, 적 : 붉은색, 백 : 흰색, 청 : 청색, 흑 : 검은색)을 기본으로 하여 식재료 자체의 맛을 살림 - 각 재료의 색이 살아있어 화려하고 풍미로운 음식이 많음 - 다양한 재료를 조화롭게 만들어 한 그릇에 모두 담아냄

PART 6-9 요리달인의 적중 예상문제

01 중식 볶음 조리법 중에서 전분을 사용하는 조리법으로 류산슬, 라조기, 새우케찹볶음 등의 조리법은?

① 폭(爆)　② 초(炒)
③ 류(溜)　④ 전(煎)

해설
① 폭(爆) : 조리법 중 가장 강한 화력으로 단시간에 조리하는 법
② 초(炒) : 조리 시 전분을 사용하지 않는 볶음 조리법
④ 전(煎) : 기름을 두르고 지지는 조리법

02 중식 볶음 조리의 특징에 해당되지 않는 것은?

① 다양한 식재료를 이용하여 만든다.
② 고온에서 짧은 시간에 음식을 만든다.
③ 주로 주재료를 육류로만 이용한다.
④ 각 재료의 색이 살아있어 화려하고 풍요로운 음식이 많다.

해설
다양한 육류, 해산물, 채소, 두부 등을 주재료로 이용한다.

03 중식 볶음 조리법 중 초(炒)의 조리법에 해당되는 요리는?

① 라조기　② 고추잡채
③ 류산슬　④ 새우케찹볶음

해설
라조기, 류산슬, 새우케찹볶음은 중식 조리법 중 류(溜)의 조리법에 해당한다.

04 중식 볶음 중 기름의 역할에 해당되지 않는 것은?

① 음식의 풍미를 향상시켜준다.
② 대부분 재료를 데치는 용도로 많이 사용한다.
③ 지용성 비타민의 흡수를 도와준다.
④ 재료를 익히는 열 매개체로의 역할을 한다.

해설
재료를 먼저 튀겨 익혀주는 역할도 하지만, 볶아서 음식의 마무리 역할도 한다.

정답

1	2	3	4
③	③	②	②

Chapter 10 후식 조리

1. 후식 준비

(1) 후식의 정의

코스의 마지막을 장식하는 요리, 음식을 먹고 난 뒤 입가심으로 먹는 것

(2) 특징

① 달콤하고 산뜻한 재료를 이용해 만듦
② 적은 양을 제공
③ 음식의 느끼함을 정리해 주는 역할
④ 달콤하고 상큼한 맛
⑤ 단맛이 몸과 마음을 편안하게 하여 기분을 좋게 함

2. 더운 후식류 조리 및 완성

(1) 종류

빠스고구마, 빠스옥수수, 빠스은행, 빠스바나나, 빠스딸기, 지마구(깨찹쌀경단) 등

(2) 만들기

① 빠스 : 원재료를 조리해 그대로 튀기거나 튀김옷을 입혀 튀겨서 설탕시럽을 버무려냄
② 지마구 : 찹쌀경단을 만들어 기름에 튀긴 후 참깨로 버무려냄

3. 찬 후식류 조리 및 완성

(1) 종류

시미로, 행인두부, 과일 등

(2) 만들기

① 시미로 : 타피오카를 주재료로 사용하여 과일 등을 갈거나 끓여서 혼합해 냉장고에 차갑게 식힌 후 사용 (예 멜론, 망고, 연시 등)
② 행인두부 : 살구씨의 흰부분이나 아몬드를 갈아 한천을 이용해 냉장고에 굳힌 후 설탕시럽에 띄워 사용

PART 6-10 요리달인의 **적중 예상문제**

01 중국음식의 후식류 중에서 차가운 후식에 해당되는 것은?

① 지마구 ② 빠스고구마
③ 시미로 ④ 빠스바나나

해설
시미로는 타피오카를 주재료로 사용하여 과일 등을 갈거나 끓여서 혼합해 냉장고에 차갑게 식힌 차가운 후식에 속한다.

02 중국요리 후식의 특징에 해당되지 않는 것은?

① 음식의 느끼함을 정리해 주는 역할을 한다.
② 많은 양을 제공하여 속을 든든하게 해준다.
③ 달콤하고 상큼한 맛을 낸다.
④ 주로 달콤하고 산뜻한 식품재료를 이용해 만든다.

해설
음식을 다 먹은 후에 제공하므로 적은 양을 내주는 것이 적당하다.

03 다음 중 찬 후식류인 행인두부 만드는 법으로 올바른 것은?

① 타피오카를 주재료로 사용하여 과일 등을 갈거나 끓여서 혼합해 냉장고에 차갑게 식힌 것
② 찹쌀경단을 만들어 기름에 튀긴 후 참깨로 버무려냄
③ 원재료를 조리 후 그대로 튀기거나 튀김옷을 입혀 튀겨서 설탕시럽을 입혀냄
④ 살구씨의 흰부분이나 아몬드를 갈아 한천을 이용해 냉장고에 굳힌 후 설탕시럽에 띄운 것

해설
① 시미로, ② 지마구, ③ 빠스

04 다음 중 빠스의 재료로 알맞지 않는 것은?

① 딸기 ② 바나나
③ 오징어 ④ 옥수수

해설
오징어는 후식인 빠스의 재료에 사용되지 않는다.

정답

1	2	3	4
③	②	④	③

중식 조리기능사 필기+실기

2

실전 모의고사

제 1 회 실전 모의고사

01 두류의 조리 시 두류를 연화시키는 방법으로 틀린 것은?

① 1% 정도의 식염용액에 담갔다가 그 용액으로 가열한다.
② 초산용액에 담근 후 칼슘, 마그네슘 이온을 첨가한다.
③ 약알카리성의 중 조수에 담갔다가 그 용액으로 가열한다.
④ 습열 조리 시 연수를 사용한다.

해설
콩 단백질인 글리시닌은 칼슘과 마그네슘염 용액에서 응고되고, 소금물에 용해된다.

02 지방의 경화에 대한 설명으로 옳은 것은?

① 물과 지방이 서로 섞여 있는 상태이다.
② 불포화지방산에 수소를 첨가하는 것이다.
③ 기름을 7.2℃까지 냉각시켜서 지방을 여과하는 것이다.
④ 반죽 내에서 지방층을 형성하여 글루텐 형성을 막는 것이다.

03 주방의 바닥조건으로 맞는 것은?

① 산이나 알칼리에 약하고, 습기, 열에 강해야 한다.
② 바닥 전체의 물매는 20분의 1이 적당하다.
③ 조리작업을 드라이 시스템화할 경우의 물매는 100분의 1 정도가 적당하다.
④ 고무타일, 합성수지타일 등이 잘 미끄러지지 않으므로 적합하다.

해설
알칼리나 산에도 강해야 하며, 물매는 100분의 1 이상이어야 한다.
조리장의 바닥을 항상 건조한 상태로 유지하는 시스템을 드라이 시스템이라고 한다.

04 출입, 검사, 수거 등에 관한 사항 중 틀린 것은?

① 식품의약품안전처장은 검사에 필요한 최소량의 식품 등을 무상으로 수거하게 할 수 있다.
② 출입, 검사, 수거 또는 장부열람을 하고자 하는 공무원은 그 권한을 표시하는 증표를 지녀야 하며 관계인에게 이를 내보여야 한다.
③ 시장, 군수, 구청장은 필요에 따라 영업을 하는 자에 대하여 필요한 서류나 그 밖의 자료의 제출 요구를 할 수 있다.
④ 행정응원의 절차, 비용부담 방법 그 밖에 필요한 사항은 검사를 실시하는 담당공무원이 임의로 정한다.

해설
◈ 식품위생법 제 22조
출입, 검사, 수거 등 : 식품의약품안전처장(대통령령으로 정하는 그 소속기관의 장을 포함한다), 시, 도지사 또는 시장, 군수, 구청장은 식품 등의 위해 방지, 위생관리와 영업질서의 유지를 위하여 필요하면 다음의 구분에 따른 조치를 할 수 있다.
- 영업자나 그 밖의 관계인에게 필요한 서류나 그 밖의 자료의 제출 요구
- 관계 공무원으로 하여금 다음에 해당하는 출입, 검사, 수거 등의 조치

05 감자의 발아 부위와 녹색으로 나타나는 곳에 해당하는 독은?

① 솔라닌(Solanine)
② 셉신(Sepsine)
③ 아코니틴(Aconitine)
④ 시큐톡신(Cicutoxin)

해설
◈ 식물성 자연독
- 솔라닌 : 감자의 발아 부위와 녹색 부위

- 아코니틴 : 오디
- 시큐톡신 : 독미나리
- 고시폴 : 목화씨
- 리신 : 피마자
- 아미그달린 : 청매
- 사포닌 : 대두
- 아트로핀 : 미치광이풀
- 에르코톡신 : 맥각
- 테물린 : 독맥(독보리)

06 새우, 게류를 삶을 때 나타나는 색소는?

① 카로틴(Carotene) 색소
② 헤모글로빈(Hemoglobin) 색소
③ 아스타신(Astacin) 색소
④ 안토시안(Anthocyan) 색소

해설

새우 등의 갑각류 피부에 함유된 카로티노이드 계열 색소의 일종인 아스타크산틴(Astaxanthin)은 단백질과 결합하여 살아 있는 동안에는 녹색을 띠는 어두운 청색 색소 단백질로서 존재한다.
이 색소 단백질은 매우 불안정하여 갑각류를 열로 가열하면 단백질이 쉽게 분해되고 산화되어 아스타신(Astacin)으로 된다. 아스타신은 적색 색소이기 때문에 새우, 꽃게 등을 삶거나 가열 조리하면 붉게 변하는 것이다.

07 중국요리의 특징에 해당되지 않는 것은?

① 재료의 다양성
② 세련되고 다양한 조미료와 향신료 사용
③ 조리기구가 다양하고 복잡
④ 풍요롭고 화려한 외양

해설

용이하고 간단한 조리기구를 사용한다.

08 단백질 식품이 부패할 때 생성되는 물질이 아닌 것은?

① 레시틴 ② 암모니아
③ 아민류 ④ 황화수소

해설

레시틴은 세포막의 구성 성분이며, 뇌와 신경 등에 많이 함유되어 있고, 유화력이 좋아 식품가공이나 제과 등의 유화제로 사용된다. 난황, 대두에 많이 함유되어 있다.

09 맛을 가지고 있어 감미료로도 사용되며, 포도당과 이성체(Isomer) 관계인 것은?

① 한천 ② 펙틴
③ 과당 ④ 전분

해설

과당(Fructose)은 단맛이 가장 강하고 과실과 꽃 등에 유리상태로 존재하며, 벌꿀에 많이 함유되어 있다.

10 절임 채소 중 장아찌 종류로 무처럼 생긴 뿌리를 소금과 양념에 절여 만드는 채소는?

① 향차이 ② 청경채
③ 자차이 ④ 마늘

해설

① 향차이 : 지중해 연안이 원산지. 파슬리과의 일년초. 동남아시아의 여러 나라에서 향채로 사용되는 채소
② 청경채 : 십자화과 채소로 고기요리에 많이 곁들여짐. 절임과 무침에 주로 데쳐서 사용
④ 마늘 : 다지거나 저며 각종 요리의 양념으로 사용

11 세균성 식중독에 속하지 않는 것은?

① 노로바이러스 식중독
② 비브리오 식중독
③ 병원성 대장균 식중독
④ 장구균 식중독

해설

노로바이러스는 오염식수, 물로 재배된 채소, 과일 식품 등의 섭취로 감염되고 24~28시간 내에 구토, 설사, 복통 발생. 예방대책으로 손 씻기, 식품을 충분히 가열(백신 및 치료법이 특별히 없음)

12 가공소스 종류 중 누에콩으로 만든 된장에 고추나 향신료를 넣은 것으로 매운맛과 향기가 나며, 마파두부에 사용되는 소스는?

① 해선장 ② 노추(노두유)
③ 지마장 ④ 두반장

해설

① 해선장 : 북경요리에 사용되는 싱거운 된장으로 다른 조미료와 섞어 사용하거나 그대로 사용

② 노추(노두유) : 관동일대에서 쓰는 색깔이 진한 간장. 약간 달고 짠맛이 덜함.
③ 지마장 : 흰깨를 빻아서 기름에 탄 것. 무침요리에 이용

13 다음 중 설탕이 포함되는 당류는?

① 단당류 ② 이당류
③ 다당류 ④ 과당

해설
이당류 : 자당(설탕, 서당), 맥아당(엿당), 젖당(유당)

14 강한 환원력이 있어 식품가공에서 갈변이나 향이 변하는 산화반응을 억제하는 효과가 있으며, 안전하고 실용성이 높은 산화 방지제로 사용되는 것은?

① 비타민(Thiamin)
② 나이아신(Niacin)
③ 리보플라빈(Riboflavin)
④ 아스코브산(Ascorbic Acid)

해설
산화 방지제는 수용성 산화 방지제, 에리소브산, 아스코브산, 지용성 산화 방지제 등이 있다.

15 다음 당류 중 단맛이 가장 약한 것은?

① 포도당 ② 과당
③ 맥아당 ④ 설탕

해설
◈ 당질의 감미도
과당 〉 자당(설탕) 〉 포도당 〉 자일로스 〉 맥아당 〉 유당(젖당)

16 기생충과 중간숙주와의 연결이 틀린 것은?

① 구충 – 오리
② 간디스토마 – 민물고기
③ 무구조충 – 소
④ 유구조충 – 돼지

해설
- 중간숙주가 없는 기생충 : 회충, 구충(십이지장충), 요충, 편충, 이질아메바, 트리코모나스 톡소플라스마
- 중간숙주가 하나인 기생충 : 사상충(모기), 무구조충(소), 유구조충(돼지), 말라리아원충(사람), 선모충(돼지)
- 중간숙주가 두 개인 기생충 : 간흡충(간디스토마, 쇠우렁이와 민물고기), 폐흡충(폐디스토마, 다슬기, 게, 가재), 긴촌충(광절열두조충, 물벼룩)

17 폐디스토마의 제1중간숙주와 제2중간숙주를 순서대로 짝지어 놓은 것은?

	제1중간숙주		제2중간숙주
①	우렁이	–	다슬기
②	잉어	–	가재
③	사람	–	가재
④	다슬기	–	참게

해설
◈ 폐흡충(폐디스토마)
- 제1중간숙주 : 다슬기
- 제2중간숙주 : 가재, 게

18 식품위생법상 조리사와 영양사에게 교육을 받을 것을 명할 수 있는 자는?

① 식품의약품안전처장 ② 보건복지부장관
③ 대통령 ④ 시・도지사

해설
◈ 식품위생법 제56조 제1항
식품의약품안전처장은 식품위생 수준 및 자질의 향상을 위하여 필요한 경우 조리사와 영양사에게 교육(조리사의 경우 보수교육을 포함한다)을 받을 것을 명할 수 있다. 다만, 집단급식소에 종사하는 조리사와 영양사는 2년마다 교육을 받아야 한다.

19 한천젤리를 만든 후 시간이 지나면 내부에서 표면으로 수분이 빠져 나오는 현상은?

① 삼투현상(Osmosis)
② 이장현상(Sysnersis)
③ 님비현상(NIMBY)
④ 노화현상(Retrogradation)

해설

- 삼투현상 : 콩을 간장에 조릴 때 콩 속의 수분이 밖으로 빠져 나와 딱딱해지는 현상
- 님비현상 : 위험시설, 혐오시설 등이 자신들이 살고 있는 지역에 들어서는 것을 강력하게 반대하는 시민 행동
- 노화현상 : 식품 중 특히 전분의 경우에 호화전분, 즉 α-전분을 실온에 방치할 때 점차 굳어져서 β-전분으로 되돌아가는 현상이다.

20 식품과 그 식품에서 유래될 수 있는 독성물질의 연결이 틀린 것은?

① 복어 – 테트로도톡신
② 모시조개 – 베네루핀
③ 맥각 – 에르고톡신
④ 은행 – 말토리진

해설

말토리진은 곡류에서 검출되는 페니실리움속 곰팡이에 의한 독성분이다.

21 튀김옷 재료로도 사용되며 소스의 농도를 맞출 때 사용되는 것은?

① 식소다 ② 달걀
③ 설탕 ④ 전분

해설

① 식소다 : 탄산가스를 방출시켜 수분을 증발시켜 튀김옷이 바삭해짐
② 달걀 : 튀김옷의 맛을 증가시켜주며 경도도 상승시켜줌
③ 설탕 : 튀김옷에 소량을 첨가하면 글루텐 형성이 저해돼서 부드럽고 바삭해짐

22 수인성 감염병의 특징을 설명한 것 중 틀린 것은?

① 단시간에 다수의 환자가 발생한다.
② 환자의 발생은 그 급수지역과 관계가 깊다.
③ 발생률이 남녀노소, 성별, 연령별로 차이가 크다.
④ 오염원의 제거로 일시에 종식될 수 있다.

해설

수인성 감염병은 오염수나 생존 가능한 음식물을 통해 감염되는 질병.
남녀노소, 연령별 큰 차이가 없으며, 집단 식중독으로 손을 자주 씻는 등 개인위생을 철저히 해야 한다.

23 생선류나 육류를 뜨거운 기름이나 끓는 물에 데친 후 부재료와 볶아 간장에 조리는 조리 방법은?

① 민(燜) ② 향차이
③ 홍소(紅燒) ④ 류(溜)

해설

① 민(燜) : 뚜껑을 덮고 약한 불에 익히는 방법
② 향차이 : 고수(채소)
④ 류(溜) : 재료를 튀기거나 데친 후 소스를 끼얹거나 혼합하는 방법

24 밥 종류 중 해산물과 채소를 넣고 물전분을 넣고 걸쭉하게 만든 밥은?

① 잡탕밥 ② 새우볶음밥
③ 잡채밥 ④ 마파두부덮밥

해설

② 새우볶음밥 : 새우와 채소가 주재료인 볶음밥
③ 잡채밥 : 당면과 채소, 고기로 만들어진 소스로 덮여진 밥
④ 마파두부덮밥 : 마파두부소스로 덮여진 밥

25 과일의 갈변을 방지하는 방법으로 바람직하지 않은 것은?

① 레몬즙, 오렌지즙에 담가둔다.
② 희석된 소금물에 담가둔다.
③ -10℃ 온도에서 동결시킨다.
④ 설탕물에 담가둔다.

해설

온도를 낮추면 갈변현상을 어느 정도 늦출 수는 있지만 너무 낮은 온도에 보관하면 향기와 맛의 저하가 옴.
특히 바나나 등 열대 과일을 냉장하면 변색이 올 수 있다.

26 염화마그네슘을 함유하고 있으며 김치나 생선 절임용으로 주로 사용하는 소금은?

① 호렴 ② 정제염
③ 식탁염 ④ 가공염

해설
- 호렴 : 천일염이라 불리며, 알이 거칠고 굵으며 염도는 가공염에 비해 낮다.
- 정제염 : 소금 성분 중에 있는 마그네슘, 칼슘, 황산 등 염화나트륨 이외의 성분을 화학적으로 제거한 소금으로 염도는 95% 정도이다.
- 가공염 : 소금과, 향신료 등 조미료가 들어있는 소금

27 복어와 모시조개 섭취 시 식중독을 유발하는 독성 물질이 바르게 연결된 것은?

① 테트로도톡신, 사포닌
② 테트로도톡신, 아플라톡신
③ 테트로도톡신, 뉴린
④ 테트로도톡신, 베네루핀

해설
복어(테트로도톡신), 모시조개(베네루핀), 콩(사포닌), 독버섯(뉴린), 땅콩(아플라톡신)

28 일반적으로 젓갈류의 염도로 가장 알맞은 것은?

① 1~5% ② 20~25%
③ 50~55% ④ 80~85%

해설
- 풍미 있는 저장성 발효식품으로 생선의 내장, 알, 조개류 등에 20~30%의 소금을 넣어 숙성시킨 것
- 새우젓, 굴젓, 조개젓, 오징어젓, 명란젓 등

29 다음 중 냉채소스에 해당되지 않는 것은?

① 겨자소스 ② 깐풍소스
③ 마늘소스 ④ 케찹소스

해설
깐풍소스는 깐풍기, 깐풍새우 등에 사용되는 소스이다

30 체내에서 흡수되면 신장의 재흡수 장애를 일으켜 칼슘 배설을 증가시키는 중금속은?

① 납 ② 수은
③ 비소 ④ 카드뮴

해설
- 납 : 빈혈, 구토, 사지마비, 소화기장애, 시력장애 유발
- 수은 : 중추신경장애(미나미타병) 유발
- 비소 : 급성 중독에 의한 위장장애, 설사, 만성 중독에 의한 피부 이상 및 신경장애 유발

31 효소적 갈변 반응을 방지하기 위한 방법이 아닌 것은?

① 가열하여 효소를 불활성화시킨다.
② 효소의 최적조건을 변화시키기 위해 pH를 낮춘다.
③ 아황산가스 처리를 한다.
④ 산화제를 첨가한다.

해설
산화제는 갈변현상을 촉진한다.
◈ 효소적 갈변 억제법
- 산소 및 기질 제거(pH나 온도조건 조절)
- 효소의 불활성화(데치기 등), 아황산염 첨가, 철분이나 구리 등 금속 이온의 제거

32 젤라틴과 한천에 관한 설명으로 틀린 것은?

① 한천은 보통 28~35℃에서 응고되는데 온도가 낮을수록 빨리 굳는다.
② 한천은 식물성 급원이다.
③ 젤라틴은 젤리, 양과자 등에서 응고제로 쓰인다.
④ 젤라틴에 생 파인애플을 넣으면 단단하게 응고한다.

해설
파인애플에는 단백질을 분해하는 브로멜린이라는 단백질 분해효소를 가지고 있기 때문에 젤라틴에 넣으면 응고되지 않는다.

33 튀김에 사용한 기름을 보관하는 방법으로 가장 적절한 것은?

① 식힌 후 그대로 서늘한 곳에 보관한다.
② 공기와의 접촉면을 넓게 하여 보관한다.
③ 망에 거른 후 갈색 병에 담아 보관한다.
④ 철제 팬에 담아 보관한다.

해설
튀김기름을 식힌 다음 거름망에 걸려서 약병이나 색이 있는 어두운색 병에 넣어 보관하는 것이 좋다.

34 중식 기본 썰기 방법 중 하나로 재료를 포 뜨듯이 한쪽으로 어슷하게 뜨는 방법은?

① 쓸 – 사(絲)　② 티어우 – 조(條)
③ 피엔 – 편(片)　④ 리 – 입(粒)

해설
① 쓸 – 사(絲) : 채로 써는 방법
② 티어우 – 조(條) : 막대기 모양으로 썰기
④ 리 – 입(粒) : 먼저 채로 썰기 한 후 다져 썰기. 크기에 따라 완두입(0.5㎝), 녹두입(0.3㎝), 미립(0.1㎝)으로 나뉨

35 다음 ( ) 안에 들어갈 단어로 알맞게 짝지어진 것은?

식물성 식품의 색소인 플라보노이드 색소는 산성 – 중성 – 알칼리성으로 변함에 따라 (　　) – (　　) – (　　)으로 된다.

① 적색 – 청색 – 자색
② 적색 – 자색 – 청색
③ 청색 – 적색 – 자색
④ 자색 – 청색 – 적색

36 해조류에서 추출한 성분으로 식품에 점성을 주고 안정제, 유화제로서 널리 이용되는 것은?

① 알긴산(Alginic Acid)　② 펙틴(Pectin)
③ 젤라틴(Gelatin)　④ 이눌린(Inulin)

해설
식품을 유화시키기 위하여 사용하는 식품첨가물인 알긴산은 유화를 안정화시키는 효과가 있어 유화안정제라고 부른다.

37 다음 중 소화, 흡수에 관한 설명으로 틀린 것은?

① 당질은 단당류의 형태로 소화되지 않은 것은 흡수되지 않는다.
② 단백질은 보통 아미노산으로 소화된 것이 흡수된다.
③ 지방은 지방산, 글리세롤, 글리세린으로 되어 위장에서 흡수된다.
④ 소화산물의 흡수는 핵산에 의한다.

해설
지방은 화학구조에 따라 중성지방, 복합지질, 유도지질로 구분하며 중성지방은 지방산과 글리세롤로 분해되어 소장에서 흡수

38 밥 1공기(쌀 100g)에서 발생하는 열량은 약 몇 kcal 인가?(단, 밥 1공기 : 당질 77g, 단백질 6.5g)

① 250kcal　② 283kcal
③ 334kcal　④ 564kcal

해설
당질과 단백질은 1g당 4kcal의 열량을 내므로,
(77 X 4) + (6.5 X 4) = 334kcal이다.

39 조리장의 입지조건으로 적당하지 않은 것은?

① 채광, 환기, 건조, 통풍이 잘 되는 곳
② 양질의 음료수 공급과 배수가 용이한 곳
③ 조리장은 단층보다 지하층에 위치하여 조용한 곳
④ 쓰레기 처리장과 변소가 멀리 떨어져 있는 곳

해설
조리장 위치가 지하층에 있는 것은 통풍, 채광, 배수 등의 문제점이 되기 때문에 좋지 않다.

40 급식인원이 1,000명인 단체 급식소에서 1인당 60g의 풋고추 조림을 주려고 한다. 발주할 풋고추의 양은?(단, 풋고추의 폐기율은 9%이다)

① 55kg ② 60kg
③ 66kg ④ 68kg

해설
1,000명의 요리를 하려면 60kg의 풋고추가 사용. 폐기율 9% 감안하여 더 발주해야 하므로 60 / 0.91(9%) = 약 66kg이 필요

41 황색포도상구균의 특징이 아닌 것은?

① 균체가 열에 강함
② 독소형 식중독 유발
③ 화농성 질환의 원인균
④ 엔테로톡신(Enterotoxin) 생성

해설
◈ 황색포도상구균
- 화농성 질환의 원인균이고, 독소형 식중독
- 원인 독소인 엔테로톡신(Enterotoxin : 장독소)은 열에 강하며 120℃에서 20분간의 가열에서도 파괴되지 않음
- 원인식품 : 유가공품(우유, 치즈, 버터), 도시락, 김밥, 떡 등
- 잠복기가 3시간으로 짧음

42 총비용과 총수익(판매익)이 일치하여 이익도 손실도 발생되지 않는 기점은?

① 매상선점 ② 가격결정점
③ 손익분기점 ④ 한계이익점

해설
손익분기점은 일정한 기간의 총수익의 합계와 총비용이 일치하는 점을 뜻하며, 수익과 총비용(고정비 + 변동비)이 일치하는 점이므로 이익이나 손실이 발생하지 않는다. 일정한 기간의 총수익의 합계로부터 총비용이 합계를 차감한 것을 손익분석이라 한다.

43 다음 식품첨가물 중 주요 목적이 다른 것은?

① 과산화벤조일 ② 과황산암모늄
③ 이산화염소 ④ 아질산나트륨

해설
과산화벤조일, 과황산암모늄, 이산화염소는 밀가루 개량제이고, 아질산나트륨은 발색제이다.

44 두부 만들 때 간수에 의해 응고되는 것은 단백질의 변성 중 무엇에 의한 변성인가?

① 산 ② 효소
③ 염류 ④ 동결

해설
콩 단백질인 글리시닌은 묽은 염류 용액에서 녹는다. 80℃ 정도로 가열하면 단백질이 침전되는데, 침전되고 응고된 상태가 두부이다.

45 내열성이 강한 아포를 형성하며 식품의 부패 식중독을 일으키는 혐기성균은?

① 리스테리아속 ② 비브리오속
③ 살모넬라속 ④ 클로스트리듐속

해설
클로스트리듐속은 그람 양성의 간균, 내열성 아포를 갖는 혐기성균. 토양이나 하수 등에 존재, 부패활성이 높다.

46 기름을 오랫동안 저장하여 산소, 빛, 열에 노출되었을 때 색깔, 맛, 냄새 등이 변하게 되는 현상은?

① 발효 ② 부패
③ 산패 ④ 변질

해설
◈ 식품의 변질
- 산패 : 유지의 변질, 미생물과 관련 없고, 빛, 공기, 수분이 원안
- 부패 : 단백질 식품의 변질(혐기성)
- 변패 : 탄수화물 식품의 변질
- 후란 : 단백질 식품의 변질(호기성)
- 발효 : 미생물의 작용으로 유기산 생성(무해물질)

47 아린맛은 어느 맛의 혼합인가?

① 신맛과 쓴맛 ② 쓴맛과 단맛
③ 신맛과 떫은맛 ④ 쓴맛과 떫은맛

해설
아린맛 : 쓴맛과 떫은맛에 가까운 목구멍을 자극하는 독특한 향미를 말한다.

48 과일이 성숙함에 따라 일어나는 성분 변화가 아닌 것은?

① 과육은 점차로 연해진다.
② 엽록소가 분해되면서 푸른색은 옅어진다.
③ 비타민 C와 카로틴 함량이 증가한다.
④ 타닌은 증가한다.

해설
타닌은 많은 식물에 널리 존재하며 떫은맛을 낸다. 일반적으로 미숙한 과일에는 많이 함유되지만 성숙해감에 따라 타닌의 성분은 감소한다.

49 달걀의 기포성을 이용한 것은?

① 달걀찜
② 푸딩(Pudding)
③ 머랭(Meringue)
④ 마요네즈(Mayonnaise)

해설
머랭은 달걀흰자에 설탕과 아몬드, 코코넛 등을 넣고 거품을 낸 뒤에 오븐에서 구운 것

50 카드뮴이나 수은 등의 중금속 오염 가능성이 가장 큰 식품은?

① 육류 ② 어패류
③ 식용유 ④ 통조림

해설
하천 바닥에 서식하고 있는 어패류들은 공장폐수나 생활하수, 농약 등이 비에 씻겨 하천으로 유입되면 하천이 중금속에 오염되고, 이런 오염된 수질에 노출된 어패류가 오염 가능성이 가장 크다.

51 다수인이 밀집한 장소에서 발생하며 화학적 조성이나 물리적 조성이 큰 변화를 일으켜 불쾌감, 두통, 권태, 현기증, 구토 등의 생리적 이상을 일으키는 현상은?

① 일산화탄소 중독 ② 빈혈
③ 분압 현상 ④ 군집독

해설
◈ 군집독
- 많은 사람이 밀집된 실내에서 공기가 물리적, 화학적, 조성의 변화를 일으킴
- 산소가 감소하면서 이산화탄소가 증가하여 유해가스 및 취기, 구취, 체취 등으로 인하여 공기의 조성이 변하면서 현기증, 구토, 권태감, 불쾌감, 두통 등의 증상이 나타난다.

52 소독의 지표가 되는 소독제는?

① 석탄산 ② 크레졸
③ 과산화수소 ④ 포르말린

해설
석탄산(3%)은 소독약의 소독력의 기준이 되며 오물 소독(화장실 분뇨, 하수도 및 진개 등)에 사용하지 못한다.

53 어패류의 선도 평가에 이용되는 지표성분은?

① 헤모글로빈 ② 트리메틸아민
③ 메탄올 ④ 이산화탄소

해설
◈ 트리메틸아민(TMA)
트리메틸아민은 옥사이드가 사후 세균 효소에 의해 환원되어 트리메틸아민이 생성되고 이것은 어패류의 비린 냄새와 불쾌취의 원인 물질, 부패 판정의 지표로 널리 쓰인다.

54 세균성 식중독과 병원성 소화기계 감염병을 비교한 것으로 틀린 것은?

	세균성 식중독	병원성 소화기계 감염병
①	많은 균량으로 발병	균량이 적어도 발병
②	2차 감염이 빈번함	2차 감염이 없음
③	식품위생법으로 관리	감염병 예방법으로 관리
④	비교적 짧은 잠복기	비교적 긴 잠복기

해설
세균성 식중독은 살모넬라 외에는 2차 감염이 없고 병원성 소화기계 감염병은 2차 감염이 된다.

55 쓰거나 신 음식을 맛본 후 금방 물을 마시면 물이 달게 느껴지는데 이는 어떤 원리에 의한 것인가?

① 변조현상 ② 대비효과
③ 순응현상 ④ 억제현상

해설
변조현상은 한 가지 맛을 본 직후 다른 맛을 정상적으로 느끼지 못하는 현상이다.

56 탄수화물의 조리가공 중 변화되는 현상과 가장 관계 깊은 것은?

① 거품 생성 ② 호화
③ 유화 ④ 산화

해설
◈ 호화
탄수화물의 조리과정 중에 변화하는 현상으로 전분에 물을 넣고 가열하면 물 분자가 전분과 혼합하여 팽창하며 반투명의 콜로이드 상태가 되는 현상이다.

57 식품위생법상 영업에 종사하지 못하는 질병의 종류가 아닌 것은?

① 비감염성 결핵 ② 세균성 이질
③ 장티푸스 ④ 화농성 질환

해설
◈ 식품위생법 시행규칙 제 50조
법 제40조제4항에 따라 영업에 종사하지 못하는 사람은 다음의 질병에 걸린 사람으로 한다.
- 감염병의 예방 및 관리에 관한 법률 제2조제3호가목에 따른 결핵(비감염성인 경우는 제외한다)
- 감염병의 예방 및 관리에 관한 법률 시행규칙 제33조 제1항 각 호의 어느 하나에 해당하는 감염병
- 피부병 또는 그 밖의 화농성(化膿性)질환
- 후천성면역결핍증(감염병의 예방 및 관리에 관한 법률 제19조에 따라 성매개감염병에 관한 건강진단을 받아야 하는 영업에 종사하는 사람만 해당한다)

58 사과나 딸기 등이 잼에 이용되는 가장 중요한 이유는?

① 과숙이 잘 되어 좋은 질감을 형성하므로
② 펙틴과 유기산이 함유되어 잼 제조에 적합하므로
③ 색이 아름다워 잼의 상품가치를 높이므로
④ 새콤한 맛 성분이 잼 맛에 적합하므로

해설
잼을 만들 때 첨가하는 설탕을 분해하는 역할을 하는 펙틴은 다당의 종류로 잼의 점도를 높이는 역할을 한다. 유기산은 펙틴의 점도를 돕는 역할도 한다.

59 총원가는 제조원가에 무엇을 더한 것인가?

① 제조간접비 ② 판매관리비
③ 이익 ④ 판매가격

해설
총원가 = 제조원가 + 판매관리비

60 자외선에 의한 인체 건강 장해가 아닌 것은?

① 설안염 ② 피부암
③ 폐기종 ④ 결막염

해설
폐기종은 유해 입자와 가스의 흡입에 의하여 발생하며 직간접 흡연 및 직업적으로 분진이나 화학물질, 대기오염 등에 지속적으로 노출되는 것이 만성 폐쇄성 폐질환의 원인이 될 수 있다. 주요증상은 만성적인 기침과 가래, 호흡곤란 등이다.

정답

1	2	3	4	5	6	7	8	9	10
②	②	④	④	①	③	③	①	③	③
11	12	13	14	15	16	17	18	19	20
①	④	②	④	③	①	④	①	②	④
21	22	23	24	25	26	27	28	29	30
④	③	③	①	③	①	④	②	②	④
31	32	33	34	35	36	37	38	39	40
④	④	①	③	②	①	③	③	③	③
41	42	43	44	45	46	47	48	49	50
①	③	④	③	④	③	④	④	③	②
51	52	53	54	55	56	57	58	59	60
④	①	②	②	①	②	①	②	②	③

제 2 회 실전 모의고사

01 알칼리성 식품이 아닌 것은?

① 오이 ② 달걀
③ 우유 ④ 토마토

해설
◈ 알칼리성 식품과 산성 식품
- 알칼리성 식품 : 나트륨, 칼슘, 칼륨, 마그네슘을 함유한 식품(채소, 과일, 우유, 기름, 굴 등)
- 산성 식품 : 황, 인, 염소를 함유한 식품(곡류, 육류, 어패류, 달걀류 등)

02 밀가루 제품에서 팽창제의 역할을 하지 않는 것은?

① 이스트 ② 달걀
③ 베이킹파우다 ④ 설탕

해설
팽창제로는 효모(이스트) 등의 천연 제품과 베이킹소다, 베이킹파우더(탄산수소나트륨), 20여 종류의 합성제품이 있다. 달걀은 구조형성, 팽창제, 유화성이 되며 색과 풍미를 준다.

03 제품의 제조 수량 증감에 관계없이 매월 일정액이 발생하는 원가는?

① 고정비 ② 비례비
③ 변동비 ④ 체감비

해설
고정비는 제품의 제조, 판매, 수량의 변화에 관계없이 고정적으로 발생하는 비용으로 감가상각비, 고정급 등이 이에 속한다.

04 중국 4대 지역 음식 중 하나로 타지역의 요리에 비해 담백한 양념이 특징이며, 부드럽고 느끼하지 않은 음식은?

① 광동요리 ② 북경요리
③ 사천요리 ④ 상해요리

해설
② 북경요리 : 짧은 시간에 조리하는 튀김요리, 볶음요리가 발달
③ 사천요리 : 기름지지 않고 매운맛이 특징
④ 상해요리 : 달콤하게 맛을 내는 찜이나 조림요리가 발달

05 박력분에 대한 설명으로 맞는 것은?

① 케이크, 튀김옷을 만들 때 사용한다.
② 스파게티를 만들 때 사용한다.
③ 단백질 함량이 10% 이상이다.
④ 글루텐의 탄력성과 점성이 강하다.

해설
◈ 밀가루의 종류와 용도
- 강력분(13% 이상) : 식빵, 마카로니, 스타게티 등
- 중력분(10~13%) : 면류, 만두 등
- 박력분(10% 이하) : 케이크, 쿠키, 튀김옷 등

06 식품의 부패과정에서 생성되는 불쾌한 냄새물질과 거리가 먼 것은?

① 인돌 ② 포르말린
③ 황화수소 ④ 암모니아

해설
- 식품의 부패 : 단백질이 혐기성 미생물에 의해 분해되면서 황화수소, 인돌, 아민, 암모니아 등 악취를 내는 유해성 물질을 생성하는 현상
- 포르말린 : 포름알데하이드의 수용액으로 살균, 소독용으로 사용하는 물질

07 기생충과 중간숙주와의 연결이 틀린 것은?

① 간흡충 - 쇠우렁, 참붕어
② 폐흡충 - 다슬기, 게
③ 요코가와흡충 - 다슬기, 은어
④ 광절열두조충 - 돼지고기, 소고기

해설
◈ 광절열두조충(긴촌충)
- 제1중간숙주는 물벼룩, 제2중간숙주는 송어와 연어
- 소장에 붙어 기생하며, 6~20년간 생존

08 새우, 게류를 삶을 때 붉게 변하는 현상으로 나타나는 색소는?

① 안토시안(Anthocyan)색소
② 카로틴(Carotene)색소
③ 헤모글로빈(Hemoglobin)색소
④ 아스타신(astacin)색소

해설
새우나 게 등의 갑각류의 청록색은 카로티노이드계 색소의 일종인 아스타크산틴(Astsxanthin)이 단백질과 결합한 것으로, 가열하면 단백질이 분리되고 산화되어 적색의 아스타신(Astacin)으로 변화한다.

09 다음 중 절임, 무침에 주로 사용되는 채소가 아닌 것은?

① 두부 ② 무
③ 양파 ④ 자차이

해설
두부는 주로 지짐, 튀김, 조림에 주로 사용되는 콩단백질 식품이다.

10 복사열을 운반하므로 열선이라고도 하며 기상의 기온을 좌우하는 것은?

① 가시광선 ② 자외선
③ 적외선 ④ 도르노선

해설
◈ 적외선
- 열작용을 나타내므로 열선이라고도 부른다.
- 기상의 기온을 좌우한다.(온열)
- 혈관확장, 홍반, 피부온도 상승 등의 작용을 한다.
- 장시간 쬐면 두통, 현기증, 열경련, 열사병, 백내장의 원인이 된다.

11 식품첨가물의 사용목적이 아닌 것은?

① 식품의 기호성 증대
② 식품의 유해성 입증
③ 식품의 부패와 변질을 방지
④ 식품이 제조 및 품질 개량

해설
◈ 정의(식품위생법 제2조 제2호)
"식품첨가물"이란 식품을 제조 · 가공 · 조리 또는 보존하는 과정에서 감미, 착색, 표백 또는 산화 방지 등을 목적으로 식품에 사용되는 물질을 말한다.
이 경우 기구 · 용기 · 포장을 살균, 소독하는 데에 사용되어 간접적으로 식품으로 옮을 수 있는 물질을 포함한다.

12 소분업 판매를 할 수 있는 식품은?

① 전분 ② 레토르트식품
③ 식초 ④ 벌꿀

해설
◈ 식품소분업의 신고대상(식품위생법 시행규칙 제38조 제1항)
"총리령으로 정하는 식품 또는 식품첨가물"이란 영업의 대상이 되는 식품 또는 식품첨가물(수입되는 식품 또는 식품첨가물을 포함한다)과 벌꿀(영업자가 자가 채취하여 직접 소분, 포장하는 경우를 제외한다)을 말한다.
다만, 어육제품, 특수용도식품(체중조절용 조제식품은 제외한다), 통 · 병조림 제품, 레토르트식품, 전분, 장류 및 식초는 소분, 판매하여서는 아니 된다.

13 급속사 여과법과 비교하여 완속사 여과법이 갖는 특징으로 맞는 것은?

① 역류 세척 ② 많은 운영비
③ 약품침전법 ④ 넓은 면적 필요

해설

분 류	완속여과	급속여과
여과속도	3~5m/day	120~150m/day
예비처리	보통침전법 (중력 침전)	약품 침전
제거율	98~99%	95~98%
부유물질 제거	모래층 표면	-
경상비	적음	많음
건설비	많은	적음
모래층 청소	사면 대치	역류 세척

면적	광대한 면적 필요	좁은 면적도 가능
장점	세균 제거율이 높음	탁도, 색도가 높은 물이 좋고 수면 동결이 쉬워야 함

14 가열에 의한 육류 변화에 관한 설명 중 옳지 않은 것은?

① 콜라겐을 계속 가열하면 젤라틴화되어 더 질겨진다.
② 단백질의 아미노산으로 인해 구수하고 풍미를 보인다.
③ 연해지고 소화되기 쉬워진다.
④ 미오글로빈색(myoglobin : 적자색)에서 헤미크롬(hemichrome : 회갈색)으로 변한다.

해설
콜라겐을 계속 가열하면 젤라틴화 되어 연해지고 소화가 더 용이해진다.

15 단체급식에서 생길 수 있는 문제점과 거리가 먼 것은?

① 청결하지 않게 관리할 경우 위생상의 사고 위험이 있다.
② 비용면에서 물가상승 시 재료비가 충분하지 않을 수 있다.
③ 심리면에서 가정식에 대한 향수를 느낄 수 있다.
④ 불특정인을 대상으로 하므로 영양관리가 안 된다.

해설
단체급식은 비영리 급식시설로 특정인을 대상으로 식생활의 합리화와 영양개선 및 건강증진을 도모한다.

16 다음 중 장독소(엔테로톡신)를 가지고 있는 식중독은?

① 살모넬라 식중독
② 황색포도상구균 식중독
③ 클로스트리듐 보툴리늄 식중독
④ 장염비브리오 식중독

해설
황색포도상구균의 균체는 80℃에서 30분간 가열하면 죽는다. 황색포도상구균이 생산한 독소형인 장독소(엔테로톡신)는 120℃에서 30분간 가열하여도 파괴되지 않으며, 열에 매우 강하다.

17 소시지 등 가공육 제품의 육색을 고정하기 위해 사용하는 식품첨가물은?

① 발색제 ② 착색제
③ 강화제 ④ 보존제

해설
◈ 발색제
- 그 자체에는 색이 없고 식품 중의 색소와 반응하여 색을 안정, 발색을 촉진시키는 식품첨가물
- 육류 발색제 : 아질산나트륨, 질산칼슘, 질산나트륨
- 식물성 발색제 : 황산 제1철

18 다음 중 깐풍 소스를 만들 때 사용되지 않는 재료는?

① 물전분 ② 간장
③ 설탕 ④ 식초

해설
깐풍 소스에 물전분은 사용되지 않는다.

19 녹색 채소 조리 시 중조(NaHCO3)를 가할 때 나타나는 결과에 대한 설명으로 틀린 것은?

① 비타민 C가 파괴된다.
② 진한 녹색으로 변한다.
③ 페오피틴(Pheophytin)이 생성된다.
④ 조직이 연화된다.

해설
페오피틴은 클로로필이 산과 만나서 녹갈색을 띤다. 시금치 같은 녹색 채소를 데칠 때 누렇게 되는 이유이다. 이때 중조 같은 알칼리 성분을 넣어 조리하게 되면 클로로필린이라는 성분이 되어 녹색을 유지할 수 있다. 단, 섬유소를 파괴하므로 조직이 연화된다.

20 시금치나물을 조리할 때 1인당 80g이 필요하다면, 식수인원 1,500명에 적합한 시금치 발주량은?

① 100kg ② 110kg
③ 125kg ④ 132kg

해설
1인당 80g X 1,500명 = 120kg이 필요하지만, 재료 소진 후 실제 사용량까지 고려하면 125kg

21 다음이 설명하는 조리법으로 알맞은 것은?

- 재료가 잠기지 않도록 팬에 기름을 넣고 천천히 익히는 조리법
- 중불과 약불을 사용하여 비교적 긴 조리시간이 필요
- 재료를 평평하게 썰어 튀김가루나 녹말을 묻혀 넓적하게 달군 팬에 넣고 소량의 기름을 넣어 황금색이 나도록 노릇하게 지지는 법

① 전(煎) ② 폭(爆)
③ 류(熘) ④ 팽(烹)

해설
② 폭(爆) : 조리법 중에 강한 화력으로 최단시간 내에 조리하는 법
 - 기름과 물을 뜨겁게 끓이거나 데쳐서 작은 크기로 썬 재료를 순간 가열한 후 다시 달궈진 팬에 뜨거운 기름을 넣고 조미료와 함께 볶는 방법
③ 류(熘) : 전처리 과정을 완료한 재료를 센 불에서 볶다가 기름에 살짝 익힌 재료를 넣고 혼합하여 짧은 시간에 배합해 걸쭉한 소스를 만드는 조리법
④ 팽(烹) : 센 불에서 재료를 빨리 볶는 조리법
 - 전처리 과정을 거친 재료에 다시 간을 하고 바로 튀김옷을 입혀 튀긴 후 다름 팬을 사용하여 센 불에서 소스와 튀긴 재료를 넣어 빠른 속도로 볶아 내는 법

22 바퀴벌레의 특성이 아닌 것은?

① 잡식성 ② 주거성
③ 독립성 ④ 질주성

해설
야간 활동성, 질주성, 군거성, 잡식성으로 소화기계 감염병이나 결핵균 등을 기계적으로 전파한다.

23 안토시안 색소를 함유하는 과일의 붉은색을 보존하려고 할 때 가장 좋은 방법은?

① 식초를 가한다.
② 중조를 가한다.
③ 수산화나트륨을 가한다.
④ 소금을 가한다.

해설
안토시안 색소는 산성에 안정하여 적색이 유지된다.

24 다음 중 중식 조리의 조림 방법에 해당되지 않는 것은?

① 동파육
② 홍소양두부(동강두부)
③ 사자완자
④ 깐풍기

해설
◈ 조림의 종류
- 육류 : 사자완자, 동파육, 홍소육, 오향장육
- 해산물 : 홍소우럭, 건전복조림
- 두부 : 홍소두부, 홍소양두부(동강두부)
- 채소 : 오향땅콩조림

25 탄수화물의 구성요소가 아닌 것은?

① 탄소 ② 질소
③ 산소 ④ 수소

해설
탄수화물과 지방은 탄소(C), 산소(O), 수소(H)로 구성되어 있으며, 단백질은 탄소, 수소, 산소 이외에 질소(N)를 가지고 있다.

26 식품의 감별법 중 틀린 것은?

① 생과일 – 성숙하고 신선하며 청결한 것
② 송이버섯 – 봉오리가 크고 줄기가 부드러운 것
③ 감자 – 병충해, 발아, 외상, 부패 등이 없는 것
④ 달걀 – 표면이 거칠고 광이 없는 것

해설
송이버섯은 봉오리가 자루보다 약간 굵으며 줄기가 단단해야 좋은 것이다.

27 한천의 용도가 아닌 것은?

① 곰팡이, 세균 등의 배지
② 푸딩, 양갱의 겔화제
③ 유제품, 청량음료 등의 안정제
④ 훈연제품의 산화 방지제

해설
한천은 우뭇가사리 등 홍조를 삶아서 그 즙액을 젤리 모양으로 응고, 동결시킨 다음 수분을 용출시켜 건조한 해조가공품으로 양갱이나 양장피의 원료로 많이 쓰인다.
※ 훈연 제품의 산화 방지제는 에르소르브산나트륨이다.

28 다음 중 찬 후식류인 행인두부 만드는 법으로 올바른 것은?

① 타피오카를 주재료로 사용하여 과일 등을 갈거나 끓여서 혼합해 냉장고에 차갑게 식힌 것
② 찹쌀경단을 만들어 기름에 튀긴 후 참깨로 버무려냄
③ 원재료를 조리 후 그대로 튀기거나 튀김옷을 입혀 튀겨서 설탕시럽을 입혀냄
④ 살구씨의 흰부분이나 아몬드를 갈아 한천을 이용해 냉장고에 굳힌 후 설탕시럽에 띄운 것

해설
① 시미로 ② 지마구 ③ 빠스

29 식품을 계량하는 방법으로 틀린 것은?

① 밀가루 계량은 부피보다 무게가 더 정확하다.
② 흑설탕은 계량 전 체로 친 다음 계량한다.
③ 고체 지방은 계량 후 고무주걱으로 잘 긁어 옮긴다.
④ 꿀같이 점성이 있는 것은 계량컵을 이용한다.

해설
- 밀가루 : 계량 전 체로 친 다음 계량하여야 한다.
- 흑설탕 : 용기에 꼭꼭 눌러 계량한다.
- 꿀 : 계량컵으로 계량한다.

30 다음은 식품위생법상 교육에 관한 내용이다. ( ) 안에 알맞은 것을 순서대로 나열하면?

( )은 식품위생 수준 및 자질의 향상을 위하여 필요한 경우 조리사와 영양사에게 교육 받을 것을 명할 수 있다. 다만, 집단급식소에 종사하는 조리사와 영양사는 ( ) 마다 교육을 받아야 한다.

① 식품의약품안전처장, 1년
② 식품의약품안전처장, 2년
③ 보건복지부장관, 1년
④ 보건복지부장관, 2년

해설
식품의약품안전처장은 식품위생수준 및 자질의 향상을 위하여 필요한 경우 조리사와 영양사에게 교육(조리사의 경우 보수교육을 포함한다)을 받을 것을 명할 수 있다. 다만, 집단급식소에 종사하는 조리사와 영양사는 2년마다 교육을 받아야 한다.

31 맥각중독을 일으키는 원인 물질은?

① 루브라톡신 ② 파툴린
③ 에르고톡신 ④ 오크라톡신

해설
맥각중독 : 보리, 밀, 호밀에 기생하는 독소로 에르코톡신, 에르고타민 등이다.

32 식품과 독성분의 연결이 틀린 것은?

① 매실 – 베네루핀(Venerupin)
② 섭조개 – 삭시톡신(Saxitoxin)
③ 독버섯 – 무스카린(Muscarine)
④ 독보리 – 테물린(Temuline)

해설
- 매실(청매) : 아미그달린(Amygdalin)
- 베네루핀 : 모시조개, 굴, 바지락 등

33 돼지의 지방조직을 가공하여 만든 것은?

① 헤드치즈 ② 라드
③ 젤라틴 ④ 쇼트닝

해설

- 헤드치즈 : 돼지머리를 사용하여 만든 젤리 모양으로 압축시킨 고기
- 젤라틴 : 동물의 가죽, 힘줄, 연골 등의 천연 단백질인 콜라겐에서 얻는 유도 단백질
- 쇼트닝 : 제과, 제빵 등의 식품가공용 원료로 사용되는 반고체 상태의 가소성 유지제품

34 쓴 약을 먹은 직후 물을 마시면 단맛이 나는 것처럼 느끼게 되는 현상은?

① 변조현상 ② 소실현상
③ 대비현상 ④ 미맹현상

해설

- 변조현상 : 한 가지 맛을 본 후 다른 성분의 맛이 정상적으로 느껴지지 않는 것
- 소실현상 : 두 가지 맛을 내는 물질이 혼합되었을 때 맛이 없어지는 현상
- 대비현상 : 서로 다른 맛을 혼합할 경우 주된 성분의 맛이 강화되는 것
- 미맹현상 : 쓴맛 성분의 PTC를 느끼지 못하는 것

35 국가의 보건 수준이나 생활수준을 나타내는 데 가장 많이 이용되는 지표는?

① 조출생률
② 병상이용률
③ 의료보험 수혜자수
④ 영아사망률

해설

국민 보건상태를 나타내는 가장 대표적인 측정지표는 영아 사망률이다. 연간 태어난 출생아 1,000명 중에 만 1세 미만에 사망한 영아수의 천분비로서 건강수준이 향상되면 영아 사망률은 감소한다.

36 유해 감미료에 속하는 것은?

① 아스파탐 ② D-소르비톨
③ 둘신 ④ 자일리톨

해설

유해 감미료에는 둘신, 페릴라틴, 사이클라메이트, 에틸렌 글라이콜 등이 있다.

37 완숙한 달걀의 난황 주위가 변색하는 경우를 잘못 설명한 것은?

① 난백의 유황과 난황의 철분이 결합하여 황화철(FeS)을 형성하기 때문이다.
② pH가 산성일 때 더 많이 일어난다.
③ 오랫동안 가열하여 그대로 두었을 때 많이 일어난다.
④ 신선한 달걀에서는 변색이 거의 일어나지 않는다.

해설

달걀을 가열하면 난백과 난황 사이에 검푸른색이 생기는 것을 녹변현상이라고 하는데, 알칼리성일 때 더 잘 일어난다.

38 화학적 산소요구량을 나타내는 것은?

① COD ② DO
③ BOD ④ SS

해설

- COD는 화학적 산소요구량을 말하며, COD가 높을수록 오염된 물이다.
- 해양오염의 지표 및 공장폐수를 측정하는데 사용된다.

39 튀김요리에 사용한 기름을 보관하는 방법으로 가장 적절한 것은?

① 철제 팬에 담아 보관한다.
② 공기와의 접촉면을 넓게 하여 보관한다.
③ 망에 거른 후 갈색 병에 담아 보관한다.
④ 식힌 후 그대로 서늘한 곳에 보관한다.

해설

튀김 기름을 식힌 다음 거름망에 걸러서 약병이나 색이 있는 어두운 색 병에 넣어 보관하는 것이 좋다.

40 중금속에 의한 중독과 증상을 바르게 연결한 것은?

① 납중독 - 빈혈 등의 조혈장애
② 수은중독 - 골연화증
③ 카드뮴중독 - 흑피증, 각화증
④ 비소중독 - 사지마비, 보행장애

해설
- 수은중독 : 빈혈, 색소 침착, 신경염
- 카드뮴중독 : 이타이이타이병
- 비소중독 : 신경마비, 지각 이상, 탈모, 색소 침착

41 다음 중 폐기율이 20%인 식품의 출고계수는 얼마인가?

① 0.5 ② 1.0
③ 1.25 ④ 2.0

해설
가식부율은 80%이므로 1 / 0.8 = 1.25 이다.

42 지방의 하수관이 들어오는 것을 막는데 사용되는 트랩은?

① S 트랩 ② U 트랩
③ 그리스 트랩 ④ P 트랩

해설
그리스(Grease) 트랩은 지방의 하수관 유입을 방지한다.

43 다음 중 질병을 매개하는 위생해충과 그 질병의 연결이 틀린 것은?

① 모기 – 사상충증, 말라리아
② 파리 – 장티푸스, 발진티푸스
③ 진드기 – 유행성 출혈열, 쯔쯔가무시증
④ 쥐 – 페스트, 발진열

해설
◈ 감염병 전파 동물
- 모기 : 말라리아, 일본뇌염, 황열, 사상충증, 뎅기열
- 파리 : 콜레라, 파라티푸스, 이질, 장티푸스, 결핵, 디프테리아
- 바퀴 : 이질, 콜레라, 장티푸스, 폴리오
- 벼룩 : 페스트, 발진열, 재귀열
- 쥐 : 재귀열, 발진열, 페스트, 유행성 출혈열
- 진드기 : 쯔쯔가무시증(양충병)
- 개 : 광견병

44 사시, 동공확대, 언어장애 등 특유의 신경마비 증상을 나타내며 비교적 높은 치사율을 보이는 식중독 원인균은?

① 클로스트리듐 보툴리늄균
② 황색포도상구균
③ 병원성 대장균
④ 바실러스 세레우스균

해설
클로스트리듐 보툴리눔균은 불충분하게 가열 살균한 후 밀봉 저장한 식품(통조림, 소시지, 병조림, 햄 등)이 원인 식품이고 뉴로톡신이라는 신경독소를 생성한다.

45 다음 중 천연 산화 방지제가 아닌 것은?

① 세사몰(Sesamol)
② 토코페롤(Tocopherol)
③ 베타인(Betaine)
④ 고시폴(Gossypol)

해설
베타인 : 아미노산으로 오징어에서 나오는 감칠맛 성분이다.

46 식미에 긴장감을 주고 식욕을 증진시키며 살균 작용을 돕는 매운맛 성분의 연결이 틀린 것은?

① 마늘 : 알리신(Allicin)
② 생강 : 진저롤(Gingerol)
③ 산초 : 호박산(Succinic Acid)
④ 고추 : 캡사이신(Capsaicin)

해설
- 산초 : 쇼가올
- 패류 : 호박산

47 다음 중 효소적 갈변반응에 의해 색을 나타내는 식품은?

① 분말 오렌지 ② 간장
③ 캐러멜 ④ 홍차

해설

◈ 효소적 갈변
- 정의 : 과실과 채소류 등을 파쇄하거나 껍질을 벗길 때 일어나는 현상이다.
- 원인 : 과실과 채소류의 상처받은 조직이 공기 중에 노출되면 페놀화합물이 갈색색소인 멜라닌으로 전환하기 때문이다.
- 갈변현상이 일어나는 식품 : 사과, 배, 가지, 감자, 고구마, 밤, 바나나, 홍차, 우엉 등

48 조리장의 입지조건으로 적당하지 않은 곳은?

① 재료의 반입, 오물의 반출이 편리한 곳
② 사고 발생 시 대피하기 쉬운 곳
③ 조리장이 지하층에 위치하여 조용한 곳
④ 급배수가 용이하고 소음, 악취, 분진, 공해 등이 없는 곳

해설

◈ 조리장의 입지조건
- 통풍 채광 및 급수와 배수가 용이한 곳이 좋다.
- 소음 악취 가스 분진 등이 없는 곳이어야 한다.
- 변소 및 오물처리장 등에서 오염될 염려가 없을 정도의 거리에 떨어져 있는 곳이 좋다.
- 물건 구입 및 반출이 용이한 곳이 좋다.
- 종업원의 출입이 편리한 곳으로 작업에 불편하지 않은 곳이어야 한다.

49 다음 중 병원체가 세균인 질병은?

① 폴리오 ② 백일해
③ 발진티푸스 ④ 홍역

해설

◈ 세균성 질병
한센병, 결핵, 백일해, 폐렴, 성홍열, 장티푸스, 콜레라, 세균성 이질, 파라티푸스 등이 있다.

50 유지를 가열할 때 일어나는 변화에 대한 설명으로 틀린 것은?

① 이취가 난다.
② 점성이 높아진다.
③ 반복 가열해도 영양가의 변화는 거의 없다.
④ 거품이 나고 색이 짙어진다.

해설

유지를 가열하면 향미, 색, 조직이 변하고 영양가의 변화도 많이 일어난다.

51 햇볕에 말린 생선이나 버섯에 특히 많은 비타민은?

① 비타민 D ② 비타민 E
③ 비타민 C ④ 비타민 K

해설

- 비타민 E : 곡식의 배아, 식물성 기름
- 비타민 C : 채소, 과일, 감자
- 비타민 K : 녹황색 채소, 동물의 간, 양배추

52 건성유에 대한 설명으로 옳은 것은?

① 고도의 불포화지방산 함량이 많은 기름이다.
② 포화지방산 함량이 많은 기름이다.
③ 공기 중에 방치해도 피막이 형성되지 않는 기름이다.
④ 대표적인 건성유는 올리브유와 낙화생유가 있다.

해설

- 건성유(아이오딘가 130 이상) : 들깨, 아마인유, 호두 등
- 반건성유(아이오딘가 100~130) : 참기름, 대두유, 면실유, 유채기름 등
- 불건성유(아이오딘가 100 이하) : 땅콩기름, 동맥기름, 올리브유 등

53 원가의 종류가 바르게 설명된 것은?

① 직접원가 = 직접재료비, 직접노무비, 직접경비, 일반관리비
② 총원가 = 제조원가, 지급이자
③ 제조원가 = 직접원가, 제조간접비
④ 판매가격 = 총원가, 직접원가

해설

◈ 원가의 종류
- 직접원가 = 직접재료비 + 직접노무비 + 직접경비
- 총원가 = 제조원가 + 판매관리비
- 판매가격 = 총원가 + 이익

54 감각온도(체감온도)의 3요소에 속하지 않는 것은?

① 기류 ② 기압
③ 기온 ④ 기습

해설
감각온도의 3요소 : 기온, 기습, 기류

55 유지의 발연점이 낮아지는 원인에 대한 설명으로 틀린 것은?

① 유리지방산의 함량이 낮은 경우
② 튀김기의 표면적이 넓은 경우
③ 기름에 이물질이 많이 들어있는 경우
④ 오래 사용하여 기름이 지나치게 산패된 경우

해설
유지의 발연점은 일정한 온도에서 열분해를 일으켜 지방산과 글라이세롤로 분해되어 연기가 나기 시작하는 온도로 유리지방산의 함량이 적으면 발연점이 높아진다.

56 냉채 조리법 중 장국물에 끓이는 방법으로 만드는 냉채에 해당되지 않는 것은?

① 해파리무침
② 오향장육
③ 오향땅콩
④ 마늘소스 삼겹살

해설
해파리냉채는 무치는 냉채로 해파리와 오이를 마늘소스에 무쳐내는 요리이다.

57 음식물이나 식수에 오염되어 경구적으로 침입되는 감염병이 아닌 것은?

① 유행성 이하선염
② 파라티푸스
③ 세균성 이질
④ 폴리오

해설
유행성 이하선염은 기침, 재채기 등의 호흡기를 통해 감염되는 급성감염병이다.

58 냄새나 증기를 배출시키기 위한 환기시설은?

① 트랩 ② 후드
③ 트렌치 ④ 컨베이어

해설
◈ 후드(Hood)
- 조리공간의 냄새, 증기 및 열을 배출하는 역할
- 4방 개방형이 가장 효율적인 형태

59 수출을 목적으로 하는 식품 또는 식품첨가물의 기준과 규격은 식품위생법의 규정 외에 어떤 기준과 규칙에 의할 수 있는가?

① 수입자가 요구하는 기준과 규격
② 국립검역소장이 정하여 고시한 기준과 규격
③ FDA의 기준과 규격
④ 산업통상자원부장관의 별도 허가를 득한 기준과 규격

해설
수출할 식품 또는 식품첨가물의 기준과 규격은 수입자가 요구하는 기준, 규격 등을 따라야 한다.

60 다음 중 과일, 채소의 호흡작용을 조절하여 저장하는 방법은?

① 건조법 ② 냉장법
③ 통조림법 ④ 가스저장법

해설
◈ 가스저장법(CA저장)
과일이나 채소의 호흡작용을 조절하기 위해 이산화탄소(CO_2)나 질소(N_2)가스를 주입해 미생물 생육과 번식을 억제해 장기간 저장하는 방법

정답

1	2	3	4	5	6	7	8	9	10
②	④	①	①	①	②	④	④	①	③
11	12	13	14	15	16	17	18	19	20
②	④	④	①	④	②	①	①	③	③
21	22	23	24	25	26	27	28	29	30
①	③	①	④	②	②	④	④	②	②
31	32	33	34	35	36	37	38	39	40
③	①	②	①	④	③	②	①	③	①
41	42	43	44	45	46	47	48	49	50
③	③	②	①	③	③	④	③	②	③
51	52	53	54	55	56	57	58	59	60
①	①	③	②	①	①	①	②	①	④

제 3 회 실전 모의고사

01 육류의 발색제로 사용되는 아질산염이 산성 조건에서 식품 성분과 반응하여 생성되는 발암성 물질은?

① 지질 과산화물(Aldehyde)
② 벤조피렌(Benzopyrene)
③ 니트로사민(Nitrosamine)
④ 포름알데히드(Formaldehyde)

해설
육가공품의 발색제로 사용한 아질산나트륨 또는 질산칼륨 등은 아민과 결합하여 'N-니트로사민'이라는 발암물질을 생성

02 식품첨가물 중 보존료의 목적을 가장 잘 표현한 것은?

① 산도 조절
② 미생물에 의한 부패 방지
③ 산화에 의한 변패 방지
④ 가공과정에서 파괴되는 영양소 보충

해설
◈ 식품첨가물의 목적
- 산미료 : 산도 조절
- 보존료 : 미생물에 의한 부패 방지
- 산화 방지제 : 산화에 의한 산패 방지
- 강화제 : 부족한 영양소를 식품에 첨가 영양소를 보충

03 식품안전관리 인증기준(HACCP)을 수행하는 단계에 있어서 가장 먼저 실시하는 것은?

① 중점관리점 규명
② 관리기준의 설정
③ 기록유지방법의 설정
④ 식품의 위해요소를 분석

해설
◈ HACCP(식품안전관리 인증) 7가지 원칙
- 1단계 : 위해요소분석
- 2단계 : 중요관리점(CCP)을 결정
- 3단계 : 한계기준을 결정
- 4단계 : CCP에 대한 모니터링 방법을 설정
- 5단계 : 관리상태의 위반 시 CCP가 개선조치 실시
- 6단계 : HACCP가 효과적으로 시행되는지 검증 방법 설정
- 7단계 : 원칙 및 적용에 대한 문서화와 기록유지방법 설정

04 식품위생법상 식품위생 수준의 향상을 위하여 필요한 경우 조리사에게 교육을 받을 것을 명할 수 있는 자는?

① 관할시장 ② 관할 경찰서장
③ 식품의약품안전처장 ④ 보건복지부장관

해설
식품의약품안전처장은 식품위생 수준 및 자질의 향상을 위해 필요한 경우 조리사와 영양사에게 교육받을 것을 지시할 수 있다.

05 사용이 허가된 산미료는?

① 구연산 ② 계피산
③ 말톨 ④ 초산에틸

해설
- 산미료 : 초산, 인산, 주석산, 글루콘산, 구연산 등
- 착향료 : 계피산, 말톨, 초산에틸 등

06 식품의 위생과 관련된 곰팡이의 특징이 아닌 것은?

① 건조식품을 잘 변질시킨다.
② 대부분 생육에 산소를 요구하는 절대 호기성 미생물이다.
③ 곰팡이독을 생성하는 것도 있다.
④ 일반적으로 생육 속도가 세균에 비하여 빠르다.

해설
일반적으로 곰팡이의 생육속도는 세균에 비해 느리다.

07 다음 중 60℃에서 30분간 가열하면 식품 안전에 위해가 되지 않는 세균은?

① 살모넬라균
② 장구균
③ 황색포도상구균
④ 클로스트리디움 보툴리늄균

해설
살모넬라균은 열에 약해 60℃에서 30분간 가열하면 사멸된다. 가열 섭취하면 예방할 수 있다.

08 장마가 지난 후 저장되었던 쌀이 적홍색 또는 황색으로 착색되어 있었다. 이러한 현상의 설명으로 틀린 것은?

① 수분 함량이 15% 이상 되는 조건에서 저장할 때 특히 문제가 된다.
② 기후조건 때문에 동남아시아 지역에서 곡류 저장 시 특히 문제가 된다.
③ 저장된 쌀에 곰팡이류가 오염되어 그 대사산물에 의해 쌀이 황색으로 변한 것이다.
④ 황변미는 일시적인 현상이므로 위생적으로 무해하다.

해설
수분이 많은(15% 이상) 쌀에 푸른곰팡이가 번식하여 쌀이 누렇게 변질되면서 독소를 생성하여 황변미 중독(신경독, 간장독 등)을 일으킬 수 있다. 곰팡이의 종류에 따라 간장장애, 신장장애, 신경장애, 빈혈 등을 일으킨다.

09 모든 미생물을 제거하여 무균 상태로 하는 조작은?

① 소독 ② 살균
③ 멸균 ④ 정균

해설
멸균 : 강한 살균력을 작용해 병원균, 비병원균, 아포 등 모든 미생물을 완전 사멸시켜 무균의 상태를 만드는 것

10 즉석판매제조 · 가공업소 내에서 소비자에게 원하는 만큼 덜어서 직접 최종 소비자에게 판매하는 대상 식품이 아닌 것은?

① 된장 ② 식빵
③ 우동 ④ 어육제품

해설
◈ 소분판매할 수 없는 식품
어육제품, 특수용도식품(체중조절용 조제식품은 제외한다), 전분, 장류, 레토르트식품 및 식초, 통 · 병조림 제품 등

11 식품에 존재하는 유기물질을 고온으로 가열할 때 단백질이나 지방이 분해되어 생기는 유해물질은?

① 에틸카바메이트(Ethylcarbamate)
② 다환방향족탄화수소(Polycyclic aromatic hydrocarbon)
③ 엔-니트로소아민(N-nitrosoamine)
④ 메탄올(Methanol)

해설
다환방향족탄화수소(PAHs) : 유기물의 불완전연소에 의해 생성되는 발암물질로 식품의 조리와 가공 시 식품의 주성분인 탄수화물, 단백질, 지방 등이 분해되어 생성된다.

12 식품과 자연독의 연결이 맞는 것은?

① 목화씨 – 고시폴(Gossypol)
② 감자 – 무스카린(Muscarine)
③ 독버섯 – 솔라닌(Solanine)
④ 살구씨 – 파세오루나틴(Phaseolunatin)

해설
◈ 식품 중의 유독성분
- 감자 : 솔라닌
- 독버섯 : 무스카린
- 청매, 살구씨, 복숭아씨 : 아미그달린

13 알레르기성 식중독을 유발하는 세균은?

① 병원성 대장균(E. coli 0157 : H7)
② 비브리오 콜레라(Vibrio cholerae)
③ 엔테로박터 사카자키(Enterobacter sakazakii)
④ 모르가넬라 모르가니(Morganella morganii)

해설
◈ 모르가넬라 모르가니균(Morganella morganii)
단백질 부패 세균으로 고등어나 꽁치 등과 같은 어류의 가공품을 섭취했을 때 몸에 두드러기가 나고, 열이 나는 증상을 일으키는 알레르기성 식중독이다.

14 다음 중 대장균의 최적 증식 온도 범위는?

① 0~5℃ ② 5~10℃
③ 30~40℃ ④ 55~75℃

해설
대장균의 최적 증식온도 범위는 30~40℃이고 열에 약해 60℃에서 20분 이상 가열하면 멸균

15 700℃ 이하로 구운 옹기독에 음식물을 넣으면 유해물질이 용출되는데, 이때의 유독성분은 무엇인가?

① 주석(Sn) ② 납(Pb)
③ 아연(Zn) ④ 피시비(PCB)

해설
- 주석 : 통조림, 오래된 과일이나 채소류의 강한 산성 물질
- 아연 : 식기류

16 다음 중 과실 저장고의 온도, 습도, 기체 조성 등을 조절하여 장기간 동안 과실을 저장하는 방법은?

① 산 저장 ② 자외선 저장
③ 무균포장 저장 ④ CA 저장

해설
◈ CA 저장
CO_2나 N_2가스를 주입하여 호흡속도를 늦추고 효소를 불활성화하여 미생물의 생육을 억제하고 과실을 장기간 저장할 수 있는 방법

17 중식 조리방법 중 하나로 수증기를 이용하여 재료를 익히는 방법은?

① 류(溜) ② 전(煎)
③ 팽(烹) ④ 쯩(蒸)

해설
① 류(溜) : 매끈하고 부드럽게 조리하는 법
　- 류산슬, 전가복 등
② 전(煎) : 기름을 두르고 미리 조미하여 처리된 재료를 넣고 익히는 조리법
③ 팽(烹) : 물을 이용하여 조린 것에 주재료를 미리 간하여 튀기거나 지지거나 볶아 다시 부재료와 섞어 센 불에서 탕즙을 졸이는 방법

18 유지를 가열할 때 생기는 변화에 대한 설명으로 틀린 것은?

① 요오드값이 높아진다.
② 연기 성분으로 알데히드(Aldehyde), 케톤(Ketone) 등이 생성된다.
③ 유리지방산의 함량이 높아지므로 발연점이 낮아진다.
④ 중합반응에 의해 점도가 증가된다.

해설
◈ 유지를 가열할 때 변화
- 산가, 검화가 및 과산화물가는 높아진다.
- 점도와 비중은 증가하고 발연점은 낮아진다.
- 요오드가는 감소한다.
(유지를 오래 가열하면 이중결합이 중합되어 요오드가가 감소된다.)

19 다음 중 단백가가 가장 높은 것은?

① 쇠고기 ② 달걀
③ 대두 ④ 버터

해설
◈ 단백가
- 달걀에 함유된 아미노산조성은 체조직 합성에 가장 효율성이 높다.
(최고의 단백질 효율이 100일 때 달걀은 93.7)
- 식품에 함유된 필수 아미노산의 양을 표준 단백질의 필수 아무노산 조성과 비교한 수치로 단백질을 점수로 환산한 수치이다.

20 다음 중 내륙지방의 사천요리가 아닌 것은?

① 동파육　② 마파두부
③ 짜사이　④ 궁보계정

해설
동파육 : 상해의 대표적 요리로 장유로 조려낸 삶은 돼지고기 요리이다.

21 아미노산, 단백질 등이 당류와 반응하여 갈색 물질을 생성하는 반응은?

① 폴리페놀 옥시다아제(Polyphenol oxidase)
② 마이야르(Maillard) 반응
③ 캐러멜화(Caramelization) 반응
④ 티로시나아제(Tyrosinase) 반응

해설
마이야르(Maillard) 반응은 비효소적 갈변의 하나로 아미노산, 단백질 등이 당류와 반응하여 갈색 색소인 멜라노이딘(Melanoidin)을 만드는 반응

22 가정에서 많이 사용되는 다목적 밀가루는?

① 강력분　② 중력분
③ 박력분　④ 초강력분

해설
일반가정에서는 다목적 밀가루인 중력분을 많이 사용
※ 강력분 : 글루텐 13% 이상 – 식빵, 마카로니
※ 중력분 : 글루텐 10~13% – 만두피, 수제비, 칼국수 등
※ 박력분 : 글루텐 10% 이하 – 케이트, 튀김옷, 쿠키 등

23 달걀 100g 중에 당질 5g, 단백질 8g, 지질 4.4g이 함유되어 있다면 달걀 5개의 열량은 얼마인가?(단, 달걀 1개의 무게는 50g이다.)

① 91.6kcal　② 229kcal
③ 274kcal　④ 458kcal

해설
◈ 계산방법
달걀 100g 중에 (5 × 4) + (8 × 4) + (4.4 × 9) = 91.6kcal
91.6kcal × 2.5 = 229kcal
(달걀 5개는 250g 열량에 해당됨)

24 미생물의 생육에 필요한 수분활성도의 크기로 옳은 것은?

① 세균 〉 곰팡이 〉 효모
② 곰팡이 〉 세균 〉 효모
③ 효모 〉 곰팡이 〉 세균
④ 세균 〉 효모 〉 곰팡이

해설
◈ 미생물의 수분활성도
– 세균 0.94~0.99, 효모 0.88~0.90, 곰팡이 0.7~0.95
– 수분활성도가 높으면 미생물의 번식환경에 좋다.

25 전분 식품의 노화를 억제하는 방법으로 적합하지 않은 것은?

① 설탕을 첨가한다.
② 식품을 냉장 보관한다.
③ 식품의 수분함량을 15% 이하로 한다.
④ 유화제를 사용한다.

해설
◈ 노화 억제방법
– 설탕을 첨가
– 80℃ 이상이나 0℃ 이하에서 보관
– 유화제나 환원제를 첨가
– 수분함량을 15% 이하로 낮춤

26 신맛 성분과 주요 소재 식품의 연결이 틀린 것은?

① 구연산(Citric acid) – 감귤류
② 젖산(Lactic acid) – 김치류
③ 호박산(Succinic acid) – 늙은 호박
④ 주석산(Tartaric acid) – 포도

해설
호박산(Succinic acid)은 조개류에 많다.

27 완두콩 통조림을 가열하여도 녹색이 유지되는 것은 어떤 색소 때문인가?

① 클로로필(Chlorophyll)
② 구리–클로로필(Cu–chlorophyll)
③ 철–클로로필(Fe–chlorophyll)
④ 클로로필린(Chlorophylline)

해설
클로로필(Chlorophyll)은 구리(Cu)와 같이 가열하면 클로로필 분자 중의 마그네슘과 치환되어 선명한 청록색의 구리-클로로필(Cu-chlorophyll)이 된다. 이런 구리-클로로필 안정화로 완두콩 통조림 제조에 응용된다.

28 다음 내용 중 조리기구의 종류와 용도를 틀리게 설명한 것은?

① 중식국자 : 튀김 재료를 건질 때 사용
② 찜기 : 수증기를 이용해 재료를 익히는데 사용
③ 제면기 : 면을 뽑을 때 사용
④ 중식팬 : 바닥이 둥근 금속냄비로 중식의 기본팬. 볶음, 튀김, 데치기 등 다양한 조리 시 사용

해설
중식국자 : 식재료를 볶을 때나 국물을 뜰 때 요리를 덜어 사용할 때 사용하는 길이가 긴 국자

29 근채류 중 생식하는 것보다 기름에 볶는 조리법을 적용하는 것이 좋은 식품은?

① 무 ② 고구마
③ 토란 ④ 당근

해설
◈ 지용성 비타민
- 당근, 파프리카, 노란호박 등의 채소에 비타민 A의 전구물질인 카로틴이 존재하여 인체 내에 들어왔을 때 비타민 A로서의 효력을 갖게 됨
- 기름을 활용한 요리법을 사용하면 흡수율을 높일 수 있음

30 산성 식품에 해당하는 것은?

① 곡류 ② 사과
③ 감자 ④ 시금치

해설
◈ 산성식품
- 곡류, 육류, 어류 등
- 무기질 중 황(S), 인(P), 염소(Cl) 등을 많이 포함하고 있음

31 다음 중 중식요리 소스 조리 시 유의사항에 해당되지 않는 것은?

① 주재료의 맛을 해치지 않도록 해야 한다.
② 중식의 모든 소스에는 물전분이 꼭 첨가되어야 한다.
③ 주재료와 담는 그릇, 소스의 색이 조화를 이루어야 한다.
④ 소스의 농도, 색, 윤기 등 모든 요소가 잘 어우러져야 한다.

해설
중식요리에 들어가는 소스 중 물 전분이 들어가지 않는 요리도 있다.

32 다음 중 발연점이 낮아서 튀김에 적합하지 않은 기름은?

① 콩기름 ② 버터
③ 카놀라유 ④ 옥수수유

해설
발연점이 낮은 버터나 마가린은 튀김에 적합하지 않다.

33 '뜸을 들이다'는 의미로 뚜껑을 덮고 약한 불에 익히는 방법은 ?

① 초(炒) ② 류(溜)
③ 민(燜) ④ 작(炸)

해설
① 초(炒) : 전분을 사용하지 않는 볶음류
② 류(溜) : 재료를 튀기거나 데친 후 소스를 끼얹거나 혼합하는 방법
④ 작(炸) : 넉넉한 기름을 넣고 재료를 튀기는 방법으로 겉표면은 바삭하고 속은 촉촉함

34 일반적으로 폐기율이 가장 높은 식품은?

① 소살코기 ② 달걀
③ 생선 ④ 곡류

해설
◈ 폐기율
- 일반적으로 생선 38%, 달걀은 14%, 곡류는 10%, 소살코기 0% 등
- 조리 시 가식부량을 제외한 버려지는 부분

35 식단을 작성할 때 구비해야 하는 자료로 가장 거리가 먼 것은?

① 계절 식품표
② 설비, 기기 위생점검표
③ 대치 식품표
④ 식품영양구성표

해설
표준식단 작성 시 영양성, 기호성, 지역성, 경제성, 능률성 등을 고려하여 작성하며 계절식품표, 대치식품표, 식품영양구성표 등을 참고하여 식단을 작성한다.

36 다음 중 원가의 구성에 해당하는 것은?

직집원가 + 제조간접비

① 판매가격
② 간접원가
③ 제조원가
④ 총원가

해설
◈ 원가의 구성
- 직접원가 = 직접경비 + 직접노무미 + 직접재료비
- 총원가 = 제조원가 + 일반관리비 및 판매비
- 판매가격 = 총원가 + 이익

37 달걀의 기능을 이용한 음식의 연결이 잘못된 것은?

① 유화성 – 마요네즈
② 팽창제 – 시폰 케이크
③ 응고성 – 달걀찜
④ 간섭제 – 맑은 장국

해설
◈ 달걀의 기능과 식품 관계
- 팽창제 : 시폰 케이크, 엔젤 케이크
- 응고성 : 달걀찜, 푸딩, 커스타드
- 결합제 : 전, 만두속, 크로켓

38 식품을 고를 때 채소류의 감별법으로 틀린 것은?

① 오이는 굵기가 고르며 만졌을 때 가시가 있고 무거운 느낌이 나는 것이 좋다.
② 당근은 일정한 굵기로 통통하고 마디나 뿔이 없는 것이 좋다.
③ 양배추는 가볍고 잎이 얇으며 신선하고 광택이 있는 것이 좋다.
④ 우엉은 껍질이 매끈하고 수염뿌리가 없는 것으로 굵기가 일정한 것이 좋다.

해설
양배추는 바깥쪽 잎이 신선한 녹색이며 단단하고 묵직한 것이 좋다.

39 단체급식에서 식품의 재고관리에 대한 설명으로 틀린 것은?

① 각 식품에 적당한 재고기간을 파악하여 이용하도록 한다.
② 식품의 특성이나 사용 빈도 등을 고려하여 저장 장소를 정한다.
③ 먼저 구입한 것은 먼저 소비한다.
④ 비상시를 대비하여 가능한 한 많은 재고량을 확보할 필요가 있다.

해설
식품의 재고를 파악 후 적절한 재고량을 유지하는 것이 바람직하다.

40 다음 중 압출식 면에 해당되지 않는 것은?

① 파스타 ② 칼국수
③ 냉면 ④ 당면

해설
칼국수는 면대를 형성해서 자르는 면에 해당된다.

41 고기를 연하게 하기 위해 사용하는 과일에 들어있는 단백질 분해효소가 아닌 것은?

① 아밀라아제(Amylase)
② 브로멜린(Bromelin)
③ 파파인(Papain)
④ 피신(Ficin)

해설
아밀라아제(Amylase)는 탄수화물 분해효소이다.
※ 피신(Ficin) – 무화과
※ 파파인(Papain) – 파파야
※ 브로멜린(Bromelin) – 파인애플 등

42 중조를 넣어 콩을 삶을 때 가장 문제가 되는 것은?

① 비타민 B_1의 파괴가 촉진됨
② 콩이 잘 무르지 않음
③ 조리수가 많이 필요함
④ 조리시간이 길어짐

해설
콩을 삶을 때 중조를 넣으면 콩이 잘 무르고 조리시간이 단축되지만 비타민 B_1의 파괴가 촉진된다.

43 조리장의 설비에 대한 설명 중 부적합한 것은?

① 조리장의 내벽은 바닥으로부터 5㎝까지 수성 자재로 한다.
② 충분한 내구력이 있는 구조여야 한다.
③ 조리장에는 식품 및 식기류의 세척을 위한 위생적인 세척 시설을 갖춘다.
④ 조리원 전용의 위생적 수세 시설을 갖춘다.

해설
조리장의 내벽은 지상으로부터 1m까지는 타일, 콘크리트 등의 내수성 자재를 사용한 구조이여야 한다.

44 오징어냉채와 해파리냉채에 공통으로 들어가며, 기초장식으로 얇게 썰어 접시 가장자리를 두르는 식재료는?

① 당근 ② 양파
③ 무 ④ 오이

해설
오이는 냉채에 함께 묻혀지기도 하고 장식용으로도 사용되는 식재료이다.

45 튀김옷의 재료에 관한 설명으로 틀린 것은?

① 중조를 넣으면 탄산가스가 발생하면서 수분도 증발되어 바삭하게 된다.
② 달걀을 넣으면 달걀 단백질의 응고로 수분 흡수가 방해되어 바삭하게 된다.
③ 글루텐 함량이 높은 밀가루가 오랫동안 바삭한 상태를 유지한다.
④ 얼음물에 반죽을 하면 점도를 낮게 유지하여 바삭하게 된다.

해설
튀김옷에 사용하는 밀가루는 글루텐 함량이 낮은 박력분을 사용해야 한다.

46 쇠고기 40g을 두부로 대체하고자 할 때 필요한 두부의 양은 약 얼마인가?(단, 100g당 쇠고기 단백질 함량은 20.1g, 두부 단백질 함량은 8.6g으로 계산한다.)

① 70g ② 74g
③ 90g ④ 94g

해설
대체 식품량 = (원래식품량 × 원래식품함량) / 대체식품량
= (40g × 20.1%) / 8.6%
= 93.5g

47 요리코스 중 가장 먼저 나오는 요리로 입맛을 돋우어 주는 요리가 아닌 것은?

① 해파리냉채 ② 오향장육
③ 동파육 ④ 삼품냉채

해설

동파육 : 삼겹살을 튀겨 간장소스와 향신료를 넣고 쪄서 조려낸 주요리에 해당되는 요리이다.

48 다음 중 유지의 산패를 차단하기 위해 상승제(Synergist)와 함께 사용하는 물질은?

① 보존제 ② 발색제
③ 항산화제 ④ 표백제

해설

- 유지의 산패 : 공기 중의 산소와 결합에 의해 일어나는 산화작용
- 방지하기 위한 방법 : 항산화제 사용

49 훈연 시 육류의 보존성과 풍미 향상에 가장 많이 관여하는 것은?

① 유기산 ② 탄소
③ 숯성분 ④ 페놀류

해설

훈연 시 페놀류로 인하여 살균 및 방부 작용으로 보존성이 높아지고 특유의 향미를 부여한다.

50 영양소와 급원식품의 연결이 옳은 것은?

① 동물성 단백질 – 두부, 소고기
② 비타민 A – 당근, 미역
③ 필수지방산 – 대두유, 버터
④ 칼슘 – 우유, 뱅어포

해설

- 두부 : 식물성 단백질
- 비타민 A : 간, 난황, 버터, 당근 등
- 필수지방산 : 대두유, 옥수수유, 생선의 간유 등

51 인수공통감염병에 속하지 않는 것은?

① 광견병
② 탄저
③ 고병원성 조류인플루엔자
④ 백일해

해설

백일해는 호흡기계 감염병에 속한다.

52 원가계산의 목적으로 옳지 않은 것은?

① 원가의 절감 방안을 모색하기 위해서
② 제품의 판매가격을 결정하기 위해서
③ 경영손실을 제품가격에서 만회하기 위해서
④ 예산편성의 기초자료로 활용하기 위해서

해설

◈ 원가계산의 목적
판매가격을 결정, 경영능률을 증진시키기 위한 예산편성, 원가절감 등이 있다.

53 다음 중 가장 강한 살균력을 갖는 것은?

① 적외선 ② 자외선
③ 가시광선 ④ 근적외선

해설

자외선은 가장 파장이 짧은 광선(2500~2800A)으로 살균력이 강함

54 공중보건에 대한 설명으로 틀린 것은?

① 공중보건의 최소단위는 지역사회이다.
② 환경위생 향상, 감염병 관리 등이 포함된다.
③ 주요 사업대상은 개인이 질병치료이다.
④ 목적은 질병 예방, 수명 연장, 정신적·신체적 효율의 증진이다.

해설

- 공중보건의 3대 요소 : 질병 예방, 수명 연장, 건강 증진이다
- 공중보건의 대상 : 개인이 아닌 인간집단으로 지역 사회가 최소단위이다.

55 폐기물 소각 처리 시의 가장 큰 문제점은?

① 악취가 발생되며 수질이 오염된다.
② 다이옥신이 발생한다.
③ 처리방법이 불쾌하다.
④ 지반이 약화되어 균열이 생길 수 있다.

해설

◈ 폐기물 소각 처리
처리방법이 간단하지만 대기오염의 원인 환경호르몬인 다이옥신이 발생한다.

56 아메바에 의해서 발생되는 질병은?

① 장티푸스 ② 콜레라
③ 유행성 간염 ④ 이질

해설
아메바성 이질은 환자나 보균자의 분변을 통해 배출된 원충류에 의해 발생한다.

57 다음 중 신선한 달걀은?

① 달걀을 흔들어서 소리가 나는 것
② 삶았을 때 난황의 표면이 암녹색으로 쉽게 변하는 것
③ 껍질이 매끈하고 윤기 있는 것
④ 깨보면 많은 양의 난백이 난황을 에워싸고 있는 것

해설
◈ 달걀의 신선도 판정방법
- 기실의 크기가 작은 것이 좋다.
- 6% 정도의 소금물에 가라앉는 것이 좋다.
- 오래된 달걀을 삶았을 때 황화수소가 쉽게 발생하여 난황이 암녹색으로 쉽게 변색된다.
- 껍질은 거칠고 광택이 없으며 흔들었을 때 소리가 나지 않아야 한다.
- 난황이 둥글고 농후난백이 많다.(난황계수 0.37~0.44)

58 호흡기계 감염병이 아닌 것은?

① 폴리오 ② 홍역
③ 백일해 ④ 디프테리아

해설
◈ 인체 침입구에 따른 감염병의 분류
- 호흡기계 침입 : 디프테리아, 인플루엔자, 두창, 홍역, 풍진, 백일해, 결핵, 폐렴, 성홍열 등
- 소화기계 침입 : 소아마비(폴리오), 장티푸스, 아메바성 이질, 유행성 간염, 콜레라, 세균성 이질

59 다음 중 효소적 갈변반응에 의해 색을 나타내는 식품은?

① 분말 오렌지 ② 간장
③ 캐러멜 ④ 홍차

해설
홍차는 발효 과정에서 폴리페놀 산화효소에 의해 갈변이 된다.

60 채소로부터 감염되는 기생충으로 짝지어진 것은?

① 편충, 동양모양선충
② 폐흡충, 회충
③ 구충, 선모충
④ 회충, 무구조충

해설
◈ 기생충과 숙주와의 관계
- 회충, 구충, 편충, 동양모양선충 : 채소
- 폐흡충 : 다슬기, 가재, 게
- 선모충 : 돼지고기
- 무구조충 : 소

정답

1	2	3	4	5	6	7	8	9	10
③	②	④	③	①	④	①	④	③	④
11	12	13	14	15	16	17	18	19	20
②	①	④	③	②	④	④	①	②	①
21	22	23	24	25	26	27	28	29	30
②	②	②	④	②	③	②	①	④	①
31	32	33	34	35	36	37	38	39	40
②	②	③	③	②	③	④	③	④	②
41	42	43	44	45	46	47	48	49	50
①	①	①	④	③	④	③	③	④	④
51	52	53	54	55	56	57	58	59	60
④	③	②	③	②	④	④	①	④	①

제 4 회 실전 모의고사

01 안식향산(Benzoic Acid)의 사용 목적은?

① 식품의 산미를 내기 위하여
② 식품의 부패를 방지하기 위하여
③ 유지의 산화를 방지하기 위하여
④ 식품의 향을 내기 위하여

해설

◈ 식품첨가물
① 산미료 - 글루코산액, 구연산 등
② 보존제(방부제) - 안식향산, 데히드로초산 등
③ 산화 방지제 - 부틸히드록시아니졸(BHa), 아스코르빈산 등
④ 착향료 - 에스테르류 등

02 업종별 시설기준으로 틀린 것은?

① 휴게음식점에는 다른 객석에서 내부가 보이도록 하여야 한다.
② 일반음식점의 객실에는 잠금장치를 설치할 수 있다.
③ 일반음식점의 객실 안에는 무대장치, 우주볼 등의 특수조명시설을 설치하여서는 아니 된다.
④ 일반음식점에서는 손님이 이용할 수 있는 자동반주 장치를 설치하여서는 아니 된다.

해설

일반음식점에서 객실은 잠금장치를 설치할 수 없다.

03 식품위생법상 영업에 종사하지 못하는 질병의 종류가 아닌 것은?

① 비감염성 결핵 ② 세균성 이질
③ 장티푸스 ④ 화농성 질환

해설

◈ 식품위생법 시행규칙 제 50조
법 제40조제4항에 따라 영업에 종사하지 못하는 사람은 다음의 질병에 걸린 사람으로 한다.
- 감염병의 예방 및 관리에 관한 법률 제2조제3호가목에 따른 결핵(비감염성인 경우는 제외한다)
- 감염병의 예방 및 관리에 관한 법률 시행규칙 제33조 제1항 각 호의 어느 하나에 해당하는 감염병
- 피부병 또는 그 밖의 화농성(化膿性)질환
- 후천성면역결핍증(감염병의 예방 및 관리에 관한 법률 제19조에 따라 성매개감염병에 관한 건강진단을 받아야 하는 영업에 종사하는 사람만 해당한다)

04 중온균(Mesophilic Bacteria) 증식의 최적 온도는?

① 10~12℃ ② 25~37℃
③ 55~60℃ ④ 65~75℃

해설

◈ 균의 증식 최적온도
- 저온균 : 15~20℃(냉장식품에 부패를 일으키는 세균)
- 중온균 : 25~37℃(병원균을 비롯한 대부분의 세균)
- 고온균 : 55~60℃(온천수에 서식하는 세균)

05 복어 중독을 일으키는 독성분은?

① 테트로도톡신(Tetrodotoxin)
② 솔라닌(Solanine)
③ 베네루핀(Venerupin)
④ 무스카린(Muscarine)

해설

◈ 식품과 독성분
- 감자 : 솔라닌(Solanine)
- 조개류(모시조개, 굴, 바지락, 고동 등) : 베네루핀(Venerupin)
- 독버섯 : 무스카린(Muscarine)

06 북경요리(산동요리) 특징에 해당되지 않는 것은?

① 튀김요리, 볶음요리가 발달
② 맛은 중후한 편
③ 대표적 요리는 꿔바로우이다.
④ 비교적 짧은 시간에 조리하는 요리가 많다.

해설

꿔바로우는 광동요리에 해당한다.

07 식중독 중 해산어류를 통해 많이 발생하는 식중독은?

① 살모넬라균 식중독
② 클로스트리디움 보툴리늄균 식중독
③ 황색포도상구균 식중독
④ 장염비브리오균 식중독

해설
◈ 식중독 발생원인 식품
- 살모넬라균 식중독 : 육류 및 가공품
- 클로스트리디움 보툴리늄균 식중독 : 살균이 불충분한 통조림
- 황색포도상구균 식중독 : 유가공품
- 장염비브리오균 식중독 : 해산어류 및 패류

08 색소를 함유하고 있지는 않지만 식품 중의 성분과 결합하여 색을 안정화시키면서 선명하게 하는 식품첨가물은?

① 착색료 ② 보존료
③ 발색제 ④ 산화 방지제

해설
◈ 식품첨가물의 기능
- 착색료 : 식품의 가공과정에서 색을 복원하거나 외관을 보기 좋게 하기 위하여 착색하는데 사용하는 첨가물
- 보존료 : 식품의 보존은 물론 미생물의 발육 억제하고 식품의 부패와 변패를 막아 신선도를 보존하는 첨가물
- 발색제 : 색을 안정시키거나 발색을 촉진시키는 첨가물
  · 육류발색제(질산나트륨, 질산칼륨, 아질산나트륨 등)
  · 식물발색제(글루콘산철, 소명반, 황산제일철 등)
- 산화 방지제 : 식품의 산화 방지를 위해 사용하는 첨가물

09 화학성 식중독의 원인이 아닌 것은?

① 설사성 패류 중독
② 환기오염에 기인하는 식품 유독성분 중독
③ 중금속에 의한 중독
④ 유해성 식품첨가물에 의한 중독

해설
- 화학성 식중독은 농약, 환경오염, 유해첨가물, 중금속에 기인한 식품 유독성분 등이 원인
- 설사성 패류 중독은 장염비브리오 식중독으로 세균성 식중독 중 감염형식중독에 해당된다.

10 식품의 부패 또는 변질과 관련이 적은 것은?

① 수분 ② 온도
③ 압력 ④ 효소

해설
식품의 부패와 변질에 관여하는 미생물은 적당한 영양소, 수분 및 온도가 있어야 증식하고 효소도 식품의 변질을 촉진(식품의 변성과 가수분해를 통해)한다.

11 식품을 조리 또는 가공할 때 생성되는 유해물질과 그 생성 원인을 잘못 짝지은 것은?

① 엔-니트로소아민(N-Nitrosoamine) - 육가공품의 발색제 사용으로 인한 아질산과 아민과의 반응 생성물
② 다환방향족탄화수소(Polycyclic Aromatic Hydrocarbon) - 유기물질을 고온으로 가열할 때 생성되는 단백질이나 지방의 분해 생성물
③ 아크릴아미드(Acrylamide) - 전분식품 가열 시 아미노산과 당의 열에 의한 결합반응 생성물
④ 헤테로고리아민(Heterocyclic Amine) - 주류 제조 시 에탄올과 카바밀기의 반응에 의한 생성물

해설
헤테로고리아민(Heterocyclic Amine) : 육류나 생선을 고온으로 조리 시, 육류나 생선 중에 존재하는 아미노산과 크레아틴이라는 물질이 반응하여 생긴 생성물

12 세균으로 인한 식중독 원인물질이 아닌 것은?

① 살모넬라균 ② 장염비브리오균
③ 아플라톡신 ④ 보툴리늄독소

해설
◈ 식중독 원인물질
- 곰팡이중독 : 아플라톡신
- 세균성 식중독
  · 감염형 식중독 : 장염비브리오, 살모넬라
  · 독소형 식중독 : 보툴리늄독소, 포도상구균

13 HACCP의 7가지 원칙에 해당하지 않는 것은?

① 위해요소분석
② 중요관리점(CCP) 결정
③ 개선조치방법 수립
④ 회수명령의 기준 설정

해설

◈ HACCP 7원칙
- 원칙1. 유해요소분석
- 원칙2. 중요관리점(CCP)결정
- 원칙3. 중요관리점에 대한 한계기준 설정
- 원칙4. 중요관리점에 대한 감시절차 확립
- 원칙5. 개선조치절차 확립
- 원칙6. 검증절차 확립
- 원칙7. 기록유지 및 문서화절차 확립

14 다음 중 식품 변질을 방지하는 원리가 아닌 것은?

① 수분활성조절 ② 산저장
③ 상온 밀봉 ④ 가열살균

해설

식품 변질 방지에는 수분활성조절, 온도조절, pH, 가열살균, 광선조사, 산소 제거법이 있다.

15 식품위생법에 명시된 목적이 아닌 것은?

① 위생상의 위해 방지
② 건전한 유통·판매 도모
③ 식품영양의 질적 향상 도모
④ 식품에 관한 올바른 정보 제공

해설

◈ 식품위생 행정의 목적
식품으로 인한 위생상의 위해를 방지하고, 식품영양의 질적 향상을 도모하며 식품에 관한 올바른 정보를 제공함으로써 국민보건의 증진에 이바지함을 목적으로 한다.

16 식품에 존재하는 물의 형태 중 자유수에 대한 설명으로 틀린 것은?

① 식품에서 미생물의 번식에 이용된다.
② -20℃에서도 얼지 않는다.
③ 100℃에서 증발하여 수증기가 된다.
④ 식품을 건조시킬 때 쉽게 제거된다.

해설

유리수(자유수)	결합수
- 용매작용한다. - 미생물의 발아와 번식이 가능하다. - 0℃ 이하에서 동결된다. - 4℃에서 비중이 가장 크다. - 표면장력과 점성이 크다. - 융점과 비점이 매우 높다. - 건조로 제거 가능하다.	- 용매 작용하지 못한다. - 미생물의 발아와 번식이 불가능하다. - -20℃에서도 잘 얼지 않는다. - 밀도가 크다. - 100℃ 이상으로 가열해도 제거되지 않는다. - 건조로 제거 불가능하다.

17 다음 중 채소의 가공 시 가장 손실되기 쉬운 비타민은?

① 비타민 A ② 비타민 D
③ 비타민 C ④ 비타민 E

해설

비타민 C는 산소, 물, 빛, 열 등에 의해 파괴되기 쉬운 영양소로 채소의 조리과정 중에 손실되기 쉽다.

18 단맛을 갖는 대표적인 식품과 가장 거리가 먼 것은?

① 사탕무 ② 감초
③ 벌꿀 ④ 곤약

해설

곤약은 구약감자의 뿌리에서 생성된 가루를 묵처럼 젤리화 한 제품으로 주성분은 '글루코만난'이고 수분이 약 95%, 당질이 약 3%인 저칼로리 식품이며 단맛은 거의 없다.

19 달걀흰자로 거품을 낼 때 식초를 약간 첨가하는 것은 다음 중 어떤 것 과 가장 관계가 깊은가?

① 난백의 등전점 ② 용해도 증가
③ 향 형성 ④ 표백효과

해설

달걀흰자의 주성분인 오브알부민의 등전점(양이온의 농도와 음이온의 농도가 같아지는 상태)은 pH 4.6~4.7이다. 이때 소량의 산을 첨가하여 pH를 등전점 부근으로 해주면 기포형성에 된다.

20 붉은 양배추를 조리할 때 식초나 레몬즙을 조금 넣으면 어떤 변화가 일어나는가?

① 안토시아닌계 색소가 선명하게 유지된다.
② 카로티노이드계 색소가 변색되어 녹색으로 된다.
③ 클로로필계 색소가 선명하게 유지된다.
④ 플라보노이드계 색소가 변색되어 청색으로 된다.

해설
적색, 자색 등의 채소(가지, 비트, 붉은 양배추 등)에 있는 안토시아닌은 산에서 적색, 중성에서 자색, 알칼리성에서 청색을 나타낸다.

21 육류의 사후경직을 설명한 것 중 틀린 것은?

① 근육에서 호기성 해당 과정에 의해 산이 증가된다.
② 해당 과정으로 생성된 산에 의해 pH가 낮아진다.
③ 경직 속도는 도살 전의 동물의 상태에 따라 다르다.
④ 근육의 글리코겐이 젖산으로 된다.

해설
동물이 도살된 후 근육이 단단하게 사후 경직을 하고, 산소의 공급이 끊기면 근육조직의 글리코겐이 혐기성 해당과정을 거쳐 젖산을 생성하고 젖산에 의해 근육의 pH가 6.5 이하 정도로 저하된다.

22 불건성유에 속하는 것은?

① 들기름　② 땅콩기름
③ 대두유　④ 옥수수기름

해설
- 건성유(요오드가 130 이상) : 아마인유, 호두, 잣, 들깨기름 등
- 반건성유(요오드가 100~130) : 대두유(콩기름), 해바라기씨 기름, 참기름, 면실유, 유채기름(채종유) 등
- 불건성유(요오드가 100 이하) : 땅콩기름, 동백기름, 올리브유, 팜야자유 등

23 일반적으로 포테이토칩 등 스낵류에 질소충전 포장을 실시할 때 얻어지는 효과로 가장 거리가 먼 것은?

① 유지의 산화 방지
② 스낵의 파손 방지
③ 세균의 발육 억제
④ 제품의 투명성 유지

해설
질소충전을 함으로써 파손 방지, 세균 발육 억제, 저장성 증가 및 유지의 산화 방지 등의 효과를 볼 수 있다.

24 전분의 노화를 억제하는 방법으로 적합하지 않은 것은?

① 수분함량 조절　② 냉동
③ 설탕의 첨가　④ 산의 첨가

해설
◈ 전분의 노화억제 방법
- 설탕 첨가
- 환원제나 유화제를 첨가
- 급속히 냉동 또는 80℃ 이상에서 급속히 건조
- 수분함량을 15% 이하로 건조처리

25 다음 중 중식 소스의 농도를 내는 재료에 해당되지 않는 것은?

① 찹쌀가루　② 고구마전분
③ 감자전분　④ 옥수수전분

해설
중식요리 소스 농도를 낼 때는 찹쌀가루를 사용하지 않는다.

26 효소의 주된 구성성분은?

① 지방　② 탄수화물
③ 단백질　④ 비타민

해설
효소를 구성하는 중요 성분은 단백질이다.

27 다음 냄새 성분 중 어류와 관계가 먼 것은?

① 트리메틸아민(Trimethylamine)
② 암모니아(Ammonia)
③ 피페리딘(Piperidine)
④ 디아세틸(Diacetyl)

해설
트리메틸아민은 신선도가 저하된 어류의 특유한 비린 냄새의 물질이며, 피페리딘은 민물고기의 냄새, 암모니아는 선도가 저하되었을 때 발생하는 냄새이다.
디아세틸(Diacetyl)은 버터의 향기성분이다.

28 우유 가공품이 아닌 것은?

① 치즈 ② 버터
③ 마시멜로우 ④ 액상 발효유

해설
우유의 가공품에는 발효유(액상, 농후), 크림, 버터, 아이스크림, 연유, 분유, 치즈 등이 있다.

29 찹쌀의 아밀로오스와 아밀로펙틴에 대한 설명 중 맞는 것은?

① 아밀로오스 함량이 더 많다.
② 아밀로오스 함량과 아밀로펙틴의 함량이 거의 같다.
③ 아밀로펙틴으로 이루어져 있다.
④ 아밀로펙틴은 존재하지 않는다.

해설
찹쌀은 아밀로펙틴으로 이루어져 멥쌀로 만든 떡보다 노화가 더 느리다.

30 과일 향기의 주성분을 이루는 냄새 성분은?

① 알데히드(Aldehyde)류
② 함유황화합물
③ 테르펜(Terpene)류
④ 에스테르(Ester)류

해설
과일의 주된 향기성분은 휘발성인 유기산과 에스테르류이다. 에스테르류는 분자량이 많아지면 향기도 강해진다.

31 유지의 발연점이 낮아지는 원인에 대한 설명으로 틀린 것은?

① 유리지방산의 함량이 낮은 경우
② 튀김기의 표면적이 넓은 경우
③ 기름에 이물질이 많이 들어 있는 경우
④ 오래 사용하여 기름이 지나치게 산패된 경우

해설
◈ 유지의 발연점에 영향을 주는 요인
- 유리지방산의 함량이 높을수록
- 그릇의 표면적이 넓을수록
- 기름 이외의 이물질이 많을수록
- 여러 번 반복하여 사용할수록 유지의 발연점이 낮아진다.

32 총원가는 제조원가에 무엇을 더한 것인가?

① 제조간접비 ② 판매관리비
③ 이익 ④ 판매가격

해설
총원가 = 제조원가 + 판매관리비

33 우유의 카제인을 응고시킬 수 있는 것으로 되어 있는 것은?

① 탄닌 - 레닌 - 설탕
② 식초 - 레닌 - 탄닌
③ 레닌 - 설탕 - 소금
④ 소금 - 설탕 - 식초

해설
카제인은 우유 단백질의 80%를 차지하며 산, 레닌, 폴리페놀화합물(탄닌) 및 염류에 의해 응고한다.

34 다음 중 튀김 조리법에 해당되지 않는 것은?

① 작(炸) ② 쓸(絲)
③ 팽(烹) ④ 초(炒)

해설
쓸(絲) : 중식의 채 썰기 방법이다.

35 조리 시 일어나는 비타민, 무기질의 변화 중 맞는 것은?

① 비타민 A는 지방음식과 함께 섭취할 때 흡수율이 높아진다.
② 비타민 D는 자외선과 접하는 부분이 클수록, 오래 끓일수록 파괴율이 높아진다.
③ 색소의 고정효과로는 Ca^{++}이 많이 사용되며 식물 색소를 고정시키는 역할을 한다.
④ 과일을 깎을 때 쇠칼을 사용하는 것이 맛, 영양가, 외관상 좋다.

해설
- 비타민 D는 열이나 산소에 안정하다.
- 녹색 채소의 색을 보존하고 조직이 물러지는 것을 방지하려면 초산칼슘과 탄산마그네슘의 혼합물을 소량 넣는 것이 좋다.
- 과일의 갈변은 구리나 철 이온에 의해 촉진되므로 금속용기는 피하는 것이 좋다.

36 급식시설에서 주방 면적을 산출할 때 고려해야 할 사항으로 가장 거리가 먼 것은?

① 피급식자의 기호
② 조리 기기의 선택
③ 조리 인원
④ 식단

해설
주방 면적은 식단, 조리인원, 배식 수, 조리기기의 종류 등을 고려하여 설정한다.

37 다음 채소의 조리 중 색소변화인 안토시안(anthocyan)에 관한 설명으로 옳은 것은?

① 산성에서는 적색, 중성에서는 보라색, 알칼리에서는 청색을 띤다.
② 산성에서는 백색으로 변하고 알칼리에서는 황색으로 변한다.
③ 산에는 안정하나 알칼리와 산화에는 불안정하다.
④ 녹색, 등황색 채소에 들어있는 오렌지색이나 황색을 말한다.

해설
②③ : 플라보노이드 색소
④ : 카로티노이드 색소

38 차, 커피, 코코아, 과일 등에서 수렴성 맛을 주는 성분은?

① 탄닌(Tannin)
② 카로텐(Carotene)
③ 엽록소(Chlorophyll)
④ 안토시아닌(Anthocyanin)

해설
◈ 수렴성 맛
코코아, 과일, 차, 커피 등을 먹을 때 느끼는 떫은맛을 말하는 것으로 탄닌(Tannin)성분이 그 원인이다.

39 다음 급식시설 중 1인 1식 사용 급수량이 가장 많이 필요한 시설은?

① 학교급식 ② 보통급식
③ 산업체급식 ④ 병원급식

해설
병원급식은 위생에 대한 대비 철저, 연중무휴 근무, 환자의 개별식기 사용 등으로 다른 사업장보다 사용하는 물의 양이 가장 많다.

40 신선한 달걀의 감별법으로 설명이 잘못된 것은?

① 햇빛(전등)에 비출 때 공기집의 크기가 작다.
② 흔들 때 내용물이 잘 흔들린다.
③ 6% 소금물에 넣으면 가라앉는다.
④ 깨트려 접시에 놓으면 노른자가 볼록하고 흰자의 점도가 높다.

해설
달걀을 흔들어 소리가 나면 기실이 커진 것으로 오래된 것이다.

41 울면에 들어가는 채소 썰기 방법 중 올바른 것은?

① 어슷 썰기 ② 채 썰기
③ 편 썰기 ④ 저며 썰기

해설
울면에 들어가는 채소와 해물은 모두 채 썰기한다.

42 중식 볶음 중 기름의 역할에 해당되지 않는 것은?

① 음식의 풍미를 향상시켜 준다.
② 대부분 재료를 데치는 용도로 많이 사용한다.
③ 지용성 비타민의 흡수를 도와준다.
④ 재료를 익히는 열 매개체로의 역할을 한다.

해설
재료를 먼저 튀겨 익혀주는 역할도 하지만, 볶아서 음식의 마무리 역할도 한다.

43 조리 시 첨가하는 물질의 역할에 대한 설명으로 틀린 것은?

① 식염 – 면 반죽의 탄성 증가
② 식초 – 백색 채소의 색 고정
③ 중조 – 펙틴 물질의 불용성 강화
④ 구리 – 녹색 채소의 색 고정

해설
◈ 조리 시 첨가하는 물질의 역할
- 백색 채소의 플라보노이드 색소는 식초에 선명한 흰색 증가
- 중조(식소다)를 밀가루 반죽 시 사용하면 강알칼리성의 탄산나트륨으로 인해서 밀가루의 플라본계 색소가 황색으로 변하여서 독특한 풍미를 낸다.
- 녹색 채소의 클로로필색소는 구리나 철 등이 이온과 결합하면 선명한 녹색을 유지한다.

44 열량 급원 식품이 아닌 것은?

① 감자 ② 쌀
③ 풋고추 ④ 아이스크림

해설
◈ 영양소의 역할에 따른 분류
- 열량소 : 탄수화물, 단백질, 지방이다.

◈ 영양소와 식품군
- 탄수화물 : 곡류(쌀, 보리, 밀 등) 및 전분류(감자, 고구마 등)
- 단백질, 비타민, 무기질 : 육류, 생선, 알, 콩류
- 비타민과 무기질 : 채소 및 과일류
- 단백질, 칼슘 : 우유 및 유제품
- 지방, 탄수화물 : 유지 및 당류

45 마늘에 함유된 황화합물로 특유의 냄새를 가지는 성분은?

① 알리신(Allicin)
② 디메틸설파이드(Dimethyl sulfide)
③ 머스타드 오일(Mustard oil)
④ 캡사이신(Capsaicin)

해설
알리신(Allicin)은 마늘에 함유된 휘발성 황화합물로 특유의 매운맛을 낸다.

46 중식 볶음 조리법 중 초(炒)의 조리법에 해당되는 요리는?

① 라조기 ② 고추잡채
③ 류산슬 ④ 새우케찹볶음

해설
라조기, 류산슬, 새우케찹볶음은 중식 조리법 중 류(溜)의 조리법에 해당한다.

47 세균성 식중독과 병원성 소화기계 감염병을 비교한 것으로 틀린 것은?

	세균성 식중독	병원성 소화기계 감염병
①	많은 균량으로 발병	균량이 적어도 발병
②	2차 감염이 빈번함	2차 감염이 없음
③	식품위생법으로 관리	감염병예방법으로 관리
④	비교적 짧은 잠복기	비교적 긴 잠복기

해설
세균성 식중독은 살모넬라 외에는 2차 감염이 없고 병원성 소화기계 감염병은 2차 감염이 된다.

48 다음 중 빠스의 재료로 알맞지 않는 것은?

① 딸기 ② 바나나
③ 오징어 ④ 옥수수

해설
오징어는 후식인 빠스의 재료에 사용되지 않는다.

49 대두를 구성하는 콩 단백질의 주성분은?

① 글리아딘 ② 글루테닌
③ 글루텐 ④ 글리시닌

해설
대두의 주 단백질은 글리시닌(Glycinin)이다.

50 맥아당은 어떤 성분으로 구성되어 있는가?

① 포도당 2분자가 결합된 것
② 과당과 포도당 각 1분자가 결합된 것
③ 과당 2분자가 결합된 것
④ 포도당과 전분이 결합된 것

해설
- 맥아당 (엿당 : Maltose) : 포도당 + 포도당으로 혼합된 이당류
- 엿기름에 많이 들어있으며 물엿의 주성분이다.

51 감염병 중에서 비말감염과 관계가 먼 것은?

① 백일해 ② 디프테리아
③ 발진열 ④ 결핵

해설
- 비말감염 : 환자의 기침이나 재채기에 의한 감염
- 질병 : 디프테리아, 성홍열, 백일해, 결핵, 인플루엔자 등

52 수질의 오염 정도를 파악하기 위한 BOD (생물화학적산소요구량) 측정 시 일반적인 온도와 측정기간은?

① 10℃에서 10일간
② 20℃에서 10일간
③ 10℃에서 5일간
④ 20℃에서 5일간

해설
BOD(생물화학적산소요구량)은 세균이 호기성 상태에서 유기물을 20℃에서 5일간 안정화시키는데 필요한 산소량을 측정하는 것이다.

53 브로멜린(Bromelin)이 함유되어 있어 고기를 연화시키는 이용되는 과일은?

① 사과 ② 파인애플
③ 귤 ④ 복숭아

해설
파인애플 속에 들어있는 브로멜린(Bromelin)은 단백질 분해효소를 하는 기능을 가지고 있어 고기를 연하게 하고, 이외에 파파야(파파인), 무화과(피신), 배(프로테아제), 키위(액티니딘) 등이 있다.

54 기생충과 중간숙주의 연결이 틀린 것은?

① 십이지장충 – 모기
② 말라리아 – 사람
③ 폐흡충 – 가재, 게
④ 무구조충 – 소

해설
십이지장충은 경피감염으로 유충이 부착된 채소류나 흙 묻은 손과 맨발에 의해 피부로 침입한다.

55 알칼리성 식품의 성분에 해당하는 것은?

① 유즙의 칼슘(Ca)
② 곡류의 염소(Cl)
③ 육류의 인(P)
④ 생선의 황(S)

해설
식품 연소 시 최종적으로 남는 무기질에 따라 구분함
- 산성 식품 : 인, 황, 염소 등
- 알칼리성 식품 : 칼슘, 칼륨, 나트륨, 마그네슘 등

56 다음 중 환경위생의 개선으로 발생이 감소되는 감염병과 가장 거리가 먼 것은?

① 장티푸스 ② 콜레라
③ 이질 ④ 인플루엔자

해설

인플루엔자는 독감으로 알려져 있는 호흡기계 감염병으로 환경위생의 개선과는 상관이 없다.

◈ 소화기계 감염병
- 환자, 보균자의 분변으로 배설되어 음식물이나 식수에 오염되어 경구 침입함으로써 감염됨
- 예방책 : 환경위생의 개선, 음식물의 위생적 관리, 개인위생의 철저 등
- 종류 : 이질, 폴리오, 유행성감염, 기생충, 장티푸스, 콜레라 등

57 고열장해로 인한 직업병이 아닌 것은?

① 열경련 ② 일사병
③ 열쇠약 ④ 참호족

해설

저온환경 장애로 동상, 동창, 참호족염 등이 있다.

58 단맛 성분에 소량의 짠맛 성분을 혼합할 때 단맛이 증가하는 현상은?

① 맛이 상쇄현상 ② 맛의 억제현상
③ 맛의 변조현상 ④ 맛의 대비현상

해설

- 맛의 변조현상 : 한 가지 맛을 느낀 직후 다른 맛을 보면 기존식품의 맛이 다르게 느껴지는 현상
- 맛의 상쇄현상 : 두 종류의 정미 성분이 혼재해 있을 경우 각각의 맛을 느낄 수 없고 조화된 맛을 느끼는 경우를 말한다.
- 맛의 억제현상 : 서로 다른 정미 성분이 혼합되었을 때 주된 정미 성분의 맛이 약화되는 현상을 말한다.

59 우리나라의 법정 감염병이 아닌 것은?

① 말라리아 ② 유행성이하선염
③ 매독 ④ 기생충

해설

기생충증은 감염병이 아닌 기생충 질환이다.

60 칼슘(Ca)와 인(P)이 소변 중으로 유출되는 골연화증 현상을 유발하는 유해 중금속은?

① 납 ② 카드뮴
③ 수은 ④ 주석

해설

- 카드뮴중독증상 : 신장장애, 폐기종, 골연화증, 단백뇨 등
- 경로 : 법랑용기나 도자기 안료성분의 용출, 도금공장, 광산 폐수에 의한 어패류와 농작물이 오염

정답

1	2	3	4	5	6	7	8	9	10
②	②	①	②	①	③	④	③	①	③
11	12	13	14	15	16	17	18	19	20
④	③	④	③	②	②	③	④	①	①
21	22	23	24	25	26	27	28	29	30
①	②	④	④	①	③	④	③	③	④
31	32	33	34	35	36	37	38	39	40
①	②	②	②	①	①	①	①	④	②
41	42	43	44	45	46	47	48	49	50
②	②	③	③	①	②	②	③	④	①
51	52	53	54	55	56	57	58	59	60
③	④	②	①	①	④	④	④	④	②

제 5 회 실전 모의고사

01 식품의 제조공정 중에 발생하는 거품을 제거하기 위해 사용되는 식품첨가물은?

① 소포제　② 발포제
③ 살균제　④ 표백제

해설
식품 제조 과정에서 거품의 발생을 억제하거나 제거하는 식품첨가물로 규소수지가 주로 사용된다.

02 미생물의 발육을 억제하여 식품의 부패나 변질을 방지할 목적으로 사용되는 것은?

① 안식향상나트륨
② 호박산이나트륨
③ 글루타민산나트륨
④ 유동파라핀

해설
◈ 보존제
프로피온산, 안식향상나트륨은 미생물의 의해서 일어나는 식품의 부패나 변패를 방지하기 위해 사용되는 식품첨가물

03 세균성 식중독에 속하지 않는 것은?

① 노로바이러스 식중독
② 비브리오 식중독
③ 병원성대장균 식중독
④ 장구균 식중독

해설
노로바이러스 식중독은 전염성이 강한 바이러스에 의한 식중독이다.

04 화학물질에 의한 식중독으로 일반 중독증상과 시신경의 염증으로 실명의 원인이 되는 물질은?

① 납　② 수은
③ 메틸알코올　④ 청산

해설
◈ 메틸알코올(메탄올)
정제가 불충분한 에탄올이나 증류주 등에 소량 혼합되어 호흡 곤란, 뇌신경 장애, 시력장애 및 사지의 불완전 마비 등이 나타난다.

05 식품 등의 표시기준상 열량표시에서 몇 kcal 미만을 "0"으로 표시할 수 있는가?

① 2kcal　② 5kcal
③ 7kcal　④ 10kcal

해설
◈ 영양성분별 세부 표시방법에서 열량의 단위
킬로칼로리(kcal)로 표시하며 그 값을 그대로 표시하거나 그 값에 가장 가까운 5kcal 단위로 표시하여야 한다. 이 경우 5kcal 미만은 "0"으로 표시할 수 있다.

06 경구감염병과 비교하여 세균성 식중독이 가지는 일반적인 특성은?

① 소량의 균으로도 발병한다.
② 잠복기가 짧다.
③ 2차 발병률이 매우 높다.
④ 수인성 발생이 크다.

해설
◈ 세균성 식중독과 경구감염병의 차이

구 분	세균성 식중독	경구(소화기계)감염병
섭취 균량	다량(대부분 음식물 중에서 증식)	소량(주로 체내에서 증식)
잠복기	짧다	일반적으로 길다
경과	대체로 짧다	길다
2차 감염성	살모넬라를 제외하고 2차 감염은 거의 없다	2차 감염이 된다
면역	안 된다	된다
종류	– 감염형 : 병원성 대장균, 살모넬라, 장염비브리오 – 독소형 : 세레우스균, 웰치균, 포도상구균, 보툴리누스균	장티푸스, 콜레라, 세균성 이질, 파라티푸스, 유행성 간염 등

07 어패류의 신선도 판정 시 초기 부패의 기준이 되는 물질은?

① 삭시톡신(Saxitoxin)
② 베네루핀(Venerupin)
③ 트리메틸아민(Trimethylamine)
④ 아플라톡신(Aflatoxin)

해설
◈ 트리메틸아민(Trimethylamine)
- 어패류의 신성도 판정 때 초기 부패의 기준이 되는 물질이다
- 생선 내에 있는 트리메틸아민 옥사이드가 환원되어 트릴메틸아민이 되면서 나는 불쾌취 및 악취

08 다음 중 중금속에 관한 설명으로 옳은 것은?

① 해독에 사용되는 약을 중금속 길항약이라고 한다.
② 중금속과 결합하기 쉽고 체외로 배설하는 약은 없다.
③ 중독증상으로 대부분 두통, 설사, 고열을 동반한다.
④ 무기중금속은 지질과 결합하여 불용성 화합물을 만들고 산화작용을 나타낸다.

해설
◈ (중금속)길항약
- 중금속과 결합하여 그 독성을 약화시키거나 체외로 배출시켜 줌
- 어떤 약물이 다른 약물과의 병용에 의해 그 작용의 일부 또는 전부를 감쇠시키는 역할을 하는 약제

09 국수원료 중 전분함량이 80% 이상인 면으로 녹두, 고구마, 감자전분 등이 이용되는 것은 무엇인가?

① 쌀국수 ② 파스타
③ 당면 ④ 우동

해설
① 쌀국수 : 쌀이 주원료
② 파스타 : 듀럼 밀 세몰리나, 듀럼가루를 주원료
④ 우동 : 밀가루가 주원료

10 식품위생법상 용어의 정의에 대한 설명 중 틀린 것은?

① "집단급식소"라 함은 영리를 목적으로 하는 급식시설을 말한다.
② "식품"이라 함은 의약으로 섭취하는 것을 제외한 모든 음식물을 말한다.
③ "위해"라 함은 식품, 식품첨가물, 기구 또는 용기·포장에 존재하는 위험요소로서 인체의 건강을 해치거나 해칠 우려가 있는 것을 말한다.
④ "용기·포장"이라 함은 식품 또는 식품첨가물을 넣거나 싸는 것으로 식품 또는 식품첨가물을 주고받을 때 함께 건네는 물품을 말한다.

해설
◈ 집단급식소
영리 목적이 아니고 특정 다수인에게 지속적으로 음식을 제공하는 급식시설을 말한다.

11 병원체가 바이러스(Virus)인 감염병은?

① 결핵 ② 회충
③ 발진티푸스 ④ 일본뇌염

해설
- 핵 : 세균
- 회충 : 기생충
- 발진티푸스 : 리케차
- 일본뇌염 : 바이러스(피부점막 침입)

12 식품위생법상 조리사를 두어야 할 영업이 아닌 것은?

① 지방자치단체가 운영하는 집단급식소
② 복어조리 판매업소
③ 식품첨가물 제조업소
④ 병원이 연구하는 집단급식소

해설
◈ 조리사를 두어야 할 영업
- 집단급식소 운영자(국가 및 지방자치단체, 학교, 병원 및 사회복지시설, 지방공사 및 지방공단, 특별법에 따라 설립된 법인이 운영하는 급식소)
- 식품접객업 중 복어를 조리·판매하는 영업자

13 독미나리에 함유된 유독성분은?

① 무스카린(Muscarine)
② 솔라닌(Solanine)
③ 아트로핀(Atropine)
④ 시큐톡신(Cicutoxin)

해설
◈ 식품 중의 유독성분
- 무스카린 : 독버섯
- 솔라닌 : 감자
- 아트로핀 : 미치광이 풀

14 장염비브리오 식중독균(V. parahaemolyticus)의 특징으로 틀린 것은?

① 해수에 존재하는 세균이다.
② 3~4%의 식염농도에서 잘 발육한다.
③ 특정조건에서 사람의 혈구를 용혈시킨다.
④ 그람양성균이며 아포를 생성하는 구균이다.

해설
장염비브리오 식중독은 그람음성 간균이고 아포를 생성하지 않는다.

15 식물성 자연독 성분이 아닌 것은?

① 무스카린(Muscarine)
② 테트로도톡신(Tetrodotoxin)
③ 솔라닌(Solanine)
④ 고시폴(Gossypol)

해설
- 무스카린(Muscarine) : 버섯
- 솔라닌(Solanine) : 감자
- 고시폴(Gossypol) : 목화씨
- 테트로도톡신(Tetrodotoxin)은 복어 중독으로 동물성 자연독 성분이다.

16 다음 중 특유의 향을 가지고 있으며 음식 조리에 넣기도 하고 음식이 완성된 후에 고명으로 얹어 먹기도 하는 향신료는?

① 진피 ②고수
③ 계피 ④ 팔각

해설
① 진피 : 귤과 과일껍질을 말린 것
③ 계피 : 계수나무의 껍질. 향이 강하고 청량하며 단맛과 매운맛을 냄
④ 팔각 : 여덟 개의 씨방으로 이루어져 있으며 음식의 향미를 증진시키고 고기의 잡냄새를 제거

17 식품과 대표적인 맛성분(유기산)을 연결한 것 중 틀린 것은?

① 포도 - 주석산
② 감귤 - 구연산
③ 사과 - 사과산
④ 요구르트 - 호박산

해설
요구르트나 김치류에는 젖산(lactic acid)이 들어있다. 호박산(Succinic acid)은 청주, 조개류, 양조식품 등의 감칠맛이다.

18 다음 중 중식 조리에 육수 주재료로 사용되지 않는 것은?

① 닭뼈 ② 갑각류
③ 소뼈 ④ 월계수잎

해설
월계수잎은 고기뼈나 생선의 잡내와 비린내를 잡아주는 부재료로 사용된다.

19 튀김 조리 시 유의사항에 해당되지 않는 것은?

① 기름온도를 체크한 후 튀긴다.
② 튀길 때는 먹을 만큼 많은 재료를 한 번에 넣어 튀긴다.
③ 튀김 재료의 수분은 반드시 제거한 후 튀긴다.
④ 발연점이 높은 기름을 사용한다.

해설
튀길 때 너무 많은 재료가 한 번에 들어가면 튀김온도가 떨어져 재료에 기름이 많이 흡수되어 좋지 않다.

20 자유수의 성질에 대한 설명으로 틀린 것은?

① 수용성 물질의 용매로 사용된다.
② 미생물 번식과 성장에 이용되지 못한다.
③ 비중은 4℃에서 최고이다.
④ 건조로 쉽게 제거 가능하다.

해설

유리수(자유수)	결합수
- 용매로 작용한다. - 0℃ 이하에서 동결된다. - 표면장력과 점성이 크다. - 융점과 비점이 매우 높다. - 건조로 제거 가능하다. - 미생물의 발아와 번식이 가능하다. - 4℃에서 비중이 가장 크다.	- 용매 작용하지 못한다. - -20℃에서도 잘 얼지 않는다. - 100℃ 이상으로 가열해도 제거되지 않는다. - 건조로 제거 불가능하다. - 미생물의 발아와 번식이 불가능하다. - 밀도가 크다.

21 효소에 의한 갈변을 억제하는 방법으로 옳은 것은?

① 환원성물질 첨가
② 기질 첨가
③ 산소 접촉
④ 금속이온 첨가

해설

◈ 효소적 갈변의 방지법
- 온도와 산소를 조절하여 효소의 불활성화
- 아황산염과 같은 환원성 물질을 첨가함
- 물에 침지시키거나 산소를 차단

22 과일의 주된 향기 성분이며 분자량이 커지면 향기도 강해지는 냄새 성분은?

① 알코올
② 에스테르류
③ 유황화합물
④ 휘발성 질소화합물

해설

과일의 향기 성분은 수십 종이 있으며 이들이 조화를 이루어 독특한 과일 향기를 내며, 향기 성분으로는 여러 종류의 알코올, 알데히드, 에스테르 등이 있는데 특히, 에스테르류는 분자량이 증가하면 향기도 증가한다.

23 달걀의 보존 중 품질변화에 대한 설명으로 틀린 것은?

① 수분의 증발
② 농후난백의 수양화
③ 난황막의 약화
④ 산도(pH)의 감소

해설

신선한 달걀의 난백의 pH가 7.6 정도이나 시간이 지남에 따라 CO_2가 증발하여 2~3일 내에 pH가 9~9.7이 된다.(증가)

24 생선의 자가소화 원인은?

① 세균의 작용
② 단백질 분해효소
③ 염류
④ 질소

해설

자가소화는 육류나 어류의 근육이 사후경직 후에 연화되기 시작하는데 단백질 분해효소의 작용에 의해 근육 단백질 등이 분해되는 과정이다.

25 면 종류 중에서 가장 가는 면은 무엇인가?

① 소면 ② 중화면
③ 우동 ④ 세면

해설

◈ 굵기 순서
세면 〈 소면 〈 중화면 〈 우동

26 강화식품에 대한 설명으로 틀린 것은?

① 식품에 원래 적게 들어있는 영양소를 보충한다.
② 식품의 가공 중 손실되기 쉬운 영양소를 보충한다.
③ 강화영양소로 비타민 A, 비타민 B, 칼슘(Ca) 등을 이용한다.
④ α-화 쌀은 대표적인 강화식품이다.

해설

◈ α-화 쌀(알파미)
- 밥을 지은 후 감압으로 급속 탈수하여 수분을 5% 정도로 건조
- 쌀 속의 전분을 호화상태로 유지한 것
- 뜨거운 물을 부어두면 밥이 되는 인스턴트 밥, 즉석 식품, 휴대식 등에 해당

27 다음 중 마이야르(Maillard) 반응에 영향을 주는 인자가 아닌 것은?

① 수분　② 온도
③ 당의 종류　④ 효소

해설

◈ 마이야르 반응
- 환원당과 아미노 화합물들에 의한 갈색화 반응으로 당류가 아미노산류, 펩타이드류, 단백질 등과 함께 있을 때 매우 쉽게 상호 반응하여 여러 단계의 중간 과정을 거쳐 갈색 색소인 멜라노이딘 색소를 생성하는 것
- 비효소적 갈변에 속한다.

28 다음 채소류 중 일반적으로 꽃 부분을 식용으로 하는 것과 거리가 먼 것은?

① 브로콜리(Broccoli)
② 콜리플라워(Cauliflower)
③ 비트(Beets)
④ 아티초크(Artichoke)

해설

비트(근대)는 원산지가 유럽 남부로 붉은 시금치라고도 불리며, 잎과 뿌리 모두 식용으로 쓰이는 뿌리채소이다.

29 유지 중에 존재하는 유리 수산기(-OH)의 함량을 나타내는 것은?

① 아세틸가(Acethy value)
② 폴렌스케가(Palenske value)
③ 헤너가(Henner value)
④ 라이켈-마이슬가(Reichert-Meissl value)

해설

◈ 아세틸가(Acethy value)
- 유지 속에 존재하는 수산기(-OH)를 가진 지방산의 함량을 나타내는 수단으로 사용
- 신선한 식용유지에서는 값이 작지만, 변패하면 값이 커진다.
- 아세틸화한 유지 1g을 검화하여 생성되는 아세트산을 중화하는데 필요한 수산화칼륨의 mg수를 말한다.

30 다당류와 거리가 먼 것은?

① 젤라틴(Gelatin)
② 글리코겐(Glycogen)
③ 펙틴(Pectin)
④ 글루코마난(Glucomannan)

해설

◈ 젤라틴(Gelatin)
콜라겐(가죽, 연골, 힘줄, 뼈)을 물과 함께 장시간 끓이면 얻어지는 유도단백질의 한 종류이다.

31 유지류의 조리 이용 특성과 거리가 먼 것은?

① 열 전달매체로서의 튀김
② 밀가루 제품의 연화작용
③ 지방의 유화작용
④ 결합체로서의 응고성

해설

◈ 조리에서 유지의 이용
튀김, 유화성, 연화작용, 크리밍성 등을 들 수 있고 응고성과는 거리가 멀다.

32 영양소와 해당 소화효소의 연결이 올바르지 않은 것은?

① 단백질 - 트립신
② 탄수화물 - 아밀라아제
③ 지방 - 리파아제
④ 설탕 - 말타아제

해설

설탕 - 수크라아제

33 냉채요리 준비 시 유의사항에 해당되진 않는 것은?

① 주요리의 종류와 요리형태를 고려하여 선정한다.
② 주재료와 부재료의 균형을 이루어야 한다.
③ 냉채 조리방법은 주요리와 조리방법이 동일하도록 한다.
④ 신선한 재료를 사용하여야 한다.

해설
되도록이면 주요리와 조리방법이 겹쳐지지 않도록 한다.

34 두부를 만드는 과정은 콩 단백질의 어떠한 성질을 이용한 것인가?

① 건조에 의한 변성
② 동결에 의한 변성
③ 효소에 의한 변성
④ 무기염류에 의한 변성

해설
두부는 콩단백질(글리시닌)에 응고제(무기염류)를 첨가하여 가열에 의해 응고되는 원리를 이용한 식품

35 다음 중식 볶음 조리법 중 전분을 사용하는 조리법으로 류산슬, 라조기, 새우케찹볶음 등의 조리법은?

① 폭(爆) ② 초(炒)
③ 류(溜) ④ 전(煎)

해설
① 폭(爆) : 조리법 중 가장 강한 화력으로 단시간에 조리하는 법
② 초(炒) : 조리 시 전분을 사용하지 않는 볶음 조리법
④ 전(煎) : 기름을 두르고 지지는 조리법

36 영업허가를 받아야 하는 업종은?

① 식품운반업
② 유흥주점영업
③ 식품제조, 가공업
④ 식품소분, 판매업

해설

구 분	세부내용
영업 신고 업종	일반음식점영업, 휴게음식점영업, 위탁급식영업, 제과점영업, 즉석판매제조 · 가공업, 식품운반업, 식품소분 · 판매업, 식품냉동 · 냉장업, 용기 · 포장류제조업
영업 허가 업종	유흥주점영업, 단란주점영업, 식품조사처리업

37 마늘에 함유된 황화합물로 특유의 냄새를 가지는 성분은?

① 알리신(Allicin)
② 다이메틸설파이드(Dimethyl Sulfide)
③ 머스타드 오일(Mustard Oil)
④ 캡사이신(Capsaicin)

해설
알리신은 마늘에 들어있는 독특한 냄새와 약효의 주된 성분이며, 마늘을 자를 때 파괴된 세포는 알린 분해효소가 산소에 접촉하면서 매운맛과 냄새가 나는 알리신으로 변한다.

38 중국음식의 후식류 중에서 차가운 후식에 해당되는 것은?

① 지마구 ② 빠스고구마
③ 시미로 ④ 빠스바나나

해설
시미로는 타피오카를 주재료로 사용하여 과일 등을 갈거나 끓여서 혼합해 냉장고에 차갑게 식힌 차가운 후식에 속한다.

39 다음 중 유지의 산패에 영향을 미치는 인자에 대한 설명으로 옳은 것은?

① 유지의 불포화도가 높을수록 산패가 활발하게 일어난다.
② 저장온도가 0℃ 이하가 되면 산패가 방지된다.
③ 광선은 산패를 촉진하나 그 중 자외선은 산패에 영향을 미치지 않는다.
④ 구리, 철은 산패를 촉진하나 납, 알루미늄은 산패에 영향을 미치지 않는다.

해설

◈ 유지 산패에 영향을 미치는 인자
- 온도가 높을수록
- 광선 및 자외선
- 수분이 많을수록
- 금속류(구리, 철, 납, 알루미늄 등)
- 유지의 불포화도가 높을수록

40 단체급식시설의 작업장별 관리에 대한 설명으로 잘못된 것은?

① 개수대는 생선용과 채소용을 구분하는 것이 식중독균의 교차오염을 방지하는 데 효과적이다.
② 가열, 조리하는 곳에는 환기장치가 필요하다.
③ 식품보관 창고에 식품을 보관 시 바닥과 벽에 식품이 직접 닿지 않게 하여 오염을 방지한다.
④ 자외선 등은 모든 기구와 식품 내부의 완전 살균에 매우 효과적이다.

해설

◈ 단체급식시설에서 소독의 종류와 대상

종 류	대 상
자비소독(열탕소독)	식기, 행주, 숟가락
건열소독	식기
자외선소독	소도구, 용기류
화학소독	작업대, 도마, 채소, 과일, 기구

41 중식 볶음 조리의 특징에 해당되지 않는 것은?

① 다양한 식재료를 이용하여 만든다.
② 고온에서 짧은 시간에 음식을 만든다.
③ 주로 주재료를 육류로만 이용한다.
④ 각 재료의 색이 살아있어 화려하고 풍요로운 음식이 많다.

해설

다양한 육류, 해산물, 채소, 두부 등을 주재료로 이용한다.

42 시설위생을 위한 사항으로 적합하지 않은 것은?

① 주방냄비는 세척 후 열처리를 해둔다.
② 주방의 천정, 바닥, 벽면도 주기적으로 청소한다.
③ 나무 도마는 사용 후 깨끗이 하고 일광소독을 하도록 한다.
④ Deep Fryer의 경우 기름은 매주 뽑아내어 걸러 찌꺼기가 남아있는 일이 없도록 한다.

해설

Deep Fryer(튀김기름)은 사용한 후에 매일 고운 체를 이용하여 기름을 걸러 찌꺼기가 남아있는 일이 없도록 한다.

43 순화독소(toxoid)를 사용하는 예방접종으로 면역이 되는 질병은?

① 콜레라 ② 폴리오
③ 파상풍 ④ 백일해

해설

- 생균백신 : 결핵, 홍역, 폴리오, 황달, 탄저병, 회백수염 등
- 사균백신 : 콜레라, 백일해, 장티푸스, 파라티푸스, 일본뇌염, 폴리오 등
- 순화독소 : 파상풍, 디프테리아 등

44 판매가격이 5,000원인 메뉴의 식재료비가 2,000원인 경우 이 메뉴의 식재료비 비율은?

① 10% ② 20%
③ 30% ④ 40%

해설

◈ 식재료비 비율(%)
- 식재료비(2,000원) × 100 / 매출액(5,000원)
- X = 200,000 / 5,000
- X = 200 / 5
- X = 40
※ 메뉴의 식재료비 비율은 40%

45 물품의 검수와 저장하는 곳에서 꼭 필요한 집기류는?

① 칼과 도마
② 대형그릇
③ 저울과 온도계
④ 계량컵과 계량스푼

해설
물품의 검수 시 올바른 계량을 위해 "저울"이 필요하고 저장 시에는 저장온도를 측정할 수 있는 "온도계"가 필수 집기류이다.

46 노화가 잘 일어나는 전분은 다음 중 어느 성분의 함량이 높은가?

① 아밀로오스(Amylose)
② 아밀로펙틴(Amylopectin)
③ 글리코겐(Glycogen)
④ 한천(Agar)

해설
아밀로오스(Amylose)의 함량이 높은 전분은 아밀로펙틴(Amylopectin)이 많은 전분보다 노화가 잘 일어니고, 아밀로펙틴(Amylopectin)의 함량이 높은 전분은 노화가 천천히 일어난다.

47 고기를 연화시키기 위해 첨가하는 식품과 단백질 분해효소가 맞게 연결된 것은?

① 배 – 파파인(Papain)
② 키위 – 피신(Ficin)
③ 무화과 – 액티니딘(Actinidin)
④ 파인애플 – 브로멜린(Bromelin)

해설
◈ 식품과 단백질 분해효소
- 배 : 프로테아제(Protease)
- 키위 : 액티니딘(Actinidin)
- 무화과 : 피신(Ficin)
- 파인애플 : 브로멜린(Bromelin)
- 파파야 : 파파인(Papain)

48 다음 중 중국요리 후식의 특징에 해당되지 않는 것은?

① 음식의 느끼함을 정리해 주는 역할을 한다.
② 많은 양을 제공하여 속을 든든하게 해준다.
③ 달콤하고 상큼한 맛을 낸다.
④ 주로 달콤하고 산뜻한 식품재료를 이용해 만든다.

해설
음식을 다 먹은 후에 제공하므로 적은 양을 내주는 것이 적당하다.

49 젤라틴에 대한 설명으로 옳은 것은?

① 과일젤리나 양갱의 제조에 이용한다.
② 해조류로부터 얻은 다당류의 한 성분이다.
③ 산을 아무리 첨가해도 젤 강도가 저하되지 않는 특징이 있다.
④ 3~10℃에서 젤화 되며 온도가 낮을수록 빨리 응고한다.

해설
한천은 양갱 제조에 사용되고 해조류(우뭇가사리)에서 얻어지는 다당류의 성분이다.
젤라틴은 동물의 결체조직에서 얻어지며 산을 첨가하면 서서히 가수분해가 일어나 응고를 방해하며 알칼리를 첨가하면 응고를 촉진한다.

50 단맛 성분에 소량의 짠맛 성분을 혼합할 때 단맛이 증가하는 현상은?

① 맛의 상쇄현상　② 맛의 억제현상
③ 맛의 변조현상　④ 맛의 대비현상

해설
- 맛의 변조현상 : 한 가지 맛을 느낀 직후 다른 맛을 보면 기존식품의 맛이 다르게 느껴지는 현상
- 맛의 상쇄현상 : 두 종류의 정미 성분이 혼재해 있을 경우 각각의 맛을 느낄 수 없고 조화된 맛을 느끼는 경우를 말한다.
- 맛의 억제현상 : 서로 다른 정미 성분이 혼합되었을 때 주된 정미 성분의 맛이 약화되는 현상을 말한다.

51 환자나 보균자의 분뇨에 의해서 감염될 수 있는 경구감염병은?

① 장티푸스 ② 결핵
③ 인플루엔자 ④ 디프테리아

해설
환자나 보균자의 분뇨에 의해서 감열될 수 있는 경구감염병은 수인성 감염병으로 콜레라, 세균성 이질, 아메바성 이질, 소아마비(폴리오), 장티푸스, 파라티푸스 등이 있다.

52 자외선의 작용과 거리가 먼 것은?

① 피부암 유발
② 안구진탕증 유발
③ 살균 작용
④ 비타민 D 형성

해설
안구진탕증은 적절하지 못한 조명에서 작업할 경우에 생기는 직업병의 일종이다.

53 간디스토마는 제2중간숙주인 민물고기 내에서 어떤 형태로 존재하다가 인체에 감염을 일으키는가?

① 피낭유충(Metacercaria)
② 레디아(Redia)
③ 유모유충(Miracidium)
④ 포자유충(Sporocyst)

해설
◈ 간디스토마
제1중간숙주인 쇠우렁이에게 섭취되어 "유미유충"이 되고 유미유충은 다시 물속으로 나와 제2중간숙주인 붕어와 잉어 등의 비늘에 붙은 다음 꼬리는 떨어지고 몸통 안 근육 안으로 침입하여 "피낭유충"이 된다.

54 실내공기의 오염 지표로 사용하는 기체와 그 서한량이 바르게 짝지어진 것은?

① CO – 0.1% ② SO_2 – 0.01%
③ CO_2 – 0.1% ④ NO_2 – 0.1%

해설
이산화탄소(CO_2)는 실내공기오염의 지표로 사용된다. 위생학적 허용한계는 0.1%(1,000ppm)

55 다음 중 버터 대용품으로 생산되고 있는 식물성 유지는?

① 쇼트닝 ② 마가린
③ 마요네즈 ④ 땅콩버터

해설
마가린은 천연버터와 비슷한 가공유지로 정제된 식물성 기름에 수소를 첨가하고 니켈을 촉매제로 가공한 것으로 버터와 풍미가 비슷하다

56 알칼리성 식품에 대한 설명으로 옳은 것은?

① Na, K, Ca, Mg이 많이 함유되어 있는 식품
② S, P, Cl이 많이 함유되어 있는 식품
③ 당질, 지질, 단백질 등이 많이 함유되어 있는 식품
④ 곡류, 육류, 치즈 등의 식품

해설
◈ 알칼리성 식품
Ca(칼슘), Na(나트륨), K(칼륨), Mg(마그네슘) 등을 함유하고 있는 식품으로 해조류, 채소류, 과일류 등이 있다.
◈ 산성 식품
S(황), P(인), Cl(염소) 등을 함유한 식품으로 곡류, 어류, 육류 등이 있다.

57 과량 조사 시에 열사병의 원인이 될 수 있는 것은?

① 마이크로파 ② 적외선
③ 자외선 ④ 엑스선

해설
◈ 적외선의 특징
- 3부분 중 파장이 가장 길며, 파장 범위는 7,800 이상
- 인체 피부조직의 1.5~4.0cm까지 투과하여 열을 전달하므로 화상, 국소혈관의 확장, 혈액순환의 촉진, 피부온도 상승, 홍반 등을 가져옴
- 열선이라고도 하며 일사병, 열사병, 열경련, 현기증, 두통의 원인이 되기도 함

58 채소류를 매개로 감염될 수 있는 기생충이 아닌 것은?

① 회충
② 유구조충
③ 구충
④ 편충

해설

유구조충(갈고리촌충)은 돼지고기가 중간숙주이며 돼지고기를 충분히 익혀서 먹어야 감염되지 않는다.

59 하천수에 용존산소가 적다는 것은 무엇을 의미하는가?

① 유기물 등이 잔류하여 오염도가 높다.
② 물이 비교적 깨끗하다.
③ 오염과 무관하다.
④ 호기성 미생물과 어패류의 생존에 좋은 환경이다.

해설

◈ 하천수에 용존산소가 적다는 것
혐기성 부패로 오염도가 높다는 말이며 용존산소량(DO)은 수중에 용해되어 있는 산소량을 말하는 것이다.

60 일반적인 인수공통감염병에 속하지 않는 것은?

① 탄저
② 고병원성 조류인플루엔자
③ 홍역
④ 광견병

해설

◈ 인수공통감염병
- 동물과 사람 간에 서로 전파되는 병원체에 의하여 발생되는 감염병
- 브루셀라증, 탄저, 공수병(광견병), AI인체감염증(조류인플루엔자), 장출혈성 대장균감염증, 일본뇌염, SARS, vCJD, Q열, 결핵 등

※ 홍역은 인수공통감염병은 아니고 법정 제2급감염병이다.

정답

1	2	3	4	5	6	7	8	9	10
①	①	①	③	②	②	③	①	③	①
11	12	13	14	15	16	17	18	19	20
④	③	④	④	②	②	④	④	②	②
21	22	23	24	25	26	27	28	29	30
①	②	④	②	④	④	④	③	①	①
31	32	33	34	35	36	37	38	39	40
④	④	③	④	③	②	①	③	①	④
41	42	43	44	45	46	47	48	49	50
③	④	③	④	③	①	④	②	④	④
51	52	53	54	55	56	57	58	59	60
①	②	①	③	②	①	②	②	①	③

중식 조리기능사 필기+실기

3

실 기 편

PART 1 튀김 조리

PART 2 조림 조리

PART 3 밥 조리

PART 4 면 조리

PART 5 냉채 조리

PART 6 볶음 조리

PART 7 후식 조리

탕수육 糖醋肉

▣ 재료 준비

돼지등심(살코기) 200g, 진간장 15mL, 달걀 1개, 녹말가루(감자전분) 100g, 식용유 800mL, 식초 50mL, 흰설탕 100g, 대파(흰부분 6㎝ 정도) 1토막, 당근(길이로 썰어서) 30g, 완두(통조림) 15g, 오이(원형으로 지급, 가늘고 곧은 것 20㎝ 정도) 1/4개, 건목이버섯 1개, 양파(중 150g 정도) 1/4개, 청주 15mL

▣ 요구사항

주어진 재료를 사용하여 탕수육을 만드시오.

❶ 돼지고기는 길이를 4㎝ 정도로 하고 두께는 1㎝ 정도의 긴 사각형 크기로 써시오.
❷ 채소는 편으로 써시오.
❸ 앙금녹말을 만들어 사용하시오.
❹ 소스는 달콤하고 새콤한 맛이 나도록 만들어 돼지고기에 버무려 내시오.

만드는 법

❶ 녹말과 물을 동량으로 섞어 앙금녹말을 만든다.(1/2C씩)

❷ 목이버섯은 뜨거운 물에 불린 후 찢는다.
뜨거운 물에 완두를 살짝 데친다.

❸ 오이, 당근, 양파, 대파는 길이 4㎝, 폭 1㎝, 두께 0.3㎝ 정도로 썬다.(오이, 당근은 반달 모양 썰기도 가능)

❹ 돼지고기는 길이 4㎝, 폭 1㎝ 크기로 자른 후 간장 1t, 청주 1t로 밑간한 후 달걀흰자 1T, 앙금녹말을 넣어 반죽한다.

❺ 160℃로 예열된 기름에 ❹를 한 번 튀긴 후 건져 튀김온도를 올려 다시 한 번 더 튀긴다.(2번)

❻ 볼에 간장 1T, 설탕 4T, 식초 4T, 물 1C을 섞어둔다.

❼ 물과 녹말을 섞어 물녹말을 만든다.(물 : 녹말 = 2 : 1) 녹말가루 2 정도 비율

❽ 예열된 팬에 기름을 두르고 대파를 넣고 볶다가 양파, 당근, 목이 순으로 볶다 소스를 넣고 끓인다.
소스가 끓으면 물 녹말로 농도를 맞춘 후 오이, 완두를 넣고 불은 끈 후 돼지고기를 넣어 버무린다.

요리달인의 합격비법

❶ 앙금녹말은 시간이 지나야 앙금이 가라앉으므로 제일 먼저 섞어둔 후 튀김 반죽하기 전 물을 따라 버리고 가라앉은 앙금을 사용한다.
❷ 소스의 농도에 유의한다.
❸ 색을 예쁘게 유지하기 위해서 오이는 가장 나중에 넣어주는 것이 좋다.

깐풍기 乾烹鷄

▣ 재료 준비

닭다리(허벅지살 포함, 반 마리 지급 가능, 한 마리 1.2kg 정도) 1개, 진간장 15mL, 검은후춧가루 1g, 청주 15mL, 달걀 1개, 흰설탕 15g, 녹말가루(감자전분) 100g, 식초 15mL, 마늘(중, 깐 것) 3쪽, 대파(흰부분 6㎝ 정도) 2토막, 청피망(중, 75g 정도) 1/4개, 홍고추(생) 1/2개, 생강 5g, 참기름 5mL, 식용유 800mL, 소금(정제염) 10g

▣ 요구사항

주어진 재료를 사용하여 깐풍기를 만드시오.

❶ 닭은 뼈를 발라낸 후 사방 3㎝ 정도 사각형으로 써시오.
❷ 닭을 튀기기 전에 튀김옷을 입히시오.
❸ 채소는 0.5㎝ × 0.5㎝로 써시오.

만드는 법

❶ 앙금녹말을 만든다.(녹말 1/2C, 물 1/2C)
마늘, 생강은 0.5㎝ 정도로 다지고 대파, 청피망, 홍고추는 0.5㎝ 크기로 자른다.

❷ 닭은 뼈를 발라낸 후 펴서 칼집 넣어 손질 후 사방 3㎝로 자른다.

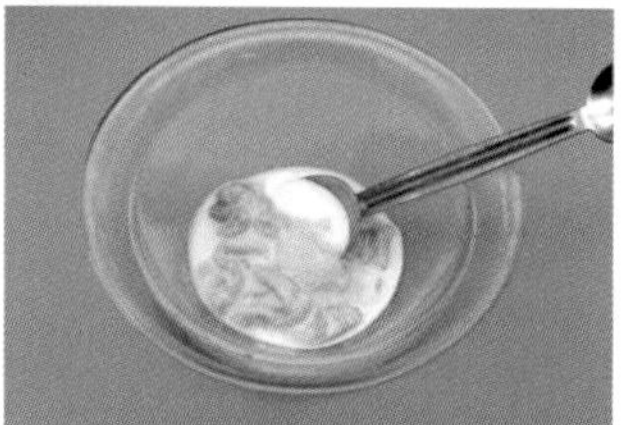

❸ 닭에 간장 1t, 청주 1t, 소금 약간을 넣고 밑간한 후 달걀물 2T, 된녹말을 넣어 160~170℃로 예열된 기름에 모양을 잡아 두 번 바삭하게 튀겨낸다.

❹ 그릇에 물 3T, 간장 1T, 설탕 1T, 식초 1T를 넣어 양념장을 만든다.

❺ 예열된 팬에 기름을 두르고 대파, 생강을 넣어 볶다가 간장 약간, 청주를 넣고 홍고추를 넣고 볶은 후 양념장을 넣고 끓인다.

❻ ❺가 끓고 소스가 1/2 정도 졸아들면 ❸의 튀긴 닭, 청피망, 후추를 넣고 재빨리 볶은 후 참기름을 넣어 버무린다.

요리달인의 합격비법

❶ 닭손질에 유의하고, 채소는 요구사항 크기에 맞춰 썰어준다.
❷ 깐풍기는 국물 없이 마르게 조리하는 것이 특징이므로 소스에 물녹말을 넣지 않도록 주의한다.

탕수생선살 糖醋魚塊

▣ 재료 준비

흰생선살{껍질 벗긴 것(동태 또는 대구)} 150g, 당근 30g, 오이(가늘고 곧은 것, 20㎝ 정도) 1/6개, 완두콩 20g, 파인애플(통조림) 1쪽, 건목이버섯 1개, 녹말가루(감자전분) 100g, 식용유 600mL, 식초 60mL, 흰설탕 100g, 진간장 30mL, 달걀 1개

▣ 요구사항

주어진 재료를 사용하여 다음과 같이 탕수생선살을 만드시오.

❶ 생선살은 1㎝ × 4㎝ 크기로 썰어 사용하시오.
❷ 채소는 편으로 썰어 사용하시오.

만 드 는 법

❶ 앙금녹말을 만든다.(1/2C)

❷ 뜨거운 물에 목이버섯을 불린다.
완두는 뜨거운 물에 데친다.

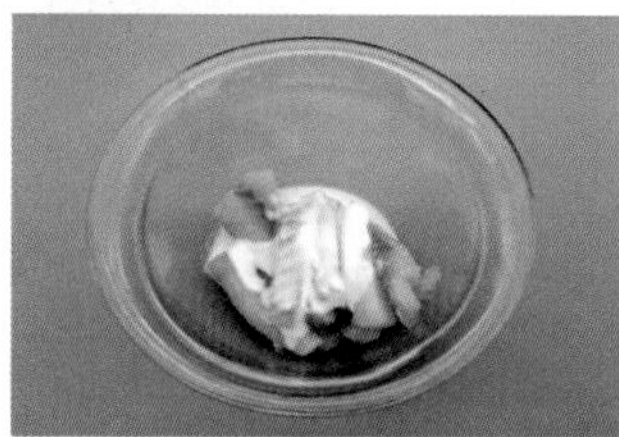

❸ 당근, 오이는 1㎝ × 4㎝ × 0.3㎝ 편으로 썬다.
목이버섯은 손으로 찢고 파인애플은 6등분 정도로 썬다.
(오이, 당근은 주어지는 모양에 따라 사이즈에 맞춰 반달 썰기도 가능하다.)

❹ 생선살은 수분을 제거해 손질 후 1㎝ × 4㎝ 크기로 썬다.

❺ 녹말과 물을 섞어 물 녹말을 만든다.(녹말 : 물 = 1 : 2)

❻ ❹의 생선살에 달걀흰자를 풀어 1T 섞어준 후 앙금녹말을 넣어 반죽한 후 160℃로 예열시킨 기름에 2번 튀겨낸다. 체에 밭쳐 기름 제거한다.

꿀팁! 생선살에 수분이 많이 있으므로 반죽은 질어지지 않도록 한다.

❼ 설탕 4T, 식초 3T, 간장 1T, 물 1C을 넣고 소스를 만들고, 물과 녹말을 2 : 1로 섞어 물녹말을 만든다.

❽ 팬에 기름을 두른 후 당근, 목이를 넣고 볶다가 소스를 넣고 끓인다. 끓기 시작하면 물녹말로 농도를 맞춘 후, 오이, 완두, 파인애플, 튀겨낸 생선을 넣고 버무린다.

꿀팁! 물녹말로 농도를 맞춰 줄때는 조금씩 넣어주면서 맞춰줘야 덩어리가 생기지 않는다.

요리달인의 합격비법

❶ 생선살은 부스러지지 않도록 섞을 때 주의한다.
❷ 튀김 반죽은 생선에 수분이 많으므로 너무 질지 않도록 하는 것이 좋다.
❸ 소스의 농도에 유의한다.

난자완스 南煎丸子

▣ 재료 준비

돼지등심(다진 살코기) 200g, 마늘(중, 깐 것) 2쪽, 대파(흰부분 6㎝ 정도) 1토막, 소금(정제염) 3g, 달걀 1개, 녹말가루(감자전분) 50g, 죽순{통조림(whole), 고형분} 50g, 건표고버섯(지름 5㎝ 정도, 물에 불린 것) 2개, 생강 5g, 검은후춧가루 1g, 청경채 1포기, 진간장 15mL, 청주 20mL, 참기름 5mL, 식용유 800mL

▣ 요구사항

주어진 재료를 사용하여 다음과 같이 난자완스를 만드시오.

❶ 완자는 직경 4㎝ 정도로 둥글고 납작하게 만드시오.
❷ 완자는 손이나 수저로 하나씩 떼어 팬에서 모양을 만드시오.
❸ 채소 크기는 4㎝ 정도 크기의 편으로 써시오. (단, 대파는 3㎝ 정도)
❹ 완자는 갈색이 나도록 하시오.

만드는 법

❶ 대파는 길이 3㎝ 편으로 썰고, 생강, 마늘도 편으로 썬다.

❷ 죽순은 4㎝로 편 썰고 불린 표고, 청경채도 4㎝ 편으로 썬다. 끓는 물에 죽순은 데친다.

❸ 돼지고기는 핏물 제거 후 다지고 간장 1t, 청주 1t, 소금, 후춧가루로 밑간한 후 달걀물 2T(흰자, 노른자 섞어서), 녹말 1T 정도 넣고 젓가락으로 저어 치댄다.(달걀물, 녹말은 가감)

❹ ❸의 치대진 고기는 한 손으로 잡아 엄지와 검지 사이로 고기가 직경 3㎝ 정도 크기로 올라오도록 모양을 잡아준다.

❺ 팬에 기름을 넉넉히 두른 후 ❹의 완자를 넣고 앞뒤로 눌러 직경이 4㎝ 정도로 만들어 튀기듯이 지져낸다.
체에 밭쳐 기름기를 제거한다.

❻ 물과 녹말 2 : 1 비율로 섞어 물녹말을 만든다.

❼ 팬에 기름을 두르고 대파, 마늘, 생강을 넣어 볶다 간장 1T, 청주 1T을 넣고 표고, 죽순을 넣어 볶다가 물 1C을 넣고 끓인다.

❽ 끓기 시작하면 소금, 후추를 넣고 물녹말을 넣어 농도를 맞춘 후 완자, 청경채를 넣어 섞고 참기름을 넣어준다.

요리달인의 합격비법

❶ 돼지고기 양념 넣을 때 달걀과 녹말을 농도를 보면서 가감하여 넣어주고 양념한 고기는 많이 치대야 지져낼 때 부서지지 않는다.
❷ 잡아줄 때는 한 손으로 고기를 잡고 엄지와 검지 사이로 고기가 올라오도록 자연스럽게 모양을 잡아주는 것이 중요하다. 익힐 때는 눌러서 4㎝로 만들어준다.
❸ 소스 농도와 색에 유의한다.

홍소두부 紅燒豆腐

▣ 재료 준비

두부 150g, 돼지등심(살코기) 50g, 건표고버섯(지금 5㎝ 정도, 물에 불린 것) 1개, 죽순{통조림(whole), 고형분)} 30g, 마늘(중, 깐 것) 2쪽, 생강 5g, 진간장 15mL, 녹말가루(감자전분) 10g, 청주 5mL, 참기름 5mL, 식용유 500mL, 청경채 1포기, 대파(흰부분 6㎝ 정도) 1토막, 홍고추(생) 1개, 양송이{통조림(whole), 양송이 큰 것)} 1개, 달걀 1개

▣ 요구사항

주어진 재료를 사용하여 홍소두부를 만드시오.

❶ 두부는 가로와 세로 5㎝, 두께 1㎝ 정도의 삼각형 크기로 써시오.
❷ 채소는 편으로 써시오.
❸ 두부는 으깨어지거나 붙지 않게 하고 갈색이 나도록 하시오.

만드는 법

❶ 표고는 끓는 물에 삶아 물에 담가두고 채소는 씻어 접시에 담아둔다.

❷ 두부는 사방 5㎝로 썬 후 반을 갈라 두께 1㎝ 정도의 삼각형으로 썬다.

꿀팁! 수분을 제거한 후 지져내야 부스러짐이 줄어든다.

❸ 마늘, 생강은 편으로 썰고 대파는 속대를 제거한 후 3㎝ 길이, 세로로 4등분 편으로 썬다.

❹ 죽순은 빗살 모양을 살려 4㎝ 길이 편으로 썰고, 표고는 비슷한 크기로 편으로 썬다.
양송이는 편으로 썬다.
홍고추는 반을 갈라 씨를 제거한 후 4㎝ 길이 편으로 썬다.
청경채도 4㎝ 정도로 썬다.

❺ 죽순은 뜨거운 물에 데친다.

❻ 돼지고기는 4~5㎝ 길이로 납작하게 편으로 썰어 간장, 정종으로 밑간한 후 달걀, 녹말로 버무린다.

❼ 예열된 팬에 식용유를 두른 후 두부를 노릇하게 튀긴다. 돼지고기도 기름에 익혀낸다.

❽ 물녹말을 만든다.(물 : 녹말 = 2 : 1)

❾ 팬에 식용유를 두른 후 대파, 마늘, 생강을 넣고 볶다가 청주, 간장을 넣고 표고, 죽순, 양송이 ,홍고추를 넣고 볶다가 물을 넣는다. 끓기 시작하면 물녹말로 농도를 맞춘다.

❿ ❾가 끓으면 튀긴 두부와 고기, 청경채를 넣고 참기름 넣어 섞어준 후 완성그릇에 담아낸다.

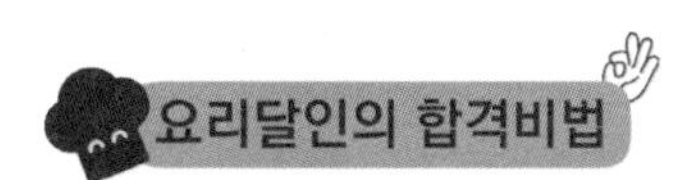

❶ 반드시 요구사항에 맞는 사이즈로 두부와 채소를 썰어준다.
❷ 두부는 부서지지 않게 노릇하게 튀기고 돼지고기는 약한 불에서 익혀낸다.
❸ 소스의 농도와 색에 유의한다.

새우볶음밥 虾仁炒饭

▣ 재료 준비

쌀(30분 정도 물에 불린 쌀) 150g, 작은새우살 30g, 달걀 1개, 대파(흰부분 6㎝ 정도) 1토막, 당근 20g, 청피망(중, 75g 정도) 1/3개, 식용유 50mL, 소금 5g, 흰후춧가루 5g

▣ 요구사항

주어진 재료를 사용하여 다음과 같이 새우볶음밥을 만드시오.

❶ 새우는 내장을 제거하고 데쳐서 사용하시오.
❷ 채소는 0.5㎝ 정도 크기의 주사위 모양으로 써시오.
❸ 완성된 볶음밥은 질지 않게 하여 전량 제출하시오.

만드는 법

❶ 새우는 등쪽에 있는 내장을 꼬지로 제거한 후 끓는 물에 데친다.

❷ 불린쌀은 체에 밭쳐 물기를 제거한 후 물과 동량으로 넣어 냄비에 밥을 지어 식혀둔다.

꿀팁! 센 불에서 끓으면 약불로 줄여서 지어야 밥이 잘 지어진다.

❸ 당근, 대파, 피망은 0.5㎝로 썬다.

❹ 달걀은 소금 약간을 넣고 잘 섞이도록 풀어주고 예열된 팬에 기름을 두른 후 달걀을 넣어 스크램블을 만든다.

꿀팁! 90%까지만 익힌 후 나머지는 여열에 익혀줘야 더 부드럽다.

❺ 팬에 기름을 두르고 대파, 당근을 넣고 볶다가 밥을 넣고 볶아 섞어준 후 새우, 청피망, 스크램블 넣고 볶아 섞고 소금, 흰후추 간한다.

❻ 접시에 그대로 담아주거나, 오목한 밥그릇을 사용하여 새우를 밑에 가지런히 담은 후 볶음밥을 눌러 담은 후 뒤집어서 접시에 담아준다.

요리달인의 합격비법

❶ 밥을 지을 때 동량의 물을 넣고 고슬하게 밥을 지어주고, 밥이 안 익거나 타지 않도록 주의한다.
❷ 볶은 상태가 질어지지 않고 고슬하게 볶아져야 한다.
❸ 채소 크기는 요구사항에 맞도록 일정하게 썰어준다.

유니짜장면 炸醬面

▣ 재료 준비

돼지등심(다진 살코기) 50g, 중화면(생면) 150g, 양파(중, 150g 정도) 1개, 호박(애호박) 50g, 오이(가늘고 곧은 것, 20㎝ 정도) 1/4개, 춘장 50g, 생강 10g, 진간장 50mL, 청주 50mL, 소금 10g, 흰설탕 20g, 참기름 10mL, 녹말가루(감자전분) 50g, 식용유 100mL

▣ 요구사항

주어진 재료를 사용하여 다음과 같이 유니짜장면을 만드시오.

❶ 춘장은 기름에 볶아서 사용하시오.
❷ 양파, 호박은 0.5㎝ × 0.5㎝ 정도 크기의 네모꼴로 써시오.
❸ 중화면은 끓는 물에 삶아 찬물에 헹군 후 데쳐 사용하시오.
❹ 삶은 면에 짜장 소스를 부어 오이채를 올려내시오.

만드는 법

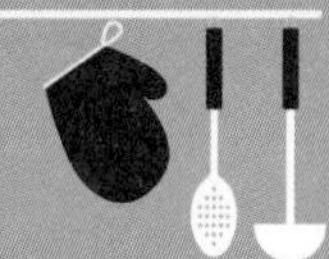

❶ 오이는 소금으로 문질러 지저분한 돌기를 제거한 후 길이 5㎝, 폭 0.2㎝ 정도로 어슷하게 채 썬다.
생강은 다지고, 호박, 양파는 0.5㎝ × 0.5㎝로 썬다.

❷ 돼지고기는 키친타올로 핏물 제거 후 다진다.

❸ 냄비에 물을 끓여 끓기 시작하면 소금 약간을 넣고 면을 삶고, 찬물에 헹군다.
이때 냄비물은 따로 둔다.(따뜻하게)

❹ 팬에 기름을 넣고 춘장을 넣어 볶아서 그릇에 담아둔다.
물과 녹말을 2 : 1로 섞어 물녹말을 만든다.

❺ 예열된 팬에 기름을 두르고 생강을 넣고 볶다가 청주, 간장 1T을 넣고 돼지고기를 넣고 볶는다. 고기가 다 익으면 양파, 호박을 넣어 볶는다.

❻ ❺에 ❹의 춘장을 넣고 물 1C, 설탕 1T을 넣고 끓이다가 물녹말로 농도를 맞춘 후 참기름을 넣고 불을 끈다.

꿀팁! 물녹말을 넣어 농도를 맞출 때는 조금씩 넣어가며 조절한다.

❼ 따뜻한 물에 면을 담갔다 건져 물기 제거 후 그릇에 면을 담고 면 위에 3/4 정도 채워지도록 소스를 담고 가운데 오이채를 얹어준다.

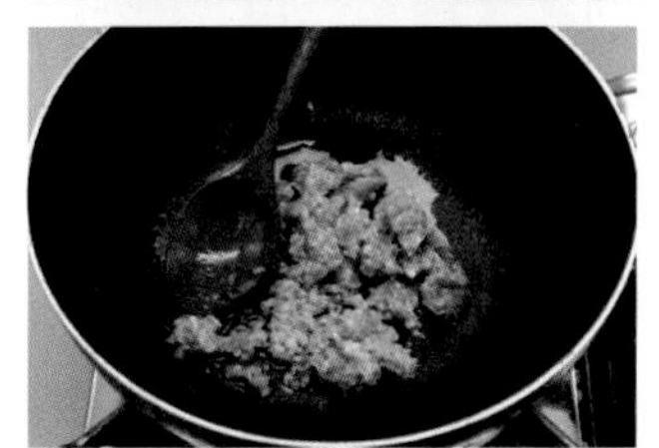

요리달인의 합격비법

❶ 춘장은 중약불에서 볶아 부드럽게 한다.
❷ 면은 되도록 나중에 삶아 불지 않도록 한다. 완성그릇에 담기 전 따뜻하게 한 후 담아준다.

울면 温卤面

▣ 재료 준비

중화면(생면) 150g, 오징어(몸통) 50g, 작은새우살 20g, 조선부추 10g, 대파(흰부분, 6㎝ 정도) 1토막, 마늘(중, 깐 것) 3쪽, 당근(길이 6㎝ 정도) 20g, 배추잎(1/2잎) 20g, 건목이버섯 1개, 양파(중, 150g 정도) 1/4개, 달걀 1개, 진간장 5mL, 청주 30mL, 참기름 5mL, 소금 5g, 녹말가루(감자전분) 20g, 흰후춧가루 3g

▣ 요구사항

주어진 재료를 사용하여 다음과 같이 울면을 만드시오.

❶ 오징어, 대파, 양파, 당근, 배추잎은 6㎝ 정도 길이로 채를 써시오.

❷ 중화면은 끓는 물에 삶아 찬물에 행군 후 데쳐 사용하시오.

❸ 소스는 농도를 잘 맞춘 다음, 달걀을 풀 때 덩어리지지 않게 하시오.

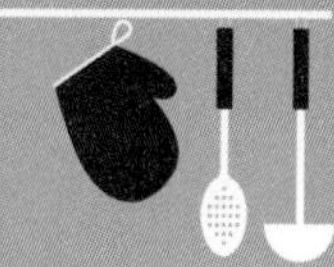

만드는 법

❶ 마늘은 길이대로 채 썰고 대파, 양파, 배추, 당근, 부추는 6㎝ 길이로 채 썬다.
목이는 뜨거운 물에 불려 찢는다.

❷ 새우는 내장을 제거하고 오징어는 껍질 제거 후 6㎝ 길이로 채 썬다.

❸ 달걀은 풀어 준비하고, 물과 녹말을 2 : 1로 섞어 물녹말을 만든다.

❹ 뜨거운 물에 면을 삶고 찬물에 헹군 후 끓인 물은 버리지 않고 준비한다. 면을 따뜻한 물에 데운다.

❺ 냄비에 물 3C 정도를 넣고 끓이다 대파, 마늘, 간장, 청주를 넣고 끓이다 부추를 제외한 ❶의 나머지 채소를 넣고 끓이다 오징어, 새우를 넣고 소금, 흰후추로 간한 후 물 녹말을 넣어 농도를 맞춘다.

❻ ❺에 부추를 넣고, 달걀물을 넣어 풀어준 후 참기름을 넣어 준다.

꿀팁! 달걀물을 풀어줄 때는 한꺼번에 부어주지 말고 흔들면서 골고루 퍼지도록 해서 넣어준다.

❼ ❹의 따뜻한 면 위에 ❻을 부어준다.

요리달인의 합격비법

❶ 면은 제출 전 따뜻하게 한 후 담아낸다.
❷ 달걀물을 넣어줄 때 약불에서 덩어리지지 않고 골고루 퍼지도록 부드럽게 익힌다.
❸ 농도에 유의한다.

오징어냉채 凉拌魷漁

▣ 재료 준비

갑오징어살(오징어 대체 가능) 100g, 오이(가늘고 곧은 것, 20㎝ 정도) 1/3개, 식초 30mL, 흰설탕 15g, 소금(정제염) 2g, 참기름 5mL, 겨자 20g

▣ 요구사항

주어진 재료를 사용하여 오징어 냉채를 만드시오.

❶ 오징어 몸살은 종횡으로 칼집을 내어 3~4㎝ 정도로 썰어 데쳐서 사용하시오.

❷ 오이는 얇게 3㎝ 정도 편으로 썰어 사용하시오.

❸ 겨자를 숙성시킨 후 소스를 만드시오.

만드는 법

❶ 냄비에 물을 따뜻하게 끓여(약 40℃ 정도) 겨자분과 따뜻한 물을 1 : 1로 섞어 냄비뚜껑에 올려 발효시킨다.

❷ 오이는 세로로 반을 갈라 3㎝ 길이로 어슷하게 얇은 편(0.2~0.3㎝ 정도)으로 썬다.

❸ 갑오징어는 껍질이 있으면 껍질을 제거한 후 손질한다. 내장 안쪽에 세로방향으로 칼집을 깊게 넣고 다시 가로방향으로 어슷하게 칼집을 넣어 3~4㎝ 길이로 썬다.

꿀팁! 가로방향으로 3번째 칼집을 넣을 때 자른다.

❹ 오징어는 끓는 물에 살짝 데쳐 찬물에 식힌 다음 물기를 제거한다.

❺ 발효된 겨자에 설탕 1T, 식초 2T, 물 약간, 소금 약간, 참기름 약간을 넣어 겨자소스를 만든다. 부드럽게 체에 내려준다.

❻ 완성접시에 오이를 둥글게 돌려서 담는다. 나머지 오이와, 오징어를 섞어 그 위에 예쁘게 담아낸다. 소스를 뿌려낸다.

요리달인의 합격비법

❶ 갑오징어는 일반 오징어보다 두꺼우므로 칼집을 깊게 넣어주고, 요구사항에 맞는 사이즈로 종횡으로 칼집을 넣어 데쳐주는 것이 중요하다.
❷ 겨자소스는 반드시 따뜻한 물에 개어서 발효시켜야 한다.
❸ 오징어는 반드시 데칠 때 익혀내야 한다.(덜 익으면 실격 처리)
❹ 소스는 제출 직전에 뿌려야 수분이 생기는 걸 줄여줄 수 있다.

해파리냉채 冷拌蜇皮

▣ 재료 준비

해파리 150g, 오이(가늘고 곧은 것, 20㎝ 정도) 1/2개, 마늘(중, 깐 것) 3쪽, 식초 45mL, 흰설탕 15g, 소금(정제염) 7g, 참기름 5mL

▣ 요구사항

주어진 재료를 사용하여 다음과 같이 해파리냉채를 만드시오.

❶ 해파리는 염분을 제거하고 살짝 데쳐서 사용하시오.
❷ 오이는 0.2㎝ × 6㎝ 정도 크기로 어슷하게 채를 써시오.
❸ 해파리와 오이를 섞어 마늘소스를 끼얹어 내시오.

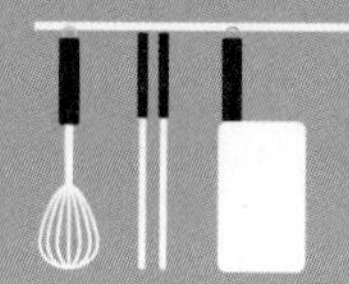

만드는 법

❶ 해파리는 흐르는 물에 씻어 물기 제거 후 너무 길면 길이를 잘라준다. 물에 담갔다가 미지근한 물에 살짝 데친 후 찬물에 식초 약간을 넣고 담가 두어 부드럽게 한다. 부드러워지면 물기를 제거한다.

해파리는 너무 뜨거운 물에 오래 데치면 시간 내에 부드럽게 만들기가 어려우므로, 미지근한 물에 살짝 데치는 것이 좋다.

❷ 오이는 손질해 어슷하게 편으로 썬 후 길이 6㎝, 두께 0.2㎝로 채를 썬다.

❸ 마늘은 다진다.

❹ 볼에 마늘을 넣고, 식초 2T, 설탕 1T, 소금 약간, 참기름 약간을 섞어 마늘소스를 만든다.

❺ 볼에 채 썬 오이, ❶의 해파리를 섞어 접시에 담고, 마늘 소스를 끼얹는다.

요리달인의 합격비법

❶ 해파리는 미지근한 물에 살짝 데친 후 찬물에 재빨리 담가 불려야 부드러워진다.
❷ 오이는 요구사항에 맞춰 일정하게 채 썬다.
❸ 소스는 제출 직전에 뿌려야 많이 흐르지 않고 깔끔하다.

양장피잡채 炒肉想长皮

▣ 재료 준비

양장피 1/2장, 돼지등심(살코기) 50g, 양파(중, 150g 정도) 1/2개, 조선부추 30g, 건목이버섯 1개, 당근(길이로 썰어서) 50g, 오이(가늘고 곧은 것, 20㎝ 정도) 1/3개, 달걀 1개, 진간장 5mL, 참기름 5mL, 겨자 10g, 식초 50mL, 흰설탕 30g, 식용유 20mL, 작은새우살 50g, 갑오징어살(오징어 대체 가능) 50g, 건해삼(불린 것) 60g, 소금(정제염) 3g

▣ 요구사항

주어진 재료를 사용하여 양장피 잡채를 만드시오.

❶ 양장피는 4㎝ 정도로 하시오.
❶ 고기와 채소는 5㎝ 정도 길이의 채를 써시오.
❶ 겨자는 숙성시켜 사용하시오.
❶ 볶은 재료와 볶지 않는 재료의 분별에 유의하여 담아내시오.

만드는 법

❶ 냄비에 물을 넣고 끓여 40℃ 정도 따뜻한 물과 겨자분을 섞어 (1 : 2 정도) 냄비 뚜껑에 올려 발효시킨다.(약 10분)
맵게 발효되면 식초 2T, 간장 약간, 설탕 1T, 소금 약간, 참기름을 넣고 겨자소스를 만든다.

❷ 양장피는 미지근한 물에 불리고, 목이버섯은 따뜻한 물에 불린 후 찢어둔다.

❸ 양파, 오이는 5㎝ 길이로 채 썰고, 부추도 5㎝ 길이로 썬다.
당근도 5㎝ 길이로 편 썬다.
돼지고기도 얇게 5㎝ 길이로 채 썬 후 소금, 간장을 넣어 밑간한다.

❹ 새우는 꼬지를 이용해 내장을 제거하고, 해삼도 내장을 제거한다. 오징어는 껍질을 제거한 후 내장 쪽에 세로로 칼집을 넣는다.

❺ 끓인 물에 양장피를 1분 정도 데친 후 찬물에 헹군 후 4㎝ 정도로 썰어 간장, 참기름으로 밑간한다.

❻ 끓인 물에 당근, 새우, 오징어, 해삼을 데친다.
데친 당근, 오징어, 해삼은 채 썬다.

❼ 달걀은 풀어서 소금 약간을 넣고 섞어 체에 내린 후 지단을 부친 후 5㎝ 길이로 채 썬다.

지단을 부칠 때 되도록 직사각형 모양으로 부쳐서 버려지는 부분이 많지 않도록 한다.

❽ 팬에 기름을 두른 후 돼지고기, 양파를 넣고 간장, 목이를 넣고 볶다가 부추를 넣고 소금, 참기름을 넣어준다.

❾ 접시에 오이, 당근, 새우, 해삼, 오징어, 달걀지단을 돌려 담는다. (총 6가지 – 2번씩 담기)
가운데 ❺의 양장피를 담고 그 위에 ❽의 볶은 재료를 올리고 겨자소스를 볼에 담아 곁들여낸다.

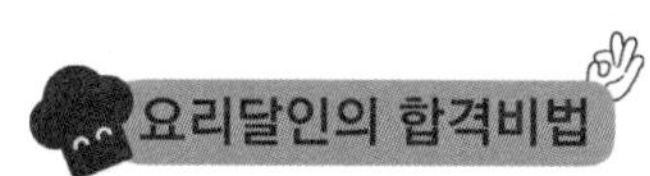

❶ 겨자는 따뜻한 물에 발효해서 쓴맛이 나지 않도록 유의한다.(맛 평가 유의)
❷ 볶아야 하는 재료와 볶지 않는 재료를 분리해서 담아둔다.
❸ 그릇에 펼쳐지는 재료는 6가지이므로 2번씩 예쁘게 돌려 담는다.(담을 때 바깥쪽 부분은 펼쳐서 부채꼴 모양으로 해주는 것이 예쁘다.)
❹ 시간이 부족한 메뉴이므로 완성된 재료는 바로 접시에 세팅하는 것이 좋다.

부추잡채 炒韮菜

▣ 재료 준비

부추{중국부추(호부추)} 120g, 돼지등심(살코기) 50g, 달걀 1개, 청주 15mL, 소금(정제염) 5g, 참기름 5mL, 식용유 100mL, 녹말가루(감자전분) 30g

▣ 요구사항

주어진 재료를 사용하여 다음과 같이 부추잡채를 만드시오.

❶ 부추는 6㎝ 길이로 써시오.
❷ 고기는 0.3㎝ × 6㎝ 길이로 써시오.
❸ 고기는 간을 하여 초벌하시오.

만드는 법

❶ 부추는 다듬어 손질 후 6㎝ 길이로 채 썰어 굵은 흰 부분과 푸른 부분을 나눠서 담아둔다.

❷ 고기는 얇게 포를 떠서 길이 6㎝로 가늘게 채 썰어 청주 1t, 소금 약간으로 밑간하고 달걀흰자 1t, 녹말가루 1t를 넣어 섞어준다.

꿀팁! 고기는 익으면서 두께가 두꺼워지므로 되도록 얇게 채를 썰어주고, 결대로 썰어주어서 부스러지는 것을 방지한다.

❸ 예열된 팬에 기름을 넉넉히 두른 후 ❷의 고기를 중약불에서 젓가락으로 풀어가며 익혀 체에 밭쳐 기름 제거 후 접시에 담아둔다.

꿀팁! 볶을 때는 처음에 약불에서 볶다가 익기 시작하면 센 불에서 볶아줘서 고기가 서로 달라붙지 않도록 한다.

❹ 예열된 팬에 기름을 두른 후 부추 굵은 흰 부분을 먼저 볶다가 청주를 넣고 돼지고기를 넣고 나머지 부추 파란 부분을 넣은 후 소금 간한 후 살짝 볶아준다. 참기름을 넣어준다.

❺ 완성접시에 되도록 높이 세워 담아준다.

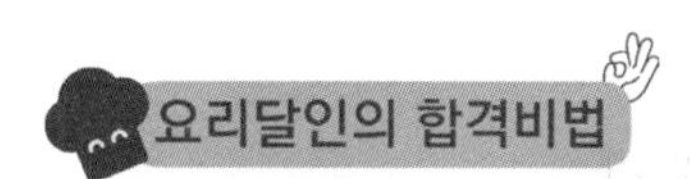

요리달인의 합격비법

❶ 부추는 굵은 흰 부분과 푸른 부분을 구분해서 흰 부분을 먼저 볶아야 골고루 익힐 수 있다.
❷ 초록색 부분은 살짝 볶아 색이 선명하도록 한다.
❸ 고기는 익으면 두께가 두꺼워지므로 최대한 가늘게 채를 써는 것이 좋다.

고추잡채 青椒肉絲

▣ 재료 준비

돼지등심(살코기) 100g, 청주 5mL, 녹말가루(감자전분) 15g, 청피망(중, 75g 정도) 1개, 달걀 1개, 죽순{통조림(whole), 고형분)} 30g, 건표고버섯(지름 5㎝ 정도, 물에 불린 것) 2개, 양파(중, 150g 정도) 1/2개, 참기름 5mL, 식용유 150mL, 소금(정제염) 5g, 진간장 15mL

▣ 요구사항

주어진 재료를 사용하여 고추잡채를 만드시오.

❶ 주재료 피망과 고기는 5㎝ 정도의 채로 써시오.
❷ 고기는 간을 하여 초벌하시오.

만드는 법

❶ 피망, 양파 5㎝ 길이로 채를 썰고, 죽순, 표고도 저며서 길이 5㎝, 폭 0.3㎝ 정도로 채 썬다.

❷ 뜨거운 물에 죽순을 살짝 데친 후 찬물에 헹군다.

❸ 돼지고기는 얇게 포를 떠서 5㎝ 길이로 채로 썰어서 청주 1t, 간장 1t을 넣고 밑간한 후 달걀흰자는 풀어서 1t, 녹말가루 1t 정도를 넣어 버무린다.

❹ 예열된 팬에 기름을 넉넉히 두르고 중약불에서 돼지고기를 젓가락으로 풀어주면서 튀기듯 익혀낸다.
체에 밭쳐 기름을 제거한다.

❺ 예열된 팬에 ❹의 기름을 두르고 양파, 표고, 죽순을 넣고 청주, 간장으로 향을 내어 볶는다.

❻ ❺에 피망, ❹의 돼지고기를 넣고 살짝 볶아 소금 간을 한 후 참기름을 넣어준다.

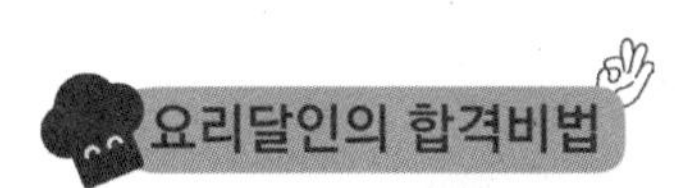

❶ 고기는 익혔을 때 두꺼워지므로 최대한 가늘게 채를 썰고, 결대로 썰어야 부서지지 않는다.
❷ 밑간한 돼지고기를 기름에 익힐 때는 약불에서 고기채가 뭉쳐지지 않도록 풀어가면서 익히고 익기 시작하면 불을 좀 더 세게 해서 익혀준다.
❸ 피망은 살짝만 볶아 색이 선명하도록 한다.

마파두부 麻婆豆腐

▣ 재료 준비

두부 150g, 마늘(중, 깐 것) 2쪽, 생강 5g, 대파(흰부분 6㎝ 정도) 1토막, 홍고추(생) 1/2개, 두반장 10g, 검은후춧가루 5g, 돼지등심(다진 살코기) 50g, 흰설탕 5g, 녹말가루(감자전분) 15g, 참기름 5mL, 식용유 60mL, 진간장 10mL, 고춧가루 15g

▣ 요구사항

주어진 재료를 사용하여 마파두부를 만드시오.

❶ 두부는 1.5㎝ 정도의 주사위 모양으로 써시오.
❷ 두부가 으깨어지지 않게 하시오.
❸ 고추기름을 만들어 사용하시오.

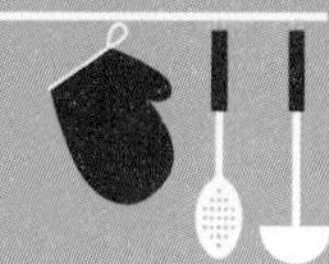

만드는 법

❶ 두부는 사방 1.5㎝ 정도로 썰어준다.

❷ 대파, 홍고추는 0.5㎝ 정도로 다지고, 마늘, 생강은 다진다.

❸ 뜨거운 물에 ❶의 두부를 데친다.

❹ 돼지고기는 핏물 제거 후 다진다.

❺ 그릇에 고춧가루를 담고, 팬에 기름 4T 정도를 넣고 예열시켜 뜨거워지면 고춧가루 그릇에 부어 고추기름을 낸 후 체에 걸러준다.

❻ 물녹말을 만든다.(물 : 녹말 = 2 : 1)

❼ 예열된 팬에 ❺의 고추기름을 두르고 파, 마늘, 생강을 넣고 볶다가 간장을 넣고 향을 낸 후 돼지고기를 넣어 볶아 익히다가 익으면 두반장 1T, 설탕 1t, 후추 약간 , 홍고추를 넣고 물 1C을 넣고 끓여준다.

❽ 끓기 시작하면 물녹말로 농도를 맞춘 후 두부를 넣고 섞어준 후 참기름을 넣어준다.

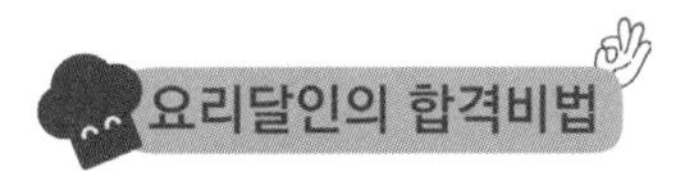

❶ 고추기름을 만들 때 기름온도가 너무 높아 고춧가루가 타는 일이 없도록 주의한다.
❷ 두부는 요구사항에 맞도록 썰어주고, 모양이 부서지지 않도록 한다.
❸ 소스의 농도와 색에 유의한다.

새우케찹볶음 蕃茄蝦仁

▣ 재료 준비

작은새우살(내장이 있는 것) 200g, 진간장 15mL, 달걀 1개, 녹말가루(감자전분) 100g, 토마토케찹 50g, 청주 30mL, 당근(길이로 썰어서) 30g, 양파(중, 150g 정도) 1/6개, 소금(정제염) 2g, 흰설탕 10g, 식용유 800mL, 생강 5g, 대파(흰부분 6㎝ 정도) 1토막, 이쑤시개 1개, 완두콩 10g

▣ 요구사항

주어진 재료를 사용하여 다음과 같이 새우케찹볶음을 만드시오.

❶ 새우 내장을 제거하시오.

❷ 당근과 양파는 1㎝ 정도 크기의 사각으로 써시오.

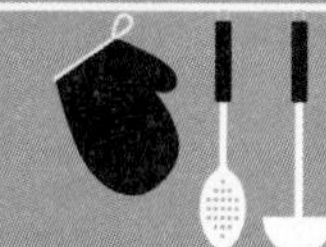

만 드 는 법

❶ 앙금녹말을 만든다.(녹말 1/2C, 물 1/2C)

❷ 채소는 손질 후 씻어서 당근, 양파, 대파, 생강은 1㎝, 두께 0.2~0.3㎝로 썰고, 완두콩과 함께 접시에 담아준다. 뜨거운 물에 완두콩은 데친다.

❸ 새우는 꼬지로 내장을 제거하고 청주, 소금 약간을 넣어 밑간한다.

❹ 새우에 달걀흰자 1T, 앙금녹말을 넣고 반죽한 뒤 농도가 너무 묽으면 녹말가루를 더 추가한다.
160~170℃ 정도의 튀김기름에 2번 정도 바삭하게 튀겨낸다.
체에 밭쳐 기름 제거한다.

❺ 물녹말을 만든다.(물 : 녹말 = 2 : 1)

❻ 예열된 팬에 기름을 두르고 대파, 생강을 넣어 볶다가 청주, 간장을 넣고 당근, 양파를 넣고 볶은 후 케찹 3T, 설탕 1T, 물 1/2C을 넣고 끓인다.

❼ ❻이 끓으면 물녹말을 넣어 농도를 낸 후 ❹의 튀겨낸 새우를 넣어 섞어준다.

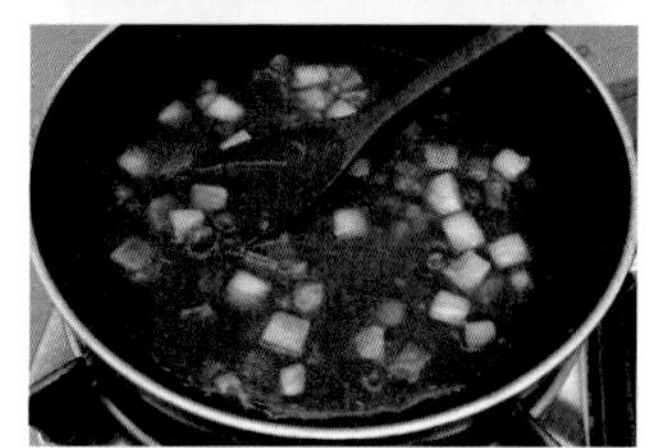

요리달인의 합격비법

❶ 새우 내장 제거에 유의하고, 채소는 일정한 크기로 썰어준다.
❷ 튀김옷을 만들 때 새우에 수분이 많으므로 튀김옷 농도가 묽어지지 않도록 주의한다.
❸ 소스 농도와 색에 유의한다.

채소볶음 炒蔬菜

▣ 재료 준비

청경채 1개, 대파(흰부분 6㎝ 정도) 1토막, 당근(길이로 썰어서) 50g, 죽순{통조림(whole), 고형분)} 30g, 청피망(중, 75g 정도) 1/3개, 건표고버섯(지름 5㎝ 정도, 물에 불린 것) 2개, 식용유 45mL, 소금(정제염) 5g, 진간장 5mL, 청주 5mL, 참기름 5mL, 마늘(중, 깐 것) 1쪽, 흰후춧가루 2g, 생강 5g, 셀러리 30g, 양송이{통조림(whole), 양송이 큰 것)} 2개, 녹말가루(감자전분) 20g

▣ 요구사항

주어진 재료를 사용하여 채소볶음을 만드시오.

❶ 모든 채소는 길이 4㎝ 정도의 편으로 써시오.

❷ 대파, 마늘, 생강을 제외한 모든 채소는 끓는 물에 살짝 데쳐서 사용하시오.

만 드 는 법

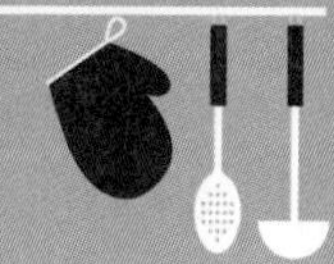

❶ 냄비에 물을 넣고 예열시킨다.

❷ 마늘, 생강, 양송이는 편으로 썬다. 대파는 4㎝ 길이, 폭은 1~1.5㎝ 정도 편으로 썬다.

❸ 청경채, 피망도 4㎝ 길이, 1~1.5㎝ 편으로 썬다.

❹ 당근, 샐러리, 죽순, 표고도 두께 0.2~0.3㎝ 정도, 길이 4㎝, 폭 1~1.5㎝ 편으로 썬다.(채소 크기가 되도록 일정하게 썰어준다)
죽순은 빗살무늬가 있으면 살려서 길이만 맞춰서 썰어준다.
샐러리는 칼끝으로 칼집 넣어준 후 섬유질을 제거한다.
표고는 물기 제거 후 어슷하게 4㎝ 길이 맞춰 썰어준다.

❺ 냄비에 물을 넣고 끓으면 소금 약간을 넣고 마늘, 생강, 대파를 제외한 채소들을 살짝 데친 후 찬물에 헹군다.

❻ 물과 녹말을 2 : 1로 섞어 물녹말을 만든다.

❼ 예열된 팬에 기름을 두르고 대파, 마늘, 생강을 넣고 볶다가 간장 1t, 청주 1t를 넣고 향을 낸 후 데쳐낸 채소 당근, 표고, 죽순, 양송이, 샐러리를 볶다가 물 1/4C 넣고 끓인다.
물녹말로 농도를 맞춘 뒤 피망, 청경채를 넣고 소금, 흰후추로 간한 후 참기름을 넣어준다.

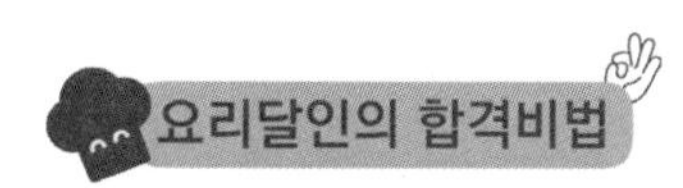

요리달인의 합격비법

❶ 채소는 4㎝ 길이, 폭은 1~1.5㎝로 크기가 일정하도록 썰어준다.
❷ 채소의 색감이 선명하도록 볶아준다.

라조기 辣子鷄

▣ 재료 준비

닭다리(한 마리 1.2kg 정도, 허벅지살 포함 반 마리 지급 가능) 1개, 죽순{통조림(whole), 고형분)} 50g, 건표고버섯(지름 5㎝ 정도, 물에 불린 것) 1개, 홍고추(건) 1개, 양송이{통조림(whole), 양송이 큰 것)} 1개, 청피망(중, 75g 정도) 1/3개, 청경채 1포기, 생강 5g, 대파(흰부분 6㎝ 정도) 2토막, 마늘(중, 깐 것) 1쪽, 달걀 1개, 진간장 30mL, 소금(정제염) 5g, 청주 15mL, 녹말가루(감자전분) 100g, 고추기름 10mL, 식용유 900mL, 검은후춧가루 1g

▣ 요구사항

주어진 재료를 사용하여 다음과 같이 라조기를 만드시오.

❶ 닭은 뼈를 발라낸 후 5㎝ × 1㎝ 정도의 길이로 써시오.

❷ 채소는 5㎝ × 2㎝ 정도의 길이로 써시오.

만드는 법

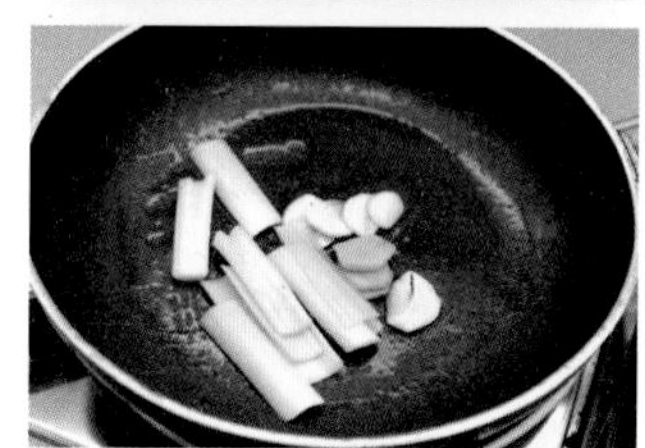

❶ 앙금녹말을 만든다. 녹말 1/2C : 물 1/2C

❷ 생강, 마늘, 양송이는 편으로 썬다.

❸ 건고추는 반 갈라서 씨 제거 손질 후 5㎝ × 2㎝로 어슷 썬다. (정방향도 가능)
대파, 건표고, 죽순, 피망, 청경채는 5㎝ × 2㎝로 썬다.

❹ 뜨거운 물에 죽순을 데쳐 찬물에 헹군다.

❺ 닭고기는 뼈를 발라 펴준 후 껍질쪽을 손질 후 5㎝ × 1㎝로 썰어준 후 간장, 청주, 소금으로 밑간하고 달걀물, 앙금녹말을 넣어 튀김옷을 만들어 밑간 한 닭고기에 버무린다.

❻ 160℃로 예열된 기름에 모양을 잡아 2번 바삭하게 튀겨낸다. 처음엔 중약불 두 번째 튀길 땐 강불(체로 건지기)

❼ 녹말과 물 1 : 2의 비율로 섞어 물녹말을 만든다.

❽ 예열된 팬에 고추기름 1T을 두른 후 대파, 마늘, 생강, 건고추를 넣고 볶다 간장 1T, 청주 1T을 넣어 향을 낸 후 표고, 죽순, 양송이를 볶다 물 1컵을 넣고 소금, 후추로 간한다.

❾ ❽에 물 녹말을 넣어 농도를 맞추고 ❻과 청피망, 청경채를 넣어 섞어준다.

요리달인의 합격비법

❶ 주어진 고추기름을 반드시 사용한다.
❷ 청피망, 청경채는 좀 더 나중에 넣어 색감을 살려주는 것이 좋다.
❸ 소스의 농도와 양에 유의한다.
❹ 고추기름만 사용하므로 참기름 사용 시 오작처리되므로 주의한다.

경장육사 京酱肉絲

▣ 재료 준비

돼지등심(살코기) 150g, 죽순{통조림(whole), 고형분)} 100g, 대파(흰부분 6cm 정도) 3토막, 달걀 1개, 춘장 50g, 식용유 300mL, 흰설탕 30g, 굴소스 30mL, 청주 30mL, 진간장 30mL, 녹말가루(감자전분) 50g, 참기름 5mL, 마늘(중, 깐 것) 1쪽, 생강 5g

▣ 요구사항

주어진 재료를 사용하여 경장육사를 만드시오.

❶ 돼지고기는 길이 5cm 정도의 얇은 채로 썰고, 간을 하여 초벌하시오.

❷ 춘장은 기름에 볶아서 사용하시오.

❸ 대파 채는 길이 5cm 정도로 어슷하게 채 썰어 매운맛을 빼고 접시에 담으시오.

만드는 법

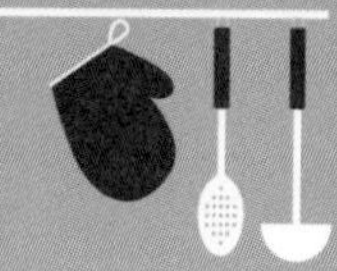

❶ 대파는 속대를 제거하고 5㎝로 가늘고 어슷하게 채 썰어준 후 찬물에 10분 정도 담가둔 후 물기를 제거한다.(매운맛 제거)

❷ 죽순은 포 떠서 가늘게 5㎝ 길이로 채 썬 후 뜨거운 물에 데친다. 마늘, 생강은 채 썬다.

❸ 돼지고기는 얇게 포 뜬 후 5㎝ 길이로 채 썬다.
(결대로 썰어야 부스러지는게 적다.)

❹ ❸의 고기는 간장 1t ,청주 1t로 밑간한 후 풀어준 달걀흰자 1/2T와 녹말 1/2T을 넣어 버무려준 후 팬에 기름을 넉넉히 넣고 젓가락으로 풀어가며 고기를 튀기듯 익혀 체에 밭쳐 기름을 제거한다.

❺ 팬에 춘장 3T, 기름 3T을 넣고 춘장을 볶아 체에 밭쳐 기름 제거 후 그릇에 담아둔다.

❻ 물녹말을 만든다.(물 : 전분 = 2 : 1)

❼ 팬에 기름을 두른 후 마늘, 생강을 넣고 청주, 간장으로 향을 내고 죽순을 넣고 볶다가 돼지고기, 춘장 1T, 굴소스 1T, 설탕 1T, 물 1/4C 정도 넣고 끓이다가 끓으면 물녹말을 조금씩 넣어 농도를 맞춘 후 참기름을 넣어준다.
(한 번에 물녹말을 넣어주면 덩어리질 수 있으므로 조금씩 넣어준다.)

❽ 완성접시에 ❶을 담은 후 그 위에 ❼을 올린다.

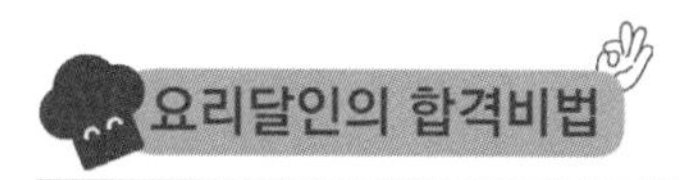

❶ 파채는 5㎝ 길이로 가늘게 채 썰어 찬물에 꼭 담가 매운맛을 제거한다.
❷ 춘장을 볶을 때 너무 센 불에서 볶지 않도록 유의한다.
❸ 물녹말은 조금씩 넣어 농도 확인 후 추가하도록 한다. 농도가 너무 묽거나 되지 않도록 주의한다.

빠스옥수수 拔絲玉米

▣ 재료 준비

옥수수{통조림(고형분)} 120g, 땅콩 7알, 밀가루(중력분) 80g, 달걀 1개, 흰설탕 50g, 식용유 500mL

▣ 요구사항

주어진 재료를 사용하여 빠스옥수수를 만드시오.

❶ 완자의 크기를 직경 3㎝ 정도 공 모양으로 하시오.
❷ 땅콩은 다져 옥수수와 함께 버무려 사용하시오.
❸ 설탕시럽은 타지 않게 만드시오.
❹ 빠스옥수수는 6개 만드시오.

만드는 법

❶ 옥수수는 체에 밭쳐 수분을 제거한다.

❷ 땅콩은 다진다. ❶의 옥수수도 다진다.

❸ 볼에 옥수수를 넣고 달걀노른자 1/2T 정도를 넣고 밀가루 2T 정도 넣어준 후 ❷의 땅콩을 넣어 섞어준다.

❹ 반죽을 한 손으로 잡고 엄지와 검지 사이로 올라오도록 모양을 잡아 직경 3㎝ 정도가 되도록 옥수수 완자를 만들어준다. (요구사항의 개수보다 좀 더 넉넉히 만들어준다.)

❺ 150~160℃로 예열시킨 기름에 ❹를 튀겨낸다.

❻ 팬에 식용유 1T, 설탕 3T을 넣어 녹인다.
젓지 않고 후라이팬을 왔다갔다 흔들면서 녹여준다.
설탕이 다 녹으면 ❺를 넣고 약불에서 설탕시럽이 골고루 묻어나도록 재빠르게 버무린다.

❼ 기름을 바른 접시에 ❻을 하나씩 떼어 담는다.

❽ 완성접시에 ❼을 예쁘게 담아낸다.

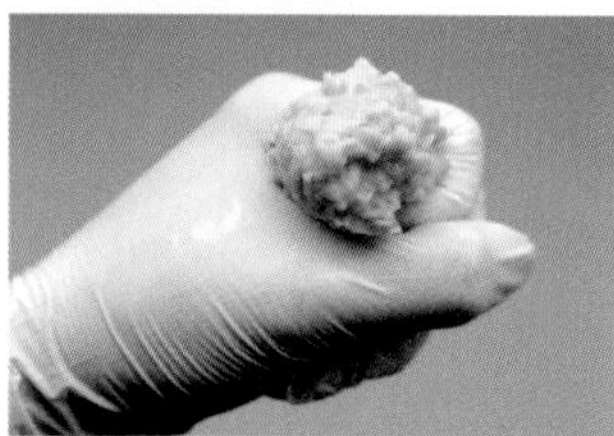

요리달인의 합격비법

❶ 옥수수반죽이 너무 질면 공 모양이 제대로 만들어지지 않으므로 반죽에 유의한다.
❷ 옥수수반죽은 속까지 잘 익을 수 있도록 튀겨낸다.(속이 익지 않을 시 실격 처리된다.)
❸ 시럽을 만들 때 젓지 않고 팬만 움직이면서 녹여준다. 그래야 식었을 때 하얗게 결정화되지 않는다.

빠스고구마 拔絲地瓜

▣ 재료 준비

고구마(300g 정도) 1개, 식용유 1000mL, 흰설탕 100g

▣ 요구사항

주어진 재료를 사용하여 다음과 같이 빠스고구마를 만드시오.

❶ 고구마는 껍질을 벗기고 먼저 길게 4등분을 내고, 다시 4㎝ 정도 길이의 다각형으로 돌려 썰기 하시오.

❷ 튀김이 바삭하게 되도록 하시오.

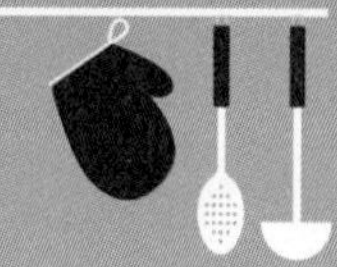

만드는 법

❶ 고구마는 껍질을 벗기고 길게 세로로 4등분을 내고 다시 4㎝ 크기의 다각형으로 돌려 썰어준 후 물에 담가둔다.
물기를 제거한다.

❷ 150도 정도로 예열한 기름에 ❶의 고구마를 넣어 노릇하게 튀겨낸다. 고구마가 익어서 뜰 때 건져낸다.

❸ 팬에 식용유 1T, 설탕 3T 넣고 약불로 젓지 않고 녹인다.

❹ 접시에 식용유를 발라준다.

❺ ❸의 설탕이 다 녹으면 ❷의 고구마를 넣고 불을 가장 약하게 한 후 재빠르게 버무린다.(고구마에 시럽이 골고루 묻을 때까지 계속 섞어준다.)

❻ ❺가 뜨거울 때 ❹의 접시에 재빠르게 펼쳐서 담아준다.

❼ 식으면 완성접시에 담아낸다.

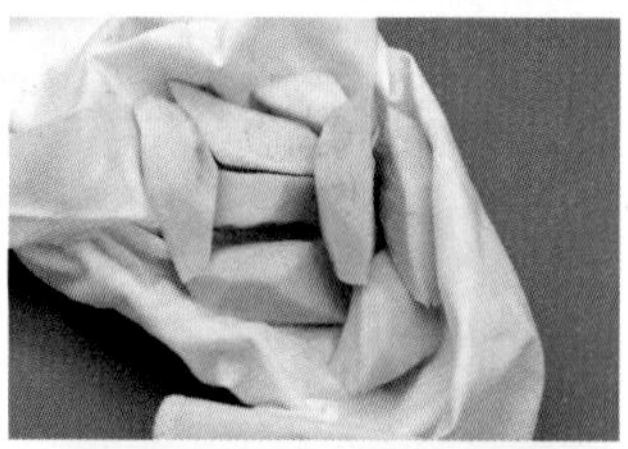

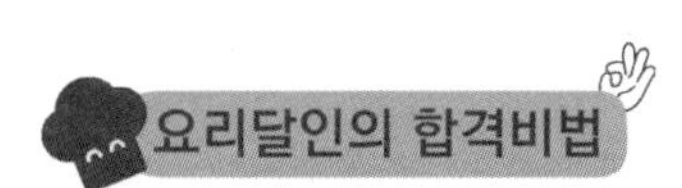

❶ 고구마는 요구사항에 맞게 썰어주고, 튀길 때 타거나 안 익지 않도록 튀김온도에 유의한다.
❷ 설탕 시럽에 버무릴 때는 약한 불에서 재빠르게 버무리고 고구마에 시럽이 골고루 묻혀질 때까지 버무린 후 불을 끈다.
❸ 시럽을 만들 때 젓지 않고 팬만 움직이면서 녹여준다. 그래야 식었을 때 하얗게 결정화되지 않는다.

중식 조리기능사 필기+실기

부록

초스피드 합격노트

요리달인의 실기합격 Tip

1. 조리시험장에 들어가면 출제문제와 재료를 확인합니다.
2. 확인이 완료되고 시험시작 시간을 알리면 재료를 먼저 손질하면서 세척합니다.
   (껍질 제거나 기본재료 손질 완료 : 이물질이 없게 깨끗한 상태)
3. 세척하고 물기를 제거한 재료는 메뉴별로 각각 접시에 담아놓습니다.(2가지 메뉴)
4. 행주는 항상 깨끗하게 사용합니다.
5. 조리대 주변에 지저분한 것들이 늘어있지 않도록 정리하면서 작업합니다.(정리 점수 포함)
6. 식재료 위생, 세척에 유의하면서 작업합니다.(지저분하면 위생 감점)
7. 작업 중 다쳤을 경우는 감독위원에게 손을 들어 확인시킨 후 응급 처치하도록 합니다.(감점 없음)
8. 조리작업 후 완성품을 제출할 때는 재료목록을 꼭! 확인한 후 제출합니다.

   메뉴에 들어가지 않는 재료가 들어갔을 경우(오작)

   예 라조기의 재료 목록에 없는 참기름을 사용했을 경우 오작 처리
9. 수량을 꼭 지켜야 합니다.

   예 6개 완성일 경우

   5개만 제출하면 수량 부족(미완성)으로 채점대상 제외됩니다.
10. 음식이 제대로 익지 않았을 경우, 음식이 탔을 경우는 실격 처리됩니다.
11. 시험작품을 제출한 후 뒷정리를 깔끔하게 하고, 물기가 없도록, 개수대 음식물 처리는 청결하게 합니다.(이행하지 않았을 경우 감점됩니다.)

요리달인의 초스피드 합격노트!

탕수육 糖醋肉

▣ 재료 준비

돼지등심(살코기) 200g, 진간장 15mL, 달걀 1개, 녹말가루(감자전분) 100g, 식용유 800mL, 식초 50mL, 흰설탕 100g, 대파(흰부분 6㎝ 정도) 1토막, 당근(길이로 썰어서) 30g, 완두(통조림) 15g, 오이(원형으로 지급, 가늘고 곧은 것 20㎝ 정도) 1/4개, 건목이버섯 1개, 양파(중 150g 정도) 1/4개, 청주 15mL

▣ 만드는 법

❶ 앙금녹말 만들기. 목이버섯 불린 후 찢기

❷ 완두는 뜨거운 물에 데치기

❸ 오이, 당근, 양파, 대파 길이 4㎝, 폭 1㎝, 두께 0.3㎝로 썰기

❹ 돼지고기 4㎝, 폭 1㎝로 썰기.
간장, 청주로 밑간 후 달걀흰자, 앙금녹말 넣고 반죽하기

❺ 160℃로 예열된 기름에 ❹를 튀기기(2번)

❻ 간장, 설탕, 식초, 물 넣고 섞어두기. 물녹말 만들기

❼ 예열된 팬에 기름 두른 후 대파, 양파, 당근, 목이순으로 볶다가 소스를 넣고 끓이기. 소스가 끓으면 물녹말로 농도 맞춘 후 오이, 완두를 넣고 돼지고기를 넣고 버무리기

요리달인의 초스피드 합격노트!

시험 시간 30분

깐풍기 乾烹鷄

▣ 재료 준비

닭다리(허벅지살 포함, 반 마리 지급 가능, 한 마리 1.2kg 정도) 1개, 진간장 15mL, 검은후춧가루 1g, 청주 15mL, 달걀 1개, 흰설탕 15g, 녹말가루(감자전분) 100g, 식초 15mL, 마늘(중, 깐 것) 3쪽, 대파(흰부분 6㎝ 정도) 2토막, 청피망(중, 75g 정도) 1/4개, 홍고추(생) 1/2개, 생강 5g, 참기름 5mL, 식용유 800mL, 소금(정제염) 10g

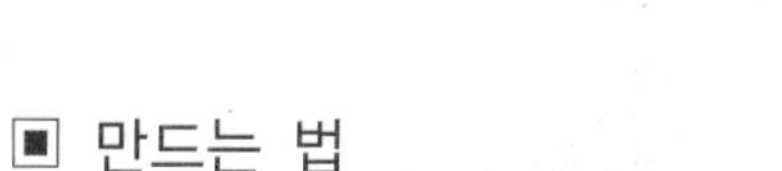

▣ 만드는 법

❶ 앙금녹말 만들기(녹말 1/2C, 물 1/2C)

❷ 마늘, 생강 다지고, 대파, 청피망, 홍고추 0.5㎝로 썰기

❸ 닭은 뼈를 발라내 사방 3㎝로 자르기

❹ 닭에 간장, 청주, 소금으로 밑간 후 달걀흰자, 앙금녹말을 넣어 예열된 기름에 튀기기

❺ 그릇에 분량의 물 3T, 간장 1T, 설탕 1T, 식초 1T을 넣고 양념장 만들기

❻ 예열된 팬에 기름 두르고 대파, 생강, 간장, 청주 → 홍고추 → 양념장 넣고 끓이기

❼ ❻이 끓고 소스가 1/2 정도 졸아들면 튀긴닭, 청피망, 후추를 넣고 참기름 넣기

요리달인의 초스피드 합격노트!

탕수생선살 糖醋魚塊

■ 재료 준비

흰생선살{껍질 벗긴 것(동태 또는 대구)} 150g, 당근 30g, 오이(가늘고 곧은 것, 20㎝ 정도) 1/6개, 완두콩 20g, 파인애플(통조림) 1쪽, 건목이버섯 1개, 녹말가루(감자전분) 100g, 식용유 600mL, 식초 60mL, 흰설탕 100g, 진간장 30mL, 달걀 1개

■ 만드는 법

❶ 앙금녹말 만들기(물, 녹말 각 1/2C)

❷ 뜨거운 물에 완두 데치기. 목이버섯 불리기

❸ 당근, 오이 길이 4㎝, 두께 0.3㎝ 정도로 어슷반달 썰기하거나 골패 모양 썰기
생선살은 수분 제거 후 1㎝ × 4㎝ 크기로 썰기

❹ 물녹말 만들기(2 : 1)

❺ 생선살에 달걀흰자, 앙금녹말을 넣어 반죽한 후 160℃ 기름에 튀겨내기(2번)

❻ 설탕 4T, 식초 3T, 간장 1T, 물 1C을 넣고 소스 만들기

❼ 예열된 팬에 기름 두른 후 당근, 목이 볶기 → 소스 → 끓으면 물녹말 → 오이, 완두, 파인애플, 튀긴 생선살 넣고 버무리기

요리달인의 초스피드 합격노트!

난자완스 南煎丸子

■ 재료 준비

돼지등심(다진 살코기) 200g, 마늘(중, 깐 것) 2쪽, 대파(흰부분 6㎝ 정도) 1토막, 소금(정제염) 3g, 달걀 1개, 녹말가루(감자전분) 50g, 죽순{통조림(whole), 고형분} 50g, 건표고버섯(지금 5㎝ 정도, 물에 불린 것) 2개, 생강 5g, 검은후춧가루 1g, 청경채 1포기, 진간장 15mL, 청주 20mL, 참기름 5mL, 식용유 800mL

■ 만드는 법

❶ 대파 3㎝ 길이로 편 썰기, 마늘, 생강 편으로 썰기

❷ 죽순 4㎝ 길이 편 썰기, 표고, 청경채도 4㎝로 썰기
끓는 물에 죽순 데치기

❸ 갈은 고기는 다지고 간장, 청주, 소금, 후추로 밑간 후 달걀물, 녹말을 넣고 젓가락으로 치대기

❹ 치대진 고기는 3㎝ 크기 완자로 모양 잡아주기. 예열된 팬에 기름 넉넉히 둘러 튀기듯 지지기. 튀겨낼 때 눌러서 4㎝ 크기로 만들기

❺ 물과 녹말 2 : 1 비율로 물녹말 만들기

❻ 팬에 기름 두른 후 대파, 마늘, 생강을 넣고 볶기 → 간장, 청주 → 표고, 죽순, 물 1C 넣고 끓이기

❼ 끓기 시작하면 소금, 후추 넣고 물녹말 넣어 농도를 맞추기 → 완자, 청경채를 넣고 참기름 넣기

요리달인의 초스피드 합격노트!

홍소두부 紅燒豆腐

▣ 재료 준비

두부 150g, 돼지등심(살코기) 50g, 건표고버섯(지금 5㎝ 정도, 물에 불린 것) 1개, 죽순{통조림(whole), 고형분)} 30g, 마늘(중, 깐 것) 2쪽, 생강 5g, 진간장 15mL, 녹말가루(감자전분) 10g, 청주 5mL, 참기름 5mL, 식용유 500mL, 청경채 1포기, 대파(흰부분 6㎝ 정도) 1토막, 홍고추(생) 1개, 양송이{통조림(whole), 양송이 큰 것)} 1개, 달걀 1개

▣ 만드는 법

❶ 두부는 사방 5㎝ 정사각형으로 썬 후 반을 갈라 두께 1㎝ 정도 삼각형으로 썰기

❷ 마늘, 생강은 편 썰고, 대파는 3㎝ 길이로 썰어 세로로 4등분 하기
죽순은 빗살 모양 살려 편 썰고, 표고도 비슷한 크기로 편 썰기, 양송이도 편 썰기
홍고추는 반을 갈라 씨를 제거 후 4㎝ 길이로 편 썰기, 청경채도 4㎝ 길이로 썰기

❸ 뜨거운 물에 죽순 데치기

❹ 돼지고기는 납작하게 편으로 썰어 간장, 청주 → 달걀, 녹말로 버무리기

❺ 예열된 팬에 기름을 넉넉히 두른 후 두부를 노릇하게 튀기기. ❹의 돼지고기도 익혀내기

❻ 물과 녹말 2 : 1의 비율로 섞어 물녹말 만들기

❼ 예열된 팬에 식용유 두른 후 대파, 마늘, 생강 → 청주, 간장 → 표고, 죽순, 양송이, 홍고추 넣고 볶기 → 물 → 끓기 시작하면 물녹말 넣고 농도 맞추기

❽ ❼이 농도가 나면 튀긴 두부, 고기, 청경채를 넣고 참기름 넣기

요리달인의 초스피드 합격노트!

새우볶음밥 虾仁炒饭

▣ 재료 준비

쌀(30분 정도 물에 불린 쌀) 150g, 작은새우살 30g, 달걀 1개, 대파(흰부분 6㎝ 정도) 1토막, 당근 20g, 청피망(중, 75g 정도) 1/3개, 식용유 50mL, 소금 5g, 흰후춧가루 5g

▣ 만드는 법

❶ 새우 내장 제거 후 끓는 물에 데치기

❷ 쌀은 물기 제거 후 물과 동량으로 냄비에 밥 짓기(센 불에서 짓다가 끓으면 약불로 줄이기)

❸ 당근, 대파, 피망 0.5㎝로 썰기

❹ 달걀은 소금 약간 넣고 잘 섞이도록 풀어주고 예열된 팬에 기름을 두른 후 달걀을 넣어 스크램블 만들기(90%만 익히고 나머지는 여열에서 익혀줌)

❺ 팬에 기름 두른 후 대파, 당근 넣고 볶기 → 밥 → 새우, 청피망 → 스크램블, 소금, 흰후추 넣고 불끄기

❻ 둥글고 오목한 밥그릇에 ❺를 눌러 담은 후 뒤집어서 접시에 담기

요리달인의 초스피드 합격노트!

유니짜장면 炸醬面

■ 재료 준비

돼지등심(다진 살코기) 50g, 중화면(생면) 150g, 양파(중, 150g 정도) 1개, 호박(애호박) 50g, 오이(가늘고 곧은 것, 20㎝ 정도) 1/4개, 춘장 50g, 생강 10g, 진간장 50mL, 청주 50mL, 소금 10g, 흰설탕 20g, 참기름 10mL, 녹말가루(감자전분) 50g, 식용유 100mL

■ 만드는 법

❶ 오이는 5㎝ × 0.2㎝ 정도로 어슷하게 채 썰기
생강은 다지고, 호박, 양파는 0.5㎝ × 0.5㎝ 정도로 썰기

❷ 돼지고기는 키친타올로 핏물 제거하기

❸ 팬에 기름과 춘장을 넣어 볶아 그릇에 담아두기
물과 녹말 2 : 1의 비율로 섞어 물녹말 만들기

❹ 예열된 팬에 기름 두른 후 생강 → 청주, 간장 → 돼지고기 → 양파, 호박 넣어 볶기

❺ ❹에 볶아둔 춘장, 물 1C, 설탕 넣고 끓이기. 물녹말 넣어 농도 맞춘 후 참기름 넣기

❻ 뜨거운 물에 면 삶기. 찬물에 헹구기. 따뜻한 물에 데워 완성 그릇에 담기

❼ ❻ 위에 ❺를 얹고 오이채 얹어주기

요리달인의 초스피드 합격노트!

울면 溫鹵面

■ 재료 준비

중화면(생면) 150g, 오징어(몸통) 50g, 작은새우살 20g, 조선부추 10g, 대파(흰부분, 6㎝ 정도) 1토막, 마늘(중, 깐 것) 3쪽, 당근(길이 6㎝ 정도) 20g, 배추잎(1/2잎) 20g, 건목이버섯 1개, 양파(중, 150g 정도) 1/4개, 달걀 1개, 진간장 5mL, 청주 30mL, 참기름 5mL, 소금 5g, 녹말가루(감자전분) 20g, 흰후춧가루 3g

■ 만드는 법

❶ 마늘 채 썰기. 대파, 양파, 배추, 당근, 부추는 6㎝ 길이로 채 썰기
목이는 불려서 찢기

❷ 새우는 꼬지로 내장 제거하고 오징어는 껍질 제거 후 6㎝로 채 썰기

❸ 달걀은 풀어서 준비하고, 물과 녹말 2 : 1로 섞어 물녹말 만들기

❹ 뜨거운 물에 면을 삶아 찬물에 헹구기

❺ 냄비에 물 3C 정도 넣고 끓이다 대파, 마늘, 간장, 청주 → 양파, 배추, 당근, 목이 → 오징어, 새우, 소금, 흰추후 → 물녹말로 농도 맞추기

❻ ❺에 달걀물을 넣고 골고루 풀어준 후 부추와 참기름 넣기

❼ 면을 따뜻하게 한 후 그릇에 담고 그 위에 ❻을 부어주기

요리달인의 초스피드 합격노트!

오징어냉채 凉拌魷漁

■ 재료 준비

갑오징어살(오징어 대체 가능) 100g, 오이(가늘고 곧은 것, 20㎝ 정도) 1/3개, 식초 30mL, 흰설탕 15g, 소금(정제염) 2g, 참기름 5mL, 겨자 20g

■ 만드는 법

❶ 냄비에 물을 끓여 40℃의 온도에 겨자분과 물을 2 : 1로 섞어 냄비 뚜껑에 올려 발효시키기(10분 정도)

❷ 오이는 세로로 반을 갈라 3㎝ 길이로 어슷하게 편 썰기

❸ 오징어는 껍질이 있으면 껍질을 제거하고 내장 쪽에 세로, 가로 종횡으로 칼집을 내 3~4㎝ 크기로 자르기
뜨거운 물에 데쳐서 식혀두기

❹ ❶의 발효겨자에 설탕, 식초, 물 약간, 소금, 참기름 약간을 넣어 겨자소스를 만들고 덩어리가 뭉쳐지면 체에 내려 부드러운 소스 만들기

❺ 완성접시에 오이 1/2 정도를 깔아 둥글게 돌려 담기
나머지 오이와 오징어를 섞어 그 위에 예쁘게 담아내기

❻ 제출 직전에 ❺ 위에 겨자 소스 뿌려내기

요리달인의 초스피드 합격노트!

해파리냉채 冷拌蜇皮

■ 재료 준비

해파리 150g, 오이(가늘고 곧은 것, 20㎝ 정도) 1/2개, 마늘(중, 깐 것) 3쪽, 식초 45mL, 흰설탕 15g, 소금(정제염) 7g, 참기름 5mL

■ 만드는 법

❶ 해파리는 씻어준 후 물에 담가 염분기를 빼주기
미지근한 물에 살짝 데친 후 물에 헹궈 찬물에 식초를 넣고 담가 부드럽게 만들어두기
부드러워지면 체에 건져두기

❷ 오이는 어슷하게 편으로 썰어 6㎝ 길이로 채 썰기

❸ 마늘은 다지기

❹ 볼에 다진마늘, 식초, 설탕, 소금, 참기름 약간을 섞어 마늘 소스 만들기

❺ 볼에 오이, 데친 해파리를 섞어 접시에 담고, 제출 직전 마늘 소스 끼얹기

요리달인의 초스피드 합격노트!

양장피잡채 炒肉想长皮

▣ 재료 준비

양장피 1/2장, 돼지등심(살코기) 50g, 양파(중, 150g 정도) 1/2개, 조선부추 30g, 건목이버섯 1개, 당근(길이로 썰어서) 50g, 오이(가늘고 곧은 것, 20㎝ 정도) 1/3개, 달걀 1개, 진간장 5mL, 참기름 5mL, 겨자 10g, 식초 50mL, 흰설탕 30g, 식용유 20mL, 작은새우살 50g, 갑오징어살(오징어 대체 가능) 50g, 건해삼(불린 것) 60g, 소금(정제염) 3g

▣ 만드는 법

❶ 40℃ 정도의 따뜻한 물과 겨자분을 1 : 2 비율로 섞어 발효시키기(10분) 발효시킨 후 식초 2T, 설탕 1T, 간장, 소금 약간, 참기름을 넣고 겨자소스 만들기
❷ 양장피는 미지근한 물에 불리고, 목이버섯도 따뜻한 불린 후 찢어두기 양파, 오이, 당근도 5㎝ 길이로 채 썰고 부추도 5㎝ 길이로 썰기, 돼지고기도 얇게 5㎝ 길이로 채 썬 후 간장으로 밑간하기
❸ 뜨거운 물에 당근 데치고, 양장피는 1분 정도 데치고 찬물 헹군 후 간장, 참기름으로 밑간하기
❹ 오징어, 해삼, 새우도 손질 후 뜨거운 물에 데친 후 오징어와 해삼은 채 썰기
❺ 달걀은 풀어서 소금 간하여 체에 내린 후 지단을 부쳐 5㎝ 길이로 채 썰기
❻ 팬에 기름 두른 후 돼지고기, 양파 → 간장, 목이 → 부추, 소금, 참기름 넣고 볶기
❼ 접시에 오이, 당근, 새우, 해삼, 오징어, 달걀지단을 돌려 담기 (총 6가지-2번씩 마주 보이게 세팅) 가운데 밑간한 양장피를 담고, 그 위에 ❻의 볶은 재료를 올리고 겨자소스를 곁들여 담아내기

요리달인의 초스피드 합격노트!

부추잡채 炒韮菜

▣ 재료 준비

부추{중국부추(호부추)} 120g, 돼지등심(살코기) 50g, 달걀 1개, 청주 15mL, 소금(정제염) 5g, 참기름 5mL, 식용유 100mL, 녹말가루(감자전분) 30g

▣ 만드는 법

❶ 부추는 다듬어 손질 후 6㎝ 길이로 썰어 흰부분과 푸른부분으로 분리하기

❷ 고기는 얇게 포를 떠서 6㎝ 길이로 결대로 채 썰기 청주, 소금 → 달걀흰자, 녹말을 넣고 무치기

❸ 예열된 팬에 기름을 넉넉히 두른 후 ❷의 고기를 중약불에서 젓가락으로 풀어가며 익혀 체에 밭쳐 기름 제거하기

❹ 예열된 팬에 기름을 두른 후 부추 흰부분 → 청주, 돼지고기 → 부추 파란부분, 소금, 참기름

❺ 완성그릇에 높이 세워 담기

요리달인의 초스피드 합격노트!

고추잡채 青椒肉絲

▣ 재료 준비

돼지등심(살코기) 100g, 청주 5mL, 녹말가루(감자전분) 15g, 청피망(중, 75g 정도) 1개, 달걀 1개, 죽순{통조림(whole), 고형분)} 30g, 건표고버섯(지름 5㎝ 정도, 물에 불린 것) 2개, 양파(중, 150g 정도) 1/2개, 참기름 5mL, 식용유 150mL, 소금(정제염) 5g, 진간장 15mL

▣ 만드는 법

❶ 피망, 양파는 5㎝ × 0.3㎝ 정도로 채 썰기
죽순, 표고도 포 떠서 동일하게 채 썰기

❷ 뜨거운 물에 죽순을 데친 후 찬물에 헹구기

❸ 돼지고기는 5㎝ 길이로 얇게 포 떠서 결대로 채 썰기
청주, 간장으로 밑간 → 달걀흰자, 녹말을 넣어 버무리기

❹ 예열된 팬에 기름을 넉넉히 두르고 중약불에서 돼지고기를 젓가락으로 풀어주면서 튀기듯 익혀 체에 밭쳐 기름을 제거하기

❺ 팬에 ❹의 기름을 두르고 양파, 표고, 죽순 → 청주, 간장 → 피망, ❹의 돼지고기, 소금, 참기름 넣고 볶기

❻ ❺를 완성그릇에 담기

요리달인의 초스피드 합격노트!

마파두부 痲婆豆腐

▣ 재료 준비

두부 150g, 마늘(중, 깐 것) 2쪽, 생강 5g, 대파(흰부분 6㎝ 정도) 1토막, 홍고추(생) 1/2개, 두반장 10g, 검은후춧가루 5g, 돼지등심(다진 살코기) 50g, 흰설탕 5g, 녹말가루(감자전분) 15g, 참기름 5mL, 식용유 60mL, 진간장 10mL, 고춧가루 15g

▣ 만드는 법

❶ 두부는 사방 1.5㎝로 썰기

❷ 마늘, 생강은 다지고, 대파, 홍고추는 0.5㎝로 다지기
돼지고기는 핏물 제거 후 다지기

❸ 뜨거운 물에 두부 데치기

❹ 볼에 고춧가루를 담고 기름을 예열시킨 후 사이다 기포처럼 살짝 방울이 생기면 고춧가루에 부어준 후 체에 키친타올을 깔고 고추기름 만들기

❺ 물과 녹말 2 : 1로 섞어 물녹말 만들기

❻ 예열된 팬에 ❹의 고추기름을 두르고 대파, 마늘, 생강 → 간장, 돼지고기 → 두반장 1T, 설탕 1t, 홍고추 → 물 1C 넣고 끓이기

❼ 끓으면 물녹말로 농도 맞춘 후 두부를 넣고 참기름을 넣기

요리달인의 초스피드 합격노트!

새우케찹볶음 蕃茄蝦仁

▣ 재료 준비

작은새우살(내장이 있는 것) 200g, 진간장 15mL, 달걀 1개, 녹말가루(감자전분) 100g, 토마토케찹 50g, 청주 30mL, 당근(길이로 썰어서) 30g, 양파(중, 150g 정도) 1/6개, 소금(정제염) 2g, 흰설탕 10g, 식용유 800mL, 생강 5g, 대파(흰부분 6cm 정도) 1토막, 이쑤시개 1개, 완두콩 10g

▣ 만드는 법

❶ 앙금녹말 만들기(전분, 물 각 1/2C)

❷ 대파, 양파, 당근, 생강은 1cm, 두께 0.3cm로 썰고, 완두콩은 데치기

❸ 새우는 꼬지로 내장 제거 후 청주, 소금 밑간 → 달걀흰자, 앙금녹말 반죽하기

❹ 160℃로 예열된 기름에 2번 튀기기. 체에 밭쳐 기름 제거하기

❺ 물과 녹말 2 : 1의 비율로 물녹말 만들기

❻ 예열된 팬에 기름 두르고 대파, 생강 → 청주, 간장 → 채소(당근, 양파) → 케찹 3T, 설탕 1T, 물 1/2C 넣고 끓이기

❼ ❻이 끓으면 물녹말을 넣어 농도를 낸 후 ❹의 튀겨낸 새우를 넣고 섞어주기

요리달인의 초스피드 합격노트!

채소볶음 炒蔬菜

▣ 재료 준비

청경채 1개, 대파(흰부분 6cm 정도) 1토막, 당근(길이로 썰어서) 50g, 죽순{통조림(whole), 고형분)} 30g, 청피망(중, 75g 정도) 1/3개, 건표고버섯(지름 5cm 정도, 물에 불린 것) 2개, 식용유 45mL, 소금(정제염) 5g, 진간장 5mL, 청주 5mL, 참기름 5mL, 마늘(중, 깐 것) 1쪽, 흰후춧가루 2g, 생강 5g, 셀러리 30g, 양송이{통조림(whole), 양송이 큰 것)} 2개, 녹말가루(감자전분) 20g

▣ 만드는 법

❶ 마늘, 생강, 양송이는 편으로 썰기
대파, 피망은 4cm × 1~1.5cm 편으로 썰기
청경채는 4cm 길이로 썰기

❷ 당근, 샐러리, 죽순, 표고는 4cm × 1~1.5cm × 0.3cm로 썰기

❸ 뜨거운 물에 소금 약간을 넣고 마늘, 생강, 대파를 제외한 채소들을 살짝 데쳐 찬물에 헹군 후 물기 제거하기

❹ 물과 녹말을 2 : 1로 섞어 물녹말 만들기

❺ 예열된 팬에 기름을 두르고 대파, 마늘, 생강 → 간장 1t, 청주 1t → 당근, 표고, 죽순, 양송이, 샐러리 → 물 1/4C 넣고 끓이기

❻ ❺가 끓으면 물녹말로 농도를 맞춘 뒤 피망, 청경채를 넣고 소금, 흰후추, 참기름 넣기

요리달인의 초스피드 합격노트!

라조기 辣子鷄

■ 재료 준비

닭다리(한 마리 1.2kg 정도, 허벅지살 포함 반 마리 지급 가능) 1개, 죽순{통조림(whole), 고형분)} 50g, 건표고버섯(지름 5㎝ 정도, 물에 불린 것) 1개, 홍고추(건) 1개, 양송이{통조림(whole), 양송이 큰 것)} 1개, 청피망(중, 75g 정도) 1/3개, 청경채 1포기, 생강 5g, 대파(흰부분 6㎝ 정도) 2토막, 마늘(중, 깐 것) 1쪽, 달걀 1개, 진간장 30mL, 소금(정제염) 5g, 청주 15mL, 녹말가루(감자전분) 100g, 고추기름 10mL, 식용유 900mL, 검은후춧가루 1g

■ 만드는 법

❶ 앙금녹말 만들기(녹말, 물 각 1/2C)

❷ 생강, 마늘, 양송이는 편으로 썰기
홍고추는 5㎝로 어슷 썰기
대파, 건표고, 죽순, 피망, 청경채는 5㎝ × 2㎝로 썰기
뜨거운 물에 죽순을 데친 후 찬물에 헹구기

❸ 닭고기는 뼈를 발라 펴준 후 5㎝ × 1㎝로 썰어준 후 간장, 청주, 소금으로 밑간하고 달걀흰자, 앙금녹말을 넣어 튀김옷을 만들어 버무려주기

❹ 160℃로 예열됨 기름에 튀겨내기(2번) 체에 밭쳐 기름 제거하기

❺ 물과 녹말을 2 : 1의 비율로 섞어 물녹말 만들기

❻ 예열된 팬에 고추기름을 두른 후 대파, 마늘, 생강, 건고추 → 간장 1T, 청주 1T → 표고, 죽순, 양송이 → 물 1C 넣고 끓이기. 소금, 후추 간하기

❼ ❻에 물녹말 넣어 농도 맞춘 후 청피망, 청경채 넣어 버무리기

요리달인의 초스피드 합격노트!

경장육사 京醬肉絲

■ 재료 준비

돼지등심(살코기) 150g, 죽순{통조림(whole), 고형분)} 100g, 대파(흰부분 6㎝ 정도) 3토막, 달걀 1개, 춘장 50g, 식용유 300mL, 흰설탕 30g, 굴소스 30mL, 청주 30mL, 진간장 30mL, 녹말가루(감자전분) 50g, 참기름 5mL, 마늘(중, 깐 것) 1쪽, 생강 5g

■ 만드는 법

❶ 대파는 속대 제거 후 5㎝로 어슷하게 채 썰기. 찬물에 담가둔 후 물기 제거

❷ 죽순은 포 떠서 5㎝ 길이로 채 썬 후 뜨거운 물에 데치기
마늘, 생강도 채 썰기
돼지고기는 얇게 포 뜬 후 5㎝ 길이로 자른 후 결대로 채 썰기

❸ 채 썬 돼지고기에 간장 1t, 청주 1t로 밑간 후 달걀흰자 1/2T, 녹말 1/2T 넣어 버무린 후 팬에 기름을 넉넉히 두른 후 젓가락으로 풀어가며 고기를 튀기듯 익혀 체에 밭쳐 기름 제거

❹ 팬에 춘장, 기름을 넣고 볶아 체에 밭쳐 기름 제거 후 그릇에 담아 두기

❺ 물과 녹말을 2 : 1의 비율로 물녹말을 만들기

❻ 예열된 팬에 기름을 두른 후 마늘, 생강 → 청주, 간장, 죽순 → 돼지고기, 춘장 1T, 굴소스 1T, 설탕 1T, 물 1/4C 넣고 끓이기 → 물녹말 넣어 농도 맞추기 → 참기름 넣기

요리달인의 초스피드 합격노트!

빠스옥수수 拔絲玉米

■ 재료 준비

옥수수{통조림(고형분)} 120g, 땅콩 7알, 밀가루(중력분) 80g, 달걀 1개, 흰설탕 50g, 식용유 500mL

■ 만드는 법

❶ 옥수수 체에 밭쳐 수분 제거

❷ 땅콩 다지기, ❶의 옥수수 다지기

❸ 볼에 옥수수 넣고 달걀노른자 1/2T, 밀가루 2T 넣고 섞어준 후 땅콩 넣고 섞기

❹ 반죽을 한 손으로 잡고 엄지와 검지 사이로 올라오도록 모양을 잡아 직경 3㎝ 되도록 옥수수 완자 만들기

❺ 150℃ 예열된 기름에 ❹를 튀기기

❻ 팬에 식용유 1T, 설탕 3T 넣어 젓지 않고 녹이기. 설탕이 다 녹으면 ❺를 넣고 시럽이 골고루 묻어나도록 약불에서 버무리기

❼ 기름을 바른 접시 위에 ❻을 떼어서 담아내기

❽ 완성그릇에 옮겨 담기

요리달인의 초스피드 합격노트!

빠스고구마 拔絲地瓜

■ 재료 준비

고구마(300g 정도) 1개, 식용유 1000mL, 흰설탕 100g

■ 만드는 법

❶ 고구마는 껍질을 벗기고 세로로 4등분을 내고, 4㎝ 크기의 다각형으로 돌려 썰어주기

❷ 150℃ 예열된 기름에 고구마 튀기기

❸ 팬에 식용유 1T, 설탕 3T을 넣고 약불로 젓지 않고 녹이기, 시럽이 다 녹으면 ❷의 고구마를 넣고 시럽이 골고루 묻어나도록 약불에서 버무리기

❹ 기름 바른 접시에 ❸을 담기

❺ 식으면 완성접시에 옮겨 담기

2021년 요리달인의 중식 마스터!
중식조리기능사 필기 · 실기

발 행 일 2021년 1월 5일 초판 1쇄 발행

저 자 박지영, 전도현

발 행 처 

발 행 인 이상원
신고번호 제 300-2007-143호
주 소 서울시 종로구 율곡로13길 21
공 급 처 02) 765-4787, 1566-5937, 080) 850-5937
전 화 02) 745-0311~3
팩 스 02) 743-2688, 02) 741-3231
홈페이지 www.crownbook.com
I S B N 978-89-406-4356-3 / 13590

특별판매정가 22,000원

본 도서에 대한 문의사항이 있을 시에는 기획편집부(02-6430-7020)으로
연락주시면 친절한 상담을 해드리겠습니다.

한국산업인력공단 새 출제기준에 따른 최신판!!

요리달인의 중식 마스터!

중식 조리기능사

1. NCS 기반 2021년 출제기준 완벽 반영!
2. 단원별 적중 예상문제 및 실전 모의고사문제 5회 수록!
3. 20가지 실기과제 및 각 과제별 핵심 Tip, 합격비법 수록!
4. 시험 직전 리뷰용 핸드북(초스피드 합격노트) 수록!

합격해요~ 사랑해요~

중식 조리기능사 필기·실기

발행처 크라운출판사 **발행인** 李尙原 **저자** 박지영·전도현
주소 서울시 종로구 율곡로13길 21 **신고번호** 제 300-2007-143호
공급처전화 02) 745-0311~3, 1566-5937, 080) 850-5937
FAX 02) 743-2688, 02) 741-3231 **문의전화** 02) 6430-7020
홈페이지 www.crownbook.co.kr

특별판매정가 22,000원

ISBN 978-89-406-4356-3

완전합격

한국산업인력공단 NCS 반영

용접 산업기사 실기시험문제

김민태 · 이한섭
임병철 · 김명선
공저

▶새 출제기준에 맞춘 TIG용접 가스 실드 지그(백판) 실기 방법 수록!!

▶완전 올컬러 사진과 상세한 설명으로 국내 최신판!!

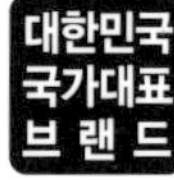

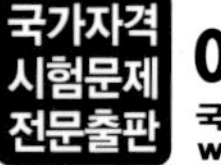

에듀크라운
국가자격시험문제 전문출판
www.educrown.co.kr

최고의 적중률!! 최고의 합격률!!
크라운출판사
국가기술자격시험문제 전문출판
http://www.crownbook.com